今注本二十四史

# 晋書

五

志

〔三〕

唐　房玄齡等　撰

梁滿倉　主持校注

中国社会科学出版社

# 晋書　卷一五

## 志第五

## 地理下

### 青州[1]　徐州[2]　荆州[3]　揚州[4]　交州[5]　廣州[6]

[1]青州：孔祥軍《晋書地理志校注》："據《通典》卷一百七十一《州郡一》：'晋太康元年平吴，分爲十九州部……青治臨淄。'則青州治臨淄，今山東淄博市東北。《續漢志》青州領濟南、平原、樂安、北海、東萊、齊國六郡，《續漢書·百官志》劉昭注引《獻帝起居注》：'青州得齊國、北海、東萊、濟南、樂安。'則建安末青州領郡五，洪氏《補志》據《魏志》以爲青州當有長廣郡，吴氏《考證》卷三詳考諸書，以爲長廣郡初置於建安初旋廢，後又於晋初咸寧時復置，以駁洪氏，吴氏論證精當，是。"

清洪亮吉《東晋疆域志》考證東晋青州僑州郡縣："青州，《沈志》江左僑立，治廣陵。安帝義熙五年平廣固，北青州刺史治東陽城，而僑立南青州如故。凡統僑郡三，僑縣八。

"齊郡，《沈志》過江僑立，後省，以西安配南魯郡。領縣可考者二。西安，漢縣名。《後漢書》注故城在今青州臨淄縣西北，西晋屬齊國。案《沈志》《永初郡國》無西安縣，知齊郡及西安縣僑立及省皆在東晋也。臨淄，漢縣名。《水經注》淄水又東逕臨淄縣故城南齊郡治。西晋屬齊國，東晋僑立。

“濟岷郡，《沈志》江左立。《晋書載記》晋濟岷太守劉闓等叛降於石勒。案《沈志》又云魏平蜀徙蜀豪將家於濟河，故立此郡。安帝義熙中土斷并濟南。今故列入僑郡，領縣二。營城，《沈志》濟岷郡領營氣城、晋寧二縣。晋寧，《沈志》江左立。

“高密郡，《沈志》南兖州下高密郡領淯于、黔陬、營陵、夷安凡四縣。案太元四年秦將俱難等拔盱眙，執高密内史毛璪之。據此則高密僑郡當在盱眙。淯于，漢縣名。《後漢書》注故城在今安丘縣東北。《沈志》稱《晋太康地志》屬城陽。下三縣並同。黔陬，漢縣名。《後漢書》注故城在今諸城縣東北。營陵，漢縣名。《後漢書》注故城在青州北。夷安，漢縣名。《太平寰宇記》故城在今密州高密縣外城。”

清洪亮吉《十六國疆域志》考前趙青州：“青州，《前趙録》元熙四年淵拜王彌爲青州牧。王彌表左長史曹嶷行安東將軍，東徇青州。”

同書考後趙青州：“青州，《藝文類聚》稱《晋太康地志》《晋書・地理志》永嘉喪亂，青州淪没石氏。東萊人曹嶷爲刺史，造廣固城。《載記》趙王五年，石勒遣石虎統中外步卒四萬擊安東將軍、青州刺史曹嶷，嶷欲徙海中保根余山，會疾疫甚，計未及就，虎進圍廣固。東萊太守劉巴、長廣太守吕披皆以郡降。嶷遂出降，送於襄國殺之。虎盡殺嶷衆。青州刺史劉徵爲言，乃坑其衆三萬，留男女七百口配徵，使鎮廣固。青州諸郡縣壁壘盡陷。石虎令青州造船千艘，使石宣率步騎二萬擊朔方鮮卑斛摩頭，破之。凡領舊郡五、增置郡一。

“齊郡，後趙縣可考者一。益都，有廣固城。

“濟南郡，《太平寰宇記》濟南郡後爲石勒所據。凡領縣四。歷城。著。東平陵，漢舊縣。晋省，後復。有善石溝。於陵。

“樂安郡，《北史·李先傳》父懋，石季龍樂安太守。凡領縣八。高苑。臨濟。博昌。利益。蓼城。鄒。壽光。東朝陽。

“祝阿郡，《晉書·桑虞傳》石虎青州刺史劉徵請虞爲長史，帶祝阿郡。凡領縣一。祝阿，漢舊縣。案《地志》闕略，未知祝阿郡所領幾縣。今姑以此縣附之。

“東萊國，《晉書》石虎討曹嶷進圍廣固，東萊太守劉巴、長廣太守吕披皆以郡降。凡領縣七。掖，有青山。當利。盧鄉。曲城。黄。惤。牟平，案《太平寰宇記》牟平晉屬東萊國。《地形志》晉罷後復。今故列此。

“長廣郡，魏置。後趙領縣四。不其，漢舊縣。《太平寰宇記》晉於此置長廣郡。《沈志》稱《晉太康地志》屬長廣。長廣，漢舊縣。《沈志》稱《晉太康地志》屬長廣。有長廣山。挺，漢舊縣。《沈志》稱《太康地志》屬長廣。昌陽，漢舊縣。《太平寰宇記》稱顧野王云惠帝元康八年復立昌陽縣，屬長廣郡。”

同書考前秦青州：“青州，《晉書·地理志》慕容恪滅趙，克青州。苻氏平燕，盡有其地。及苻氏敗後，刺史苻朗以州降。《載記》苻堅徙陳留、東阿萬户以實青州。苻堅時青州刺史韋鐘、苻朗。晉遣淮陰太守高素伐青州，朗詣謝玄降。領漢郡五、魏郡一、晉郡二。

“齊郡，前秦領縣六。《北史·崔逞傳》父瑜，苻堅以爲齊郡太守。臨淄。西安。東安平。廣饒。昌國。益都，《晉書》堅封苻萇爲益都侯。

“濟南郡，前秦領縣五。歷城，有琨瑞山。平壽。下密。膠東。祝阿。

“樂安國，《晉書》苻朗封樂安男。領縣八。高苑。臨濟。博昌。利益。蓼城。鄒。壽光。東朝陽。

“高密郡，領縣三。《晉書》堅高密太守毛躁之。高密。黔陬。夷安。

“平昌郡，魏置。後廢。《地形志》晉惠帝復。前秦領縣三。

平昌，漢舊縣。案《地形志》云晋屬城陽，魏初屬平昌郡。今考之疑復立郡時即以移屬也。淯于，漢舊縣。昌安，漢舊縣。以上三縣，《地形志》晋屬城陽，後屬。

“東萊國，前秦領縣七。《北史·寇讚傳》父修之，苻堅東萊太守。掖。常利。盧鄉。曲城。黄。惤。牟平。

“東牟郡，前秦領縣一。東牟。

“長廣郡，前秦領縣六。不其。長廣。挺。昌陽。即墨。當利。”

同書考前燕青州：“青州，《晋書·地理志》慕容恪滅趙，克青州。以朱禿爲青州刺史。凡領舊郡六。

“齊國，前燕領縣六。慕容恪以章武太守鮮于亮爲齊郡太守。臨淄。西安。東安平，《晋穆帝紀》永和十二年，鎮北將軍段龕及慕容恪戰於廣固，大敗之，恪退據安平。廣饒，有淄水。昌國。益都，有廣固城。

“濟南郡，前燕領縣六。東平陵。平壽。下密。膠東。即墨。祝阿。

“樂安國，《晋書》石虎遣將鄧恒率衆屯此營取之計。凡領縣八。高苑。臨濟。博昌。利益。蓼城。鄒。壽光。東朝陽。

“城陽郡，前燕領縣十。莒。姑幕。諸。淯于。東武。高密。壯武。黔陬。平昌。昌安。

“東萊國，前燕領縣六。慕容恪以鞠殷爲東萊太守。掖。當利。盧鄉。曲城。黄。惤。

“長廣郡，前燕領縣四。不其。長廣。挺。昌陽。”

同書考後燕青州：“青州，《後燕録》太元十二年，垂建興二年，燕人進軍歷城，青、兖、徐州郡縣壁壘多降。垂以慕容紹爲青州刺史，鎮歷城。《晋書·地理志》熙青州刺史鎮新城。《載記》熙以悦真爲青州刺史，鎮新城。統郡可考者二。

“齊郡，後燕領縣可考者一。臨淄，《晋書載記》慕容農敗辟閭渾於龍水，遂入臨淄。

“濟南郡，後燕領縣六。陽丘故縣有黄巾固。歷城。平壽。下密。膠東。即墨。祝阿，有甕口、三布口。”

同書考南燕青州：“青州，《晉書·地理志》苻氏敗後，青州刺史苻朗以州降，朝廷置幽州，以别駕辟閭渾爲刺史，鎮廣固。隆安四年，爲慕容德所滅，遂都之，是爲南燕。復改爲青州。德以青州刺史鎮東萊，超移青州於東萊郡，後爲劉裕所滅。崔鴻《十六國春秋·南燕録》建平二年，青州刺史鞠仲來朝。太上元年，超以慕容鍾爲青州牧。超遣慕容鎮等攻鍾於青州，克之。鍾奔姚興。統郡五。

“燕都尹，即齊郡，又稱京兆太守。《南史·垣護之傳》父苗，仕慕容超爲京兆太守，蓋超都齊郡，即以之爲京兆郡耳。又胡三省云，南燕於廣固置燕都尹。《晉書載記》德引師而南，遣使喻齊郡太守辟閭渾，渾不從，遣慕容鍾率步騎二萬擊之。渾懼，將妻子奔於魏。《南燕録》建平元年，德如齊城。領縣六。廣固，《水經注》淄水東北流，逕廣固縣故城西，舊青州刺史治。案慕容德建都於此，疑改益都爲廣固。《晉書載記》晋幽州刺史辟閭渾聞德軍將至，徙八千餘家入廣固。燕二年，德入廣固。建平元年，德定都於廣固，遂僭即皇帝位。義熙三年，廣固地震。劉裕進攻廣固。有大城、小城、東陽殿、顯安宫、長樂宫、延賢堂、萬春門、端門、天門、澠水、天齊水、五龍口、柳泉故城、薄荀固、慕容德墓。臨淄，《北史·張烈傳》曾祖恂，隨慕容德南奔，因居齊郡之臨淄縣。有鼎足山、牛山、商山、天齊池、申池、烏常澤、營丘、時水。西安。東安平，有女水。廣饒。昌國。

“濟南郡，《晉書載記》超濟南太守王儼。超遣公孫歸等入濟南，執晋太守趙元，略男女千餘人而去。領縣六。有管縣故城、石塞城。歷城。平壽。下密。膠東。祝阿。臺，有馬耳關。

“北海郡，南燕領縣可考者一。都昌，《南史·劉懷珍傳》祖昶，從慕容德南渡河，因家於北海郡屬之都昌縣。有柳泉。

“東萊郡，《晉書載記》東萊郡雨血。領縣七。掖，有燕臺。

當利。盧鄉。曲城。黄。惤。牟平。

“東牟郡，晋置。《魏書·張幸傳》爲慕容超東牟太守。《北史》同。領縣可考者一。東牟。

“平原郡，《晋書載記》辟閭渾遣平原太守張豁戍柳泉，豁降於德。領縣九。案《晋書·地理志》平原、勃海二郡屬冀州。今考南燕無冀州。《續漢書·郡國志》青州六郡有平原，今故附此。勃海郡亦以地近附焉。平原，《晋書載記》平原令杜雄。高唐。茌平。博平。柳城。安德。西平昌。般。鬲。

“勃海郡，《晋書載記》勃海太守封孚以郡降德。領縣十。南皮。東光。浮陽。饒安。高城。重合。東安陵。蓨。廣川。阜城。”

同書考北燕青州：“青州，案慕容廆本以青州流人置營丘郡。《晋書載記》馮素弗初爲京尹，後鎮營丘。今考《晋書·地理志》高雲以幽冀二州牧鎮肥如，并州刺史鎮白狼，惟青州不言治處。今素弗云鎮營丘，疑此時素弗爲青州刺史，營丘即青州治處，史文簡略，偶不詳耳。姑列於此，俟再考。又案《載記》李訓爲方略令，馮素弗言於跋云云。方略縣未詳所屬，附記於此。

“營丘郡，《晋書載記》庫莫奚虞出庫真率三千餘落請交市，獻馬千匹，許之，處之於營丘。《北史·馮跋傳》太武親討之，弘嬰城固守。其營丘、遼東、成周、樂浪、帶方、玄菟六郡皆降。領縣可考者一。富寧。

“成周郡，《通鑑》魏主燾引軍還，徙營丘、成周、遼東、樂浪、帶方、玄菟六郡民三萬家於幽州。縣無考。”

[2]徐州：孔祥軍《晋書地理志校注》：“據《宋志》：‘徐州刺史，後漢治東海郯縣，魏、晋、宋治彭城。’《後魏志》：‘徐州，後漢治東海郡，魏、晋治彭城。’則徐州治彭城，在今江蘇徐州市。”

清洪亮吉《東晋疆域志》考證東晋徐州僑州實郡：“《沈志》晋永嘉大亂，幽、冀、青、并、兖州及徐州之淮北流民相率過淮，亦有過江在晋陵郡界者。成帝咸和四年，司空郗鑒又徙流民之在淮南者於晋陵諸縣，其徙過江南及留在江北者并立僑郡縣，以司牧之。又云明帝世淮北没寇，橋立徐州，治鍾離。安帝義熙七年始分淮北爲北徐，淮南猶爲徐州。又以幽、冀合徐。今考江北淮南諸實郡皆徐州所領。胡三省云，徐州實郡在江北者有廣陵、堂邑、鐘離三郡，然實則不止此也。《沈志》穆帝永和中郡移出京口。《圖經》晉徐州僑治京口，凡領舊郡二，增置郡四，領縣二十：

"廣陵郡，漢置。《晉志》東晉分出海陵、山陽二郡，凡領縣五。《晉書》廢帝太和中，桓温自山陽及會稽王昱會於涂中，謀後舉，遂城廣陵而居之。淮陰，漢舊縣。《沈志》稱《太康地志》屬廣陵。又淮浦縣，《沈志》稱《太康地志》亦屬廣陵。東陽、司吾、下相、徐四縣並云屬臨淮也。《晉書》元帝太興四年以劉隗爲青州刺史，鎮淮陰。穆帝永和八年使北中郎將荀羨鎮淮陰。孝武太元十二年豫州刺史鎮淮陰。《荀羨傳》羨北討上疏云舊淮陰鎮形勢都要，水陸皆通，易以觀釁。沃野有開殖之利，方舟運漕，水陸無阻，乃營立城池焉。有樊湖、津湖。廣陵，漢舊縣。有新城、邵伯埭、步丘。海陵，漢舊縣。《沈志》三國時廢，晉武帝太康元年復立。有青浦、郎山。高郵，漢舊縣。《沈志》三國時廢，晉武帝太康元年復立。《晉志》又有射陽、海陽、淮浦、江都四縣。《水經注》射陽城本北中郎將庾希所鎮。《太平寰宇記》義熙元年省射陽縣，置山陽郡。《沈志》江都，三國時廢，晉武帝太康六年復立，江左又省併輿縣。有三阿、白馬塘。輿，漢舊縣。案《桓彝傳》：嘗過輿，縣宰東海徐寧云云，則東晉時有此縣。《沈志》宋元嘉十三年始併輿縣入江都。

"海陵郡，《沈志》晉安帝分廣陵立，《永初郡國》屬徐州。東晉蓋同。凡領縣四。去京都水三百九十，陸同。臨江，《沈志》晉安帝立。《圖經》初屬山陽郡，後屬。如皋，《沈志》晉安帝立。寧海，《沈志》晉安帝立。蒲濤，《沈志》晉安帝立。

"山陽郡，《沈志》晉安帝義熙中土斷分廣陵立。景帝分梁爲山陽，非此郡也。《永初郡國》屬徐州，東晉蓋同。《通典》或云漢吴王濞反於廣陵，山陽王率衆於此拒之，因以山陽爲名。樂史稱

《宋書·郡國志》並記云安帝義熙元年省射陽縣，分廣陵之鹽城地立山陽東城、左鄉二縣爲山陽郡，屬南徐州。又稱戴延之《西征記》曰山陽津名。案郡名蓋取諸此。又漢鹽瀆縣，《沈志》云晋安帝改爲鹽城，是東晋時有此縣。凡領縣四。《沈志》去京都水五百，陸同。山陽，《沈志》射陽縣境，地名山陽，與郡俱立。《水經注》淮水下云，城本北中郎將庾希所鎮。鹽城，漢舊縣，名鹽瀆。《沈志》三國時廢，晋武帝太康二年復，晋安帝更名。東城，《沈志》晋安帝立。左鄉，《沈志》晋安帝立。

"盱眙郡，《晋志》義熙中以盱眙立盱眙郡，統考城、直瀆、陽城三縣。《太平寰宇記》義熙中置郡於今盱眙縣東一里臺子山上。《晋書》太寧元年，石勒攻陷下邳，徐州刺史卞敦退保盱眙。太元四年苻堅將句難、彭超陷盱眙，高密内史毛璪之爲賊所執。《沈志》去京都水七百，陸五百。有君川、淮橋。考城，《晋志》義熙七年立。陽城，《沈志》晋安帝立。直瀆，《沈志》晋安帝立。

"鍾離郡，《沈志》晋安帝分立。《晋志》明帝於漢故九江郡界置鍾離郡，屬徐州。案《宋書·劉義康傳》兼督司州之鍾離郡，事在義熙中。《沈志》去都陸六百二十，水一千三十。縣别見。

"淮陵國，《沈志》惠帝永寧元年以爲淮陵國。《蘇峻傳》除淮陵内史。《謝玄傳》淮陵太守高素。《王恭傳》淮陵内史虞珧。（僑縣别見。）凡領縣可考者四。淮陵，漢舊縣。《沈志》晋屬臨淮。惠帝永寧元年以爲淮陵國。司吾，漢舊縣。《沈志》《晋太康地志》屬臨淮。徐，漢舊縣。《沈志》《晋太康地志》屬臨淮。《元和郡縣志》晋太康三年復立。下相，漢舊縣。"

同書考東晋徐州僑置郡縣："徐州，《沈志》晋永嘉大亂，幽、冀、青、并、兖州及徐州之淮北流民相率過淮，亦有過江在晋陵郡界者。晋成帝咸和四年，司空郗鑒又徙流民之在淮南者於晋陵諸縣，其徙過江南及流在江北者，並立僑郡縣以司牧之。《通典》晋後於鍾離郡地僑置徐州。《元和郡縣志》晋氏南遷，又於淮南僑立徐州，安帝始分淮北曰北徐州，淮南但曰徐州。凡統僑郡十七，實郡有僑縣者四，縣可考者五十二。

“淮陽郡，《晋志》元帝渡江之後，徐州所得惟半，乃僑置淮陽、陽平、濟陰、北濟陰四郡。《沈志》云晋義熙中土斷立。今考淮陽郡之置，當以《宋志》爲是。僑縣一。上黨，漢郡名，《沈志》本流寓郡，併省來配。

“陽平郡，《沈志》故屬司州，流寓來配。案《宋書·武帝紀》義熙五年，慕容超大掠淮北，執陽平太守劉千載。則郡僑立在淮北也。《一統志》陽平廢郡，本晋元帝置，在今靈壁縣南。案《沈志》領縣三，東晋當同。館陶，漢縣名，本屬陽平，東晋當與郡同僑立。下二縣同。陽平，漢縣名，本屬陽平。《後漢書》注故城在今魏州莘縣。濮陽，《沈志》本流寓郡，併省來配。案《沈志》南徐州下又有南濮陽郡，今故並録。

“濟陰郡，《圖經》晋元帝時於睢陵僑置海陰郡。《地形志》彭城郡睢陵縣，晋亂屬濟陰，領縣二。定陶，漢縣名，西晋屬濟陽郡，東晋當與郡同僑立。頓丘，漢縣名，西晋屬頓丘郡。《沈志》流寓割配。

“北濟陰郡。城父，漢縣名。《沈志》《晋太康地志》屬濟陰，東晋僑立。離狐，漢縣名。《沈志》《晋太康地志》屬濟陰，東晋僑立。

“琅邪郡，《沈志》晋亂，琅邪國人隨元帝過江千餘户。太興三年立懷德縣。丹陽雖有琅邪相，而無此地。成帝咸康元年，桓温領郡，鎮江乘之蒲洲金城，上求割丹陽之江乘縣境立郡。樂史稱王隱《晋書》云，江乘南岸溝州津有城，即琅邪城，又云在上元縣東北六十里。又稱《南徐州記》曰琅邪郡割潮溝爲界。案今句容縣北有琅邪鄉，即其地。《晋書》康帝建元元年，以何充都督揚、豫、徐州之琅邪諸軍事。二年，以褚裒都督兖州、徐州之琅邪諸軍事。案安帝義熙十三年，以徐州之北琅邪、北東莞、北東海、北譙、北梁、豫州之北潁川、北南頓益宋國。是琅邪、東莞、東海、譙、梁、潁川、南頓，東晋時皆有南北兩郡，一係實土，一屬僑郡，其實土皆以北字别之。至宋永初後，僑郡又普加南字耳。南譙、南梁、南汝陰等則晋太元後已加南字，又非自宋始，故凡領僑縣五。懷德，《沈志》大興三年，因琅邪國人立，隸丹陽，無土地。成帝咸康元年，桓温領郡，鎮江乘，即縣境立郡。《圖經》懷德故城在上元縣北。又稱《建康志實録》云懷德縣舊置於宫城南七里，後改爲費縣，移於宫城西北三里。今在鍾山鄉。臨沂，漢縣名，西晋屬琅邪。《沈志》元帝又分江乘縣地立臨沂縣。《太平寰宇記》臨沂縣城在上元縣西北三十里。《圖經》作東北。今考《建康志》臨沂山在上元縣東北四十里，西南有臨沂舊縣城，則當以《圖經》爲是。《晋書》義熙九年罷臨沂、湖熟，皇后脂澤田。陽都，漢縣名。《沈志》《晋太康地志》屬琅邪。《太平寰宇記》故城在沂水縣南，東晋僑立。費，漢縣名，西晋屬琅邪。《太平寰宇記》故費城在今沂州費縣西北二十里，東晋當與郡僑立。《圖經》僑縣故城在上元縣西北九里。即丘，漢縣名，西晋屬琅邪。《後漢書》注故城在今沂州臨沂縣東南，即《春秋》之祝丘也。《沈志》陽都、費、即丘三縣並割臨沂及建康爲土。費縣治宫城之北。

“東海郡，《沈志》晋元帝初割吴郡海虞縣之北境爲東海郡，立郯、朐、利城三縣，而祝其、襄賁等縣寄治曲阿。穆帝永和中郡移出京口，郯等三縣亦寄治於京。案《晋志》郯、朐、利城、祝其、厚丘、西隰、襄賁凡七縣今仍之。郯，漢縣名。《後漢書》注故城在今泗州下邳縣東北，西晋屬東海。《沈志》元帝僑立。下五縣並同。朐，漢縣名。《後漢書》注故城在今海州朐山縣西。利城，漢縣名。《太平寰宇記》故利城在懷仁縣西六十里，東晋與郡僑立。《輿地紀勝》稱《輿地志》晋元帝以海隅北境之土山立利城縣。《通志》東晋利城故城在江陰縣西十五里。祝其，漢縣名。《太平寰宇記》故城在臨沂縣治東南五十里。厚丘，漢縣名。《太平寰宇記》故城在沭陽縣北四十五里，或云六十里。西隰，《沈志》、何，江左立。《永初郡國》有襄賁、祝其、厚丘、西隰四縣。襄賁，漢縣名。《後漢書》注，故城在今沂州臨沂縣南。

“東平郡，《晋志》元帝以江乘置南東海、南琅邪、南東平、南蘭陵等郡。案此諸僑郡有南字者皆宋受禪後所加，晋世無此名也。義熙十二年，以徐州之彭城、沛、蘭陵、下邳，兖州之高平、魯、泰山等郡封宋公，即《永初郡國》之南彭城、南沛、南蘭陵、南下邳、南高平、南魯、南泰山也。唐人修晋史讀《宋書》不審，誤認爲晋明帝所名，失之甚矣。縣無考。

“蘭陵郡，《晋志》元帝置。《圖經》晋太初中置郡及蘭陵縣，屬徐州，領縣可考者一。蘭陵，漢縣名。《元和郡縣志》故城在費縣東六十里，西晋屬東海，東晋僑立。《圖經》僑縣故城在常州府武進縣西北九十里。

“臨淮郡，《沈志》晋武帝太康元年復分下邳之淮南爲臨淮郡，治盱眙。江左僑立。《晋志》元帝分武進立臨淮、淮陵、南彭城等郡，屬徐州。《周玘傳》臨淮太守蔡豹。又玘子勰終臨淮太守。《范甯傳》爲臨淮太守。《蔡豹傳》臨淮太守劉遐。縣無考。

“淮陵郡，領僑縣二。廣陽，漢縣名。《圖經》廣陽水在縣東，故名。西晋屬燕國，東晋僑立。陽樂，漢縣名。《圖經》故城在永平府撫寧縣西。西晋屬遼西國，東晋僑立。

“彭城郡，《沈志》江左僑立。《劉牢之傳》領南彭城内史當即此。案據《宋書·武帝紀》及劉康祖等傳，則下邳三郡皆僑立於京口。《圖經》亦云僑置在晋陵郡界内。領縣可考者一。開陽，漢縣名。《後漢書》注，故城在今臨沂縣北，西晋屬琅邪。《沈志》晋僑立，猶屬琅邪，安帝度屬彭城。案《宋書·武帝紀》封公三子義隆爲北彭城縣公，則此時當更有南彭城縣可知。

“沛郡，《沈志》晋成帝又立南沛郡，領縣四。符離，漢縣名。《太平寰宇記》古符離城在今縣西一百三十一里，西晋屬沛國，東晋僑立。下三縣並同。《沈志》又並治廣陵。洨，漢縣名。《太平寰宇記》壽光縣有漢洨縣故城。竹邑，漢縣名。《太平寰宇記》竹邑故縣在彭城。杼秋，漢縣名。《太平寰宇記》故城在蕭縣西七十五里。《沈志》杼秋治無錫。

“清河郡，《晋志》明帝立南清河郡。《沈志》屬南徐州，今故列此。《劉敬宣傳》義熙中領清河太守。領縣四。清河，漢縣名，屬冀州。《史記正義》故城在清陽縣東南二十五里。東武城，漢縣名。《史記正義》故城在今東武城縣北十里，西晋屬清河，東晋僑立，下同。繹幕，漢縣名。《太平寰宇記》故城在平原縣西北三十里。貝丘，漢縣名。《元和郡縣志》貝丘城在臨清縣東南五十里。

“下邳郡，《晋志》明帝立南下邳郡，縣無考。

“東莞郡，《晋志》明帝立南東莞郡。《圖經》屬南徐州，治莒縣。凡領縣三。《江南通志》東晋僑置南東莞郡於晋陵南境。莒，漢縣名，西晋屬城陽郡。《元和郡縣志》密州莒縣立在莒國故城中。西晋屬東莞，東晋僑立。《武進縣志》縣有青城，在縣東南五十里，或云即古莒縣也。東莞，漢縣名。《太平寰宇記》故城即今沂水縣治，西晋屬東莞，東晋僑立。姑幕，漢縣名。《後漢書》注故城在今密州莒縣東北。西晋屬城陽，東晋僑立。《一統志》僑縣城在武進縣東南。

“平昌郡，《晋志》明帝立南平昌郡。《沈志》屬南徐州。領縣可考者二。安丘，漢縣名。《太平寰宇記》故城在今安丘縣西南十二里，西晋屬東莞，東晋僑立。東武，漢縣名。西晋屬城陽，東晋僑立。

“鍾離郡，案此即實郡僑縣。《沈志》領縣三，東晋當同。燕，漢縣名。《沈志》故屬東燕，流寓因配。《元和郡縣志》安帝時因東郡燕縣人流入鍾離，於此置燕縣。案此則東晋無鍾離縣可知。故吉甫又云，高齊時復以燕縣爲鍾離縣也。朝歌，漢縣名。《後漢書》注故城在今衛州衛縣西。《沈志》本屬河内，晋武帝分河内爲汲，又屬焉。流寓因配。樂平，漢縣名。《水經注》濕水又東北逕樂平縣故城東，縣故清也。《沈志》前漢曰清，屬東郡，章帝更名。《晋太康地志》無，流寓因配。

“海陵郡。建陵，漢縣名。《圖經》漢縣在今沭陽縣界，義熙中僑置於海陵縣，屬山陽郡，尋屬海陵郡。《一統志》晋建陵僑縣，在海州東北七十里。

“南梁郡，《沈志》晉孝武太元中僑立於淮南，安帝始有淮南故地，屬徐州。《太平寰宇記》自晉永嘉過江，温嶠立淮北之縣，用牧流人。又云合肥縣古滁陽城，東晉於此置南梁郡。領縣可考者七。睢陽，漢縣名。《通典》宋城縣云，漢睢陽縣在此，西晉屬梁國。《沈志》所治即二漢、晉壽春，後省。虞，漢縣名。《後漢書》注故城在今宋州虞城縣。西晉屬梁國，東晉僑立。陽夏，漢縣名。《元和郡縣志》太康縣理城，即漢陽夏城。《沈志》云《晉地志》惠帝永康中復立。案江左僑置在淮南。安陽，晉初立。《太平寰宇記》縣本戰國時魏寧新中邑，西晉屬魏郡。《沈志》、《永初郡國》、何，並屬南梁。穀熟，漢縣名。《圖經》故城在商丘縣東南，西晉屬梁國，東晉僑立，今故城在和州西北。陳，漢縣名。《沈志》《晉太康地志》屬梁。《通典》城在宛丘縣西南，江左僑立在淮南。新汲，漢縣名。《後漢書》注，故城在今許州扶溝縣西，西晉屬潁川，東晉僑立。

“東安郡，領僑縣一。發干，《沈志》漢縣名，屬東郡。《史記正義》故城在博州堂邑縣西南二十三里，西晉屬陽平。《沈志》《太康地志》無，江左來配。”

清洪亮吉《十六國疆域志》考後趙徐州：“徐州，《晉地理志》永嘉之亂，臨淮、淮陵並淪没石氏。《載記》永嘉四年，王彌以三千衆會勒攻寇徐豫兖州。石虎建武元年，徐州從事朱縱殺刺史郭祥以彭城歸晉，虎遣將王朗擊之，縱奔淮南。冉閔徐州刺史周成以城歸順晉。《北史・隱逸眭夸傳》祖邁，勒徐州刺史。今考凡得舊郡五、增置郡二，共七郡。

“彭城國，漢置。《晉書》石虎趙王五年，勒寇彭城、下邳，徐州刺史卞敦與征北將軍王遂退保盱眙。六年，石瞻敗内史劉續。太興元年，晉彭城内史周撫殺沛國内史周默，帥衆降勒。咸和九年，蘭陵人朱縱斬石虎將郭祥以彭城來降。永和七年，冉閔徐州刺史周成以城歸順，凡領縣七。彭城，漢舊縣。留，漢舊縣。廣戚，漢舊縣。傅陽，漢舊縣。武原，漢舊縣。吕，漢舊縣。梧，漢舊縣。

“下邳國，漢置。《晋書》趙王六年，石勒將石瞻寇下邳，敗晋將劉長，遂寇蘭陵。勒徵徐、揚州兵會石瞻於下邳，兖州刺史劉遐懼，又自下邳奔於泗汭。八年，晋濟岷太守劉闓、將軍張闔等叛，害下邳内史夏侯嘉，以下邳降於石生。晋征北將軍褚裒率師伐石遵，次下邳，遵遣李農等拒之，裒退屯廣陵。凡領縣七。下邳，漢舊縣。凌，漢舊縣。《太平寰宇記》稱《晋太康地志》凌縣屬下邳。武帝以南有廣陵故曰北陵。良城，漢舊縣。睢陵，漢舊縣。夏丘，漢舊縣。取慮，漢舊縣。僮，漢舊縣。

“東海郡，漢置。《晋書》趙王六年，晋東海太守蕭誕以郡叛降於勒。石虎建武八年東海有大石自立，旁有血流。凡領縣七。郯，漢舊縣。《太平寰宇記》稱《晋太康地志》故祝其城在郯東九十里。祝其，漢舊縣。朐，漢舊縣。襄賁，漢舊縣。利城，漢舊縣。贛榆，漢舊縣。厚丘，漢舊縣。

“琅邪國，《晋書·元帝紀》永昌元年，勒趙王四年，琅邪太守孫默叛降於勒。《載記》趙王二年，徐兖間壁壘多送任請降，皆就拜守宰。《元和郡縣志》永嘉之後，琅邪陷於胡寇，凡領縣九。開陽。臨沂。陽都，漢舊縣。《晋書》虎刻期校獵，自靈昌津南至滎陽，東極陽都爲獵場。繒。即丘。華。費，《晋書》虎建武元年，晋將軍淳于安攻其琅邪費縣，俘獲而歸。東安。蒙陰。

“武興郡，《晋書·地理志》元康元年，分東海置蘭陵郡，石虎改今名。《太平寰宇記》分東海之蘭陵、承戚、合鄉、昌慮五縣置蘭陵郡，治承縣。今考後趙領縣同。承，漢舊縣。蘭陵，漢舊縣。有石城山。昌慮，漢舊縣。合鄉，漢舊縣。戚，漢舊縣。

“東莞郡，晋太康中置。《晋書》趙王六年，晋東莞太守竺珍以郡叛降於勒。凡領縣七。案《晋書·地理志》徐州所屬又有東安堂邑等郡。今考《晋書載記》及諸書所稱《後趙録》皆不見諸郡名，故不敢録入。莒，漢舊縣。姑幕，漢舊縣。諸，漢舊縣。東莞，漢舊縣。臨朐，漢舊縣。

“臨淮郡，晋太康元年復立。《晋書》建興四年，虎攻臨淮，平原内史劉遐棄郡走。凡領縣六。盱眙，漢舊縣。東陽，漢舊縣。《沈志》稱《晋太康地志》屬臨淮。高山，漢舊縣。贅其，漢舊縣。潘旌，漢舊縣。高郵，漢舊縣。

“淮陵郡，漢縣名。《沈志》惠帝永寧元年以爲淮陵國。凡領縣四。《晋書·地理志》作淮陵郡。淮陵，漢舊縣。司吾，漢舊縣。徐，漢舊縣。下相，漢舊縣。”

同書考前秦徐州：“徐州，《晋書·地理志》苻堅時徐州刺史鎮彭城。《載記》苻堅遣後將軍俱難等帥步騎七萬寇淮陰盱眙，揚武、彭越寇彭城。堅時徐州刺史彭越、毛當、趙遷。太元八年，遷棄彭城奔還。晋謝玄進據彭城。領漢郡五。

“彭城，《晋書》堅徐州趙遷棄彭城奔還，謝玄前鋒張願追及於碭山，遷轉戰免。玄進據彭城。晋沛郡太守戴遂率衆數千戍彭城。太元四年，謝玄率衆次泗汭，將救彭城。戴遂率彭城之衆奔玄。堅以毛當爲徐州刺史，鎮彭城。領縣可考者二。彭城，漢舊縣。留，漢舊縣。《晋書》苻秦將彭超攻彭城，置輜重於留城。案徐揚二州屬縣，止據苻秦所攻得者，餘不録。

“東海郡，《北史·韋閬傳》閬從叔道福、父罷，事堅爲東海太守。縣無考。

“琅邪郡，《前秦録》苻堅以徐攀爲琅邪太守。案《晋書·地理志》琅邪郡統縣九。今據《沈志》東晋時所有者列入。費。即丘。

“廣陵郡，《晋書》彭越等攻晋幽州刺史田洛於三阿，去廣陵百里。晋遣謝石率水軍次於涂中，毛安之、王曇之次堂邑，謝自廣陵救三阿。堅將毛當等襲安之，王師敗績。玄率衆三萬次白馬塘，俱難、都顔逆戰於塘西，大敗之。玄進兵至三阿，與俱難等戰，難等又大敗。領縣可考者一。淮陰，《晋書》堅將俱難陷淮陰，留邵保守之。彭超等爲謝玄所敗，自盱眙退屯淮陰。有淮橋。

“臨淮郡，前秦領縣可考者一。盱眙，《晋書》太元四年，彭超攻盱眙，陷之。超爲謝玄所敗，退保盱眙。有君川、石梁。”

同書考後秦徐州：“徐州，《晋書載記》泓徐州刺史姚掌以項城降檀道濟，案此則徐州刺史鎮項城也。統郡可考者二。

“梁國，後秦領縣三。《晋書》殷浩表襄爲梁國内史。項，《晋書載記》劉裕伐泓，遣檀道濟等入自淮肥，攻漆丘、項城。秦徐州刺史姚掌以項城降檀道濟。睢陽，有蠡臺。蒙，有漆丘。

“譙郡，後秦領縣可考者一。山桑，襄邀擊殷浩於山桑，大敗之，分其資仗，使兄益守山桑壘。”

同書考前燕徐州：“徐州，《前燕録》儁元壐元年以慕容彊爲前鋒都督，督荆徐二州緣淮諸軍事。領郡可考者二。

“彭城郡，《載記》永和八年，晋寧朔將軍榮胡以彭城郡叛降於儁。縣無考。

“琅邪郡，前燕縣可考者一。陽都，段龕所署徐州刺史陽都公王騰舉州降恪，命騰以故職還屯陽都。”

同書考後燕徐州：“徐州，《後燕録》：建興二年，垂以翟遼爲徐州刺史。《通鑑》太元十三年，垂青州刺史慕容紹爲平原太守辟閭渾所逼，退屯黄巾固。垂更以紹爲徐州刺史。統郡可考者一。《方輿勝覽》後燕初置徐州於黄巾固，後徙黎陽，太元十一年又徙治鄄城。

“琅邪郡，後燕領縣九。《方輿勝覽》後燕盛時南境至琅邪。開陽。臨沂。陽都。繒。即丘。華。費。東安。蒙陰。”

［3］荆州：清洪亮吉《東晋疆域志》考荆州實州郡縣：“荆州，《藝文類聚》稱《晋元康地記》荆州於古蠻服之地也。秦滅楚置郡縣。漢武分爲交州，至魏晋而荆州所部郡國二十。《晋書·地理志》州統郡二十二，縣一百六十七。樂史稱盛弘之《荆州記》，永嘉十四年，荆州所領三十郡。又稱《晋書》荆州領郡十九，理襄陽。洎平吴，復理南陽。《通鑑注》稱《晋太康地志》，荆州統郡二十有二。今考《晋志》惠帝以桂陽、武昌、安成三郡屬江州，新城、魏

興、上庸三郡屬梁州。穆帝以長沙、衡陽、湘東、零陵、邵陵，分零陵所立之營陽六郡屬湘州。以益州之巴東郡來屬。又樂史稱義陽國，元帝遷都，淪陷劉、石。安帝時以流人在南郡者立南義陽郡於南郡郭下。東晋凡統舊郡十五，增置郡五（僑縣别見），縣一百十七。州治，《地形志》魏晋治江陵，《通典》晋初理襄陽，平吴理南郡，今江陵郡。王敦爲刺史理武昌，其後遷徙無常處。自王抗以來復理江陵，不復移改。《陶侃傳》周顗爲荆州刺史，先鎮潯水城，侃爲荆州鎮於沌口，又移入沔江。侃平蘇峻後，以江陵偏遠，移鎮巴陵，又移鎮武昌。"

孔祥軍《晋書地理志校注》："據《宋志》：'荆州刺史……魏、晋治江陵（魏治宛，詳魏荆州考證）。'又《通典》卷一百八十三'荆州南北雙立'條杜佑自注：'魏荆州理宛，今南陽郡，吴荆州理江陵，今郡也。'則荆州治宛，在今河南南陽市。太康元年後移治江陵。在今湖北江陵縣。"

清洪亮吉《東晋疆域志》考荆州實州僑郡："荆州，東晋凡統僑郡六，僑縣可考者二十：

"義陽郡，《晋志》穆帝時以義陽流人在南郡者立爲義陽郡。縣無考。

"新興郡，《沈志》稱《魏志》建安二十二年省雲中、定襄、五原、朔方四郡，郡立一縣，合爲此郡，屬并州。晋江左僑立。案《沈志》宋初六縣，疑晋末亦同，故並録。雲中，漢郡名。《後漢書》注郡在今勝州北，西晋屬新興，東晋僑立。下同。九原，漢縣名，屬五原。《後漢書》注故城在今勝州銀城北。定襄，漢郡名。《後漢書》注故城在今勝州界。宕渠，漢縣名。西晋屬巴西郡，《後漢書》注故城在今渠州流江縣東北，俗名車騎城是也。《沈志》流寓立。廣牧，漢縣名，屬朔方。《水經注》河水又東逕廣牧縣故城北。新豐，漢縣名，西晋屬京兆。《太平寰宇記》故城在昭應縣東十八里，《沈志》流寓立。

"南河東郡，《晋志》元帝渡江又僑立新興、南河東二郡。《沈志》又云晋成帝咸康三年，征西將軍庾亮以司州僑户立。《圖經》咸康四年於南郡所屬松滋僑縣置南河東郡。宋初八縣。案疑晋末亦同。聞喜，漢縣名，漢晋並屬河東郡。《元和郡縣志》故城在今聞喜縣西南八里。廣戚，漢縣名。《沈志》後漢、《晋太康地志》屬彭城。《後漢書》注故城在今徐州沛縣東。《沈志》江左流寓立。松滋，漢縣名。《沈志》後漢無。晋屬安豐。疑是有流民寓荆土，故立。案今荆州府有松滋縣，即承晋僑縣名也。弘農，漢郡名。《沈志》江左立僑郡，後併省爲縣。臨汾，漢縣名。《太平寰宇記》故城在正平縣東北二十五里。永安，漢縣名。《水經注》彘水又西流逕永安縣故城南。安邑，漢縣名。《史記正義》故城在絳州夏縣。譙，漢縣名。《太平寰宇記》故城在下邑縣城北三十一里。《沈志》譙，流民寓立。

"南義陽郡，《晋志》安帝僑立。《沈志》晋末以義陽流民僑立。宋初有四縣，案今縣可考者三。厥西，《沈志》二漢無。《晋太康地志》屬義陽，江左僑立。平陽，漢縣名。《史記正義》故城即晋州城西面，今平陽故城東面也。《沈志》平陽本爲郡，江左僑立。魏世分河東爲平陽郡，晋末省爲縣。平氏，漢縣名。西晋屬南陽。《後漢書》注故城今唐州平氏縣。

"東義陽郡，《晋志》安帝僑立。縣無考。

"長寧郡，《沈志》晋安帝僑立，《晋志》同。案《沈志》又云宋初五縣，後省經安。今考晋末當領縣四，無上黄。長寧，《沈志》晋安帝立。經安，《沈志》晋安帝立。僮陽，《沈志》晋安帝立。綏寧，《沈志》晋安帝立。"

清洪亮吉《十六國疆域志》考前趙荆州："荆州，《晋書·地理志》永嘉之後，司州淪没劉聰，聰以洛陽爲荆州。案《晋地志》司州統郡十二，淵以平陽爲雍州，聰復以洛陽爲荆州。聰又分置左右司隸部，則左司隸蓋部司州平陽諸郡，右司隸蓋部荆州河南諸郡也。《前趙録》嘉平二年，聰以趙固爲荆州刺史，領河南太守，鎮洛陽。"

同書考後趙荆州："荆州，《晋書》建平元年，石勒署郭敬爲荆州刺史。建武五年，石虎遣夔安寇荆揚北鄙。石閔敗王師於沔陰，將軍蔡懷死之。宣將朱保又敗王師於白石，將軍鄭豹等皆遇害。永和七年，冉閔荆州刺史樂弘以城歸順晋。案石趙時荆揚二州，或攻得一郡，或得數縣，又或時得時失，故於州郡下不言領郡縣若干。他皆類此。

"南陽國，秦置，時屬江左。《晋書》太寧三年，劉曜將康平寇魏興及南陽，曜封子胤爲南陽王。趙王八年，晋龍驤將軍王國叛，以南郡降於勒。太和元年，南陽都尉董幼叛，率襄陽之衆降於堪。遵南陽太守袁景。宛，漢舊縣。《晋書》永嘉四年，石勒進至南陽，退屯宛北。侯脱據宛，王如據穰，勒攻宛旬有二日而克。咸和三年，勒太和元年，石勒攻宛，南陽太守王國叛降於勒。永和五年，石遵將石遏攻宛陷之，執南陽太守郭啓。司馬勛進次懸鈎，石虎故將麻秋拒之，勛退還梁州。勛爲石遵將王朗所距，釋懸鈎，拔宛城，殺遵南陽太守袁景而還。有北山。

"江夏郡，漢置。時屬江左。《晋書》永嘉五年，石勒渡沔寇江夏，太守楊岷棄郡奔武昌。勒因進攻夏口。石虎將夔安、李農陷沔南，張貉陷邾城，因寇江夏義陽。征虜將軍毛寶、西陽太守樊俊、義陽太守鄭進並死之。夔安等進圍石城，竟陵太守李陽距戰破之，安乃退，遂略漢東，擁七千餘家遷於幽、冀。竟陵，漢舊縣。《晋書》建武十四年，石虎使苻健寇竟陵。

"襄陽郡，魏置。時屬江左。《晋書》永嘉四年，石勒南寇襄陽，攻陷江西壁壘三十餘所。留刁膺守襄陽。咸和五年，石勒建平元年，勒荆州監軍郭敬等寇襄陽，克之。敬毁襄陽，遷其百姓於沔北，城樊城以戍之。晋師復戍襄陽，敬又攻陷之，留戍而歸。建武元年，石虎遣將石遇圍北平將軍桓宣於襄陽，輔國將軍毛寶等率荆州之衆救之，屯於章山。遇攻守二旬，軍中飢疫而還。有樊城。中盧，漢舊縣。《晋書》石虎遣將石遇寇中盧。

"南郡，漢置。時屬江左。《晋書》後趙太和元年，晋龍驤將軍王國以南郡叛，降於石堪。

“義陽郡，晋太康中置。時屬江左。新野，漢舊縣。《晋書》建平三年，陶侃遣兄子臻等攻新野，拔之。敬遁走，遂平襄陽。有涅水。

“順陽郡，晋太康中置。時屬江左。酇，《晋書》咸和元年，劉曜將黄秀、帛成寇酇，順陽太守魏該率衆奔襄陽。趙王四年，勒將石他敗王師於酇西。析，有胡保山。”

同書考前燕荆州：“荆州，《晋書》建熙六年，暐以慕容垂爲都督荆揚洛徐兖豫雍益凉秦等十州諸軍事，荆州牧，鎮魯陽。領郡可考者一。

“南陽郡，時屬江左，惟宛、雉、魯陽三縣暫曾屬前燕。宛，《晋書》南陽督護趙弘以宛降暐。暐遣將趙盤自魯陽戍宛。建熙八年，晋將桓豁攻宛拔之，趙盤退屯魯陽。豁戍宛而歸。雉，《晋書》桓豁遣騎追趙盤，敗之，執盤於雉。魯陽。”

同書考前秦荆州：“荆州，《晋書・地理志》苻健荆州刺史鎮豐陽，及堅時移鎮襄陽。《載記》苻堅使王猛等率衆二萬寇荆州北鄙諸郡，掠漢陽萬餘户而還。堅遣苻丕等寇襄陽，使楊安將樊鄧之衆爲前鋒，石越率精騎出魯陽關，慕容垂、姚萇出自南鄉，苟池等從武當繼進，大會漢陽，師次沔北。晋南中郎將朱序固守中城，丕率諸將進攻之。遣苟池等以衆五萬屯於江陵，晋桓冲憚池等，不進，保據上明。丕又圍襄陽，苻叡遣慕容垂及石越爲前鋒，次於沔水。冲懼，退還上明。慕容暐屯鄖城，姜成等守江口。晋隨郡太守夏侯澄攻成斬之。堅荆州刺史都貴遣閻振等寇竟陵，留輜重於管城。桓冲遣南平太守桓石虔、竟陵太守郭銓等拒之，戰於激水，振等大敗，退保管域。石虔乘勝攻破之，斬振等。又苻堅荆州刺史梁成、皇甫覆。凡領漢郡一、魏郡一、晋郡二。案荆、徐、揚三州，苻堅時尚皆屬晋，或攻得一二郡即便立州，及州治所在以領之，非若青州等郡，云苻氏平燕盡有其地也。今止據《前秦録》及《載記》等所有者録入，與《東晋疆域志》可參考焉。

“襄陽郡，《晉書》太元四年，苻丕陷襄陽，執朱序，送於長安。晉桓冲等攻襄陽，遣劉波等攻沔北諸城。冲别將攻萬歲城，拔之。堅遣子叡及慕容垂等救襄陽。《桓冲傳》冲使桓石虔伐堅襄陽太守閻震，擒之。領縣八。襄陽。宜城。中盧。臨沮。上黄。邔。鄧城，《晉書》慕容垂救襄陽，屯鄧城。

“南陽郡，《晉書》慕容垂拔南陽，執太守鄭裔，與苻丕會襄陽。領縣十四。宛。西鄂。雉。魯陽，《晉書》太元八年，晉將桓石虔進據魯陽。有魯陽關。犨。淯陽。博望。堵陽。葉。舞陰。比陽。涅陽。冠軍。酈。

“順陽郡，《晉書·周虓傳》堅攻陷順陽，執太守丁穆。《前秦録》秦兵寇南鄉，拔之，山蠻三萬户降秦。案晉武帝改南鄉爲順陽。《通鑑》舉舊名也。領縣七。南鄉，《晉書》紀太和元年，苻堅將王猛、楊安攻南鄉，荆州刺史桓豁救之，師次新野，而猛、安退。太元三年，堅遣慕容垂等率衆出南鄉。酇。順陽。武當，太元三年，堅遣苟池率衆出武當，會攻襄陽。八年，晉將郭銓攻武當，堅遣張崇救之，王師敗崇於武當。陰。築陽，《晉書·桓冲傳》冲率劉波等伐堅拔築陽。汎陽。

“新野郡，領縣可考者一。新野，太元八年，苻叡救襄陽，次於新野。”

同書考後秦荆州：“荆州，《晉書載記》興遣荆州刺史趙曜迎彭泉。興遣荆州刺史桓謙、梁州刺史譙道福寇江陵，又遣將苟林會之。謙屯支江津，與晉雍州刺史魯宗之等戰於支江，謙敗績，爲晉所斬。林引歸。興將姚成、王救、司馬休之等至南陽。凡統郡可考者六。

“上洛郡，《晉書載記》興進寇上洛，陷之。安鄉侯康宦驅掠白鹿原氐胡數百家奔上洛，上洛太守宋林拒之。案前秦以荆州刺史鎮豐陽，後始改爲洛州。今考姚秦無洛州，則上洛當仍屬荆州也。領縣四。上洛，《晉書載記》劉裕使沈田子等入上洛。所在多委城鎮，奔長安。有武關。商，《晉書載記》商縣人黄金等起義兵掎康宦，宦率衆歸罪，興赦之。豐陽。盧氏。

"南鄉郡，《晋書載記》趙曜等攻陷南鄉，擒晋將劉嵩，略地至梁國。晋求南鄉諸郡，興割南鄉及順陽、新野、舞陰等十二郡歸之。案沈約、魏收並云魏武分南陽立南鄉，晋武帝改曰順陽郡。惟沈約又云，晋成帝咸康四年，復立南鄉郡，後復舊。是咸康四年後，南鄉、順陽二郡並立可知。又考東晋時，荆州所屬惟南陽、襄陽、順陽等三四郡爲苻姚所侵擾，餘皆阻遠，非敵鋒所及。姚秦所得荆州屬郡必不應至十二之多。疑内有豫、兖、徐等州所屬郡，但無明文可考耳。舞陰爲南陽屬邑，亦非郡名，或姚秦時得荆州一縣即置作郡，示疆宇恢廓，且羈縻降人也。領縣可致者一。南鄉。

"襄陽郡，領縣可考一。《太平御覽》稱車頻《秦書》，苟萇圍襄陽，作飛雲車攻城，克之。襄陽。

"順陽郡，《後秦録》興弘始五年，晋順陽太守彭梁以郡降興。領縣可考者一。順陽。

"新野郡，領縣可考者一。新野。

"舞陰郡，案當屬後秦時所立。領縣可考者一。舞陰。"

同書考成漢荆州："荆州《通鑑》愍帝建興中，雄以李恭爲荆州刺史。成帝咸康四年，壽以李閎爲荆州刺史，鎮巴郡。《後蜀録》漢興二年，晋李松等伐巴郡，至江陽，執閎及巴郡太守黄植。壽又拜李奕爲鎮東將軍，代閎守巴郡。今考凡統舊郡二、縣八。

"巴郡，《後蜀録》建興元年冬，羅尚移屯巴郡，遣兵攻掠蜀中。《通鑑》益州刺史皮素至巴郡，羅宇使人夜殺素，建平都尉暴重殺宇。巴郡亂。益州將吏共殺暴重，表巴郡太守張羅行三府事。羅與隗文等戰，死。文等驅掠吏民西降成雄。巴郡太守任小。成帝咸康五年，晋參軍李松攻漢巴郡。《太平寰宇記》李雄之亂，巴郡荒蕪，太守理無定處。領縣四。江州。墊江，《晋書載記》特德陽太守騫碩，略地至巴郡之墊江。晋宋岱水軍三萬次於墊江。《後蜀録》玉衡六年，雄復於陽闕更置墊江縣，亦屬巴郡。臨江。枳。

"巴東郡，《晋書載記》雄將張龍寇巴東，建平太守柳純擊走之。雄以李壽爲大將軍、西夷校尉，督征南費黑、征東任氾攻陷巴東，太守楊謙退保建平。壽别遣費黑寇建平，晋巴東監軍毌丘奥退保宜都。《通鑑》成帝咸康五年，李壽將李奕寇巴東，守將勞楊戰敗，死之。案《沈志》穆帝永和初平蜀，度屬荆州，今考巴東一郡與東晋接壤，李氏既以荆州鎮巴郡，則巴東郡亦屬荆州可知。穆帝時蓋仍李氏之舊也。魚復。朐䏰。南浦。漢豐。”

同書考大夏荆州：“荆州，《晋書·地理志》勃勃以荆州刺史鎮陜。領縣可考者三。

“陜，《後魏書》太武始光三年，遣將軍周幾等襲陜城。

“湖，有京觀，附近有潼關、曹公故壘。

“臨晋，《後魏書》赫連定長安、武功、臨晋守將皆走，關中悉入於魏。

“右三縣舊屬弘農郡。《通鑑》弘農太守曹達聞魏軍至，不戰而走。案赫連氏太守僅見於此。疑曹達係姚秦氏舊守，赫連氏仍而未改也。

“治城，《西夏録》宋元嘉八年，赫連定畏魏人之逼，擁秦民自治城濟河。

“右一城在漠隴西郡袍罕縣地。

“吐京護軍，漢土軍縣。晋時訛爲吐京。《西夏録》勃勃置吐京護軍。

“右護軍一在漢太原郡土軍縣地。

“長城護軍，《圖經》赫連夏於後秦黄石固置長城護軍。

“右護軍一當在前秦平凉郡平凉縣地。案右一城及二護軍未知所屬，故附於末。”

[4]揚州：清洪亮吉《東晋疆域志》考揚州實州郡縣：“揚州，《晋書·地理志》揚州合統郡十八，縣一百七十三。東晋凡統舊郡九，增置郡二，縣九十三。州治，沈約《宋書·州郡志》魏晋治壽春，晋平吴治建業。樂史《太平寰宇記》元帝渡江，歷江左揚州，常治建業不移。”

孔祥軍《晋書地理志校注》:“據《宋志》:‘揚州刺史魏、晋治壽春。晋平吴治建業。’則揚州治壽春，在今安徽壽縣。太康元年移治秣陵，在今江蘇南京市南。魏領郡二，太康元年武帝平吴，丹楊等十三郡來屬，領郡十五，增置宣城郡，太康三年增置晋安郡、南康郡，領郡十八。據《晋志》:‘(永興元年)分淮南之烏江、歷陽二縣置歷陽郡。’又《宋志》:‘歷陽太守，晋惠帝永興元年，分淮南立，屬揚州。’則惠帝永興元年增置歷陽郡，領歷陽、烏江二縣。領郡十九。惠帝元康元年後豫章、鄱陽、廬陵、臨川、南康、建安、晋安移屬江州，領郡十二。”

清洪亮吉《東晋疆域志》考揚州實州僑郡:“揚州，東晋凡統僑郡三，實郡有僑縣三，共僑縣十六:

“淮南郡，《沈志》中原亂，胡寇屢南侵，淮南民多南渡。成帝初，蘇峻、祖約爲亂於江淮，胡寇又大至，民南渡江者轉多，乃於江南僑立淮南郡及諸縣。晋末遂割丹陽之于湖縣爲境。凡領僑縣五。當塗，漢縣名，西晋屬淮南。《元和郡縣志》故城在鍾離縣西南一百十七里。《沈志》晋末分于湖爲境。《太平寰宇記》成帝時以江北之當塗縣流人過江在于湖者僑立當塗縣，屬淮南郡。襄垣，漢縣名。《沈志》其地本蕪湖漢舊縣，至於晋末立襄垣縣，屬上黨。上黨民過江者立僑郡縣，寄治蕪湖。後省上黨郡爲縣，屬淮南。《圖經》晋寧康中僑立上黨郡，改蕪湖立襄垣、定陵、逡遒三縣。義熙中省上黨郡爲縣。上黨，漢郡名，晋寧康中僑立，義熙中省縣。《圖經》故城在蕪湖縣西南。定陵，漢縣名。《後漢書》注故城在今郾城西北，魏屬襄城郡，東晋僑立。《沈志》後割蕪湖爲境。《圖經》故城在今青陽縣東北。逡遒，漢縣名。《後漢書》注故城在今廬州慎縣南，西晋屬淮南郡，東晋僑立。《沈志》後分蕪湖爲境。《圖經》故城在今宣城縣北六十里。

“松滋郡，《晋志》成帝又於尋陽僑置松滋郡，遥隸揚州。案《宋書・庾悦傳》督司州之松滋，則郡似曾屬司州。然考《何無忌傳》增督揚州之松滋。無忌距悦之爲督時不遠，疑《悦傳》有脱文也。又案太元十二年，松滋太守王遐之當即此郡。松滋，漢縣名。《圖經》今九江府德化縣東有松滋廢縣，當屬東晋僑立也。《晋志》安帝又省松滋郡爲松滋縣。

“義成郡，《晋書·桓宣傳》宣平襄陽，陶侃使宣鎮之，以其淮南部曲立義成郡。《沈志》晋孝武立，治襄陽。案晋哀帝興寧二年以桓豁監荆州及揚州之義城。《桓冲傳》督揚州之義成、新野二郡。今考豁傳與沖所督之義成即陶侃僑立於襄陽者，其僑置之地在荆州，其人户則屬揚州也。《圖經》義成廢郡在光化縣西北。領僑縣四。義成，漢縣名，西晋屬淮南。《沈志》晋孝武立。案淮南舊縣東晋蓋已荒廢，孝武時當以流人在襄陽者立也。下蔡，漢縣名。《沈》稱《晋太康地志》屬淮南，東晋流寓立。平阿，漢縣名。《沈志》《永初郡國》有，當是《何志》後省。萬年，漢縣名。《沈志》舊屬馮翊。《元和郡縣志》故城在今櫟陽縣。

“尋陽郡，凡領僑縣二。案實郡隸江州，此特附見。安豐，漢縣名。《後漢書》注故城在今霍山縣西北，西晋屬安豐郡，東晋僑立。弘農，漢縣名。《沈志》尋陽郡又有弘農縣，流寓，文帝元嘉十八年省併松滋。案此則晋末有此縣也。”

清洪亮吉《十六國疆域志》考後趙揚州：“揚州，《晋書》石遵揚州刺史王浹以淮南歸順。

“淮南郡，漢置。時屬江左。壽春，漢舊縣。《晋書》石勒太和元年，石聰與石堪濟淮陷壽春。祖約奔歷陽。壽春百姓降於堪者二萬餘户。石虎建武十一年，晋豫州刺史路永以郡來降，虎署爲征西將軍，屯於壽春。石遵揚州刺史王浹以淮南歸順，晋將陳逵進據壽春。逵聞褚裒退，懼，焚壽春積聚毁城而還。阜陵，漢舊縣。《晋書》石聰進寇逡遒、阜陵。合肥，漢舊縣。《晋書》廬江太守袁真攻合肥，執冉閔南蠻校尉桑坦，遷其百姓而還。逡遒，漢舊縣。”

同書考前秦揚州：“揚州，《晋書》太元五年，苻堅以王顯爲揚州刺史，戍下邳。堅將梁成與揚州刺史王顯率衆屯洛澗，柵淮以遏東軍。晋遣謝石等拒苻融，去洛澗二十五里，憚成不敢進。晋將胡彬保硤石。晋將劉牢之夜襲梁成壘，克之，斬成及王顯、王咏等十將。張蚝敗謝石於肥南。蚝列陣逼肥水。《晋書》王師乘勝追擊，堅軍至青岡。領漢郡二。

“下邳郡，前秦領縣可考者一。下邳，《晋書》謝玄進次下邳。

“淮南郡，《晋書》太元八年入前秦。是年晋復取壽陽，執堅淮南太守郭褒。領縣可考者二。壽春，《晋書》太元八年，堅建元十九年，苻融攻陷壽春，執晋將徐元喜、安豐太守王先。有八公山、肥水、淮水、洛澗、青岡、梁成壘。下蔡，《晋書》太元八年，晋胡彬攻下蔡。有硤石。”

同書考前燕揚州：“附揚州二郡：

“淮南郡，壽春，太和四年，晋袁真據壽春叛降燕。暐拜真使持節、都督淮南諸軍事、揚州刺史。十一年，桓温擊真子瑾於壽陽，滅之，復取壽陽。

“蘭陵郡，《載記》永和八年，晋蘭陵太守孫黑以郡叛歸儁。縣無考。”

[5]交州：清洪亮吉《東晋疆域志》考交州實州郡縣：“交州，漢置。《藝文類聚》稱《太康地記》云交州本屬揚州，取交阯以爲名。虞之南極也。周有天下，越裳氏慕聖人之德，重九譯，貢白雉。秦滅六國，南開北越，置桂林、象郡，以趙佗爲龍川令，因秦之末自擅南裔。漢高帝加以王爵，始變椎髻襲冠冕焉。《晋書·地理志》晋平蜀，以蜀建寧太守霍弋遥領交州，得以便宜選用長吏。平吴後省朱崖入合浦。太寧元年梁碩攻陷交州，刺史王諒死之。陶侃遣高寶攻梁碩，斬之。太元五年，九真太守李遜據交州反，交趾太守杜瑗斬遜，交州平。東晋統郡七，縣六十五。案郭璞《山海經注》交州有南康郡。州治，《元和郡縣志》晋太康中交州徙理龍編。”

清畢沅《晋書地理志新補正》：“沅按《通典》交州理龍編。”

孔祥軍《晋書地理志校注》：“交州治乏考。太康元年武帝平吴，諸郡來屬，其中珠崖郡併入合浦郡，高凉郡、合浦北部都尉移屬廣州，領郡七。”

[6]廣州：清洪亮吉《東晋疆域志》考廣州實州郡縣：“廣州，吴置。《晋書·地理志》太康中吴平，以荆州始安、始興、臨賀三郡來屬。統郡十、縣六十八。懷帝永嘉元年又以臨賀、始興、始安三郡凡二十縣爲湘州。成帝又以三郡還屬荆州。東晋凡領舊郡六、增置郡七、縣一百九。《晋書·安帝紀》義熙十三年，南海賊徐道期陷廣州，始興相劉謙之討平之。州治，《元和郡縣志》吴孫皓分置廣州，理番禺。晋代因而不改。”

孔祥軍《晋書地理志校注》：“廣州治乏考。吴領郡五，又據《晋志》荆州條：‘及武帝平吴……又以始興、始安、臨賀三郡屬廣州。’又《晋志》廣州條：‘及太康元年，吴平，遂以荆州始安、始興、臨賀三郡來屬。’則太康元年始安、始興、臨賀三郡來屬，又交州之合浦北部都尉、高凉郡來屬，領郡十。”

青州。案《禹貢》爲海岱之地，舜置十二牧，則其一也。舜以青州越海，又分爲營州，則遼東本爲青州矣。《周禮》：“正東曰青州。”蓋取土居少陽，其色爲青，故以名也。《春秋元命包》云：“虚危流爲青州。”[1]漢武帝置十三州，因舊名，歷後漢至晋不改。[2]州統郡國六，[3]縣三十七，户五萬三千。

[1]虚危：兩個星宿名。虚，北方玄武七宿之一，居中間。古人據其運行的情况，以考正仲秋的節气。危，北方玄武七宿的第五宿，有星三顆。

[2]歷後漢至晋不改：清畢沅《晋書地理志新補正》：“《通典》晋青州理臨淄，《沈志》江左僑立，治廣陵。”

[3]州統郡國六：孔祥軍《晋書地理志校注》：“晋時城陽郡來

屬，咸寧三年增置長廣郡，惠帝元康九年後增置高密國，又據《晋志》：‘惠帝元康十年（元康無十年惟有九年，或爲“九年”之訛），又置平昌郡。’而平昌郡領縣乏考，則領郡國九。”

滄州先生認爲，青州諸郡應該有北海郡，城陽郡下説：“漢置，屬北海，自魏至晋分北海而立焉”，既然從北海郡分出，則當二郡並置。齊國下又説：“秦置郡，漢以爲國，景帝以爲北海郡”。然而齊國五縣僅有東安平一縣是北海郡屬縣，因此不能説齊國是由北海郡改名。西晋濟南郡五縣中，祝阿縣當由平原郡改隸濟南郡，其餘平壽、下密、膠東、即墨皆東漢時北海郡舊縣，且與齊國相距甚遠，不可能隸屬於濟南郡，也未與東安平同時改隸城陽郡，則北海郡仍當和城陽郡同時存在。《晋書·地理志》未載北海郡當係奪誤。（參見滄州《〈晋書·地理志〉並無北海郡》，《中國歷史地理論叢》1991 年第 4 期）

齊國[1]秦置郡，漢以爲國。景帝以爲北海郡。[2]統縣五，户一萬四千。

臨淄[3]　西安[4]有棘里亭。　東安平[5]女水出東北。[6]　廣饒[7]　昌國[8]樂毅所封。[9]

[1]齊國：治所在臨淄縣（今山東省淄博市臨淄區北）。清畢沅《晋書地理志新補正》：“沅案《晋太康地志》有般陽縣，此不載，蓋後省。”

清洪亮吉《東晋疆域志》考北青州實州郡縣：“齊郡，漢置。西晋作國，東晋領縣五。《元和郡縣志》晋武帝以弟攸爲齊王，子冏嗣。永嘉末陷於石勒。其後南燕慕容德建都於此。至慕容超宋武帝伐克之。案《晋書》劉裕克慕容超，以韓範爲都督八郡軍事，燕郡太守。胡三省云，南燕蓋於廣固郡置燕都尹，晋平燕改爲燕郡太守耳。臨淄，漢舊縣。《太平寰宇記》後漢爲營陵縣，晋復爲臨淄。

今考《郡國志》後漢營陵縣屬北海國，臨淄縣屬齊國，欒史並爲一，恐誤。有鼎足山。西安，漢舊縣。東安平，漢舊縣。《沈志》二漢、魏晋曰東安平。前漢屬淄川，後漢屬北海，魏度屬齊。般陽，漢舊縣。案《沈志》稱《太康地志》屬齊。《地形志》亦同。是晋初有此縣，《晋志》無之，或後又省。故《太平寰宇記》亦云晋省般陽縣也。《沈志》又别有般陽，容江左所立。有大峴山。廣饒，漢舊縣。昌國，漢舊縣。益都，《沈志》魏立。有廣固城、東陽城、五龍口、龍水。”

清方愷《新校晋書地理志》：“《州郡志》般陽令，《晋太康地志》屬齊。《地形志》盤陽，晋屬齊郡。又《地形志》下密、都昌、平壽、膠東四縣，晋屬齊郡，後屬北海。《州郡志》北海太守下有都昌、平壽二縣，又有膠東、下密二縣。引《太康地志》云屬北海，疑晋初屬齊，太康時移屬北海。本《志》列三縣於濟南，不載北海郡，又不載都昌縣，疑誤。説互見下。又案曹魏於齊郡下置新沓縣，本書《山濤傳》封新沓伯，終於太康四年，是新杳爲伯國不應删。”

孔祥軍《晋書地理志校注》：“齊國治乏考。據《晋書》卷三《武帝紀》：‘（泰始元年封）皇弟（司馬）攸爲齊王。’則泰始元年爲齊國。中華校：‘馬校：《漢志》有齊郡，有北海郡，《續漢志》有齊國，有北海國，未嘗併改也。《志》無北海郡，此處“景帝以爲北海郡”七字殊不連屬。今合觀下文“濟南郡”諸縣，知“青州齊國”之後原列“北海”“濟南”二郡，因脱去“北海郡”原文及其屬縣，惟存平壽、下密、膠東、即墨四縣；又脱去“濟南郡”屬縣，惟存祝阿一縣。而此“景帝以爲北海郡”七字本“北海郡”下原文僅存未脱，後之校録者不加詳察，漫以平壽等四縣竄入“濟南郡”下，以此七字竄入“齊國”下。按：馬説是。晋有北海郡，《武紀》《宗室傳》《文六王傳》《劉敏傳》《石垣傳》《王猛傳》及《左傳·莊公元年》杜注皆可證。’詳濟南郡注釋。魏末領縣十二，其中益都縣，據《輿地廣記》卷六京東東路望青州望益都縣條：

‘益都縣，本二漢廣縣，地屬齊郡，晋廢之。’則其晋初省。其中南豐、新汶二縣晋初亦省。其中臨朐、廣二縣移屬徐州東莞郡，則領縣七。檢《晋書》卷四十三《山濤傳》：‘咸熙初，封（山濤）新沓子……泰始初，加（山濤）奉車都尉，進爵新沓伯。’則晋初仍有新沓縣，後廢，領縣六。檢《宋志》：‘般陽令，前漢屬濟南，後漢、《晋太康地志》屬齊。’則太康三年齊國有般陽縣。又《後魏志》：‘盤陽（當作般陽），前漢屬濟南，後漢、晋屬（齊）。’則西晋時齊國有般陽縣，《晋志》闕載般陽縣。咸寧時梁鄒縣暫屬齊國，太康時移屬樂安國。”

［2］景帝：漢景帝劉啓，文帝子，公元前157至前141年在位。在位期間削藩平亂，發展經濟，社會安定，有“文景之治”之譽。北海郡：清洪亮吉《東晋疆域志》考北青州實州郡縣：“北海郡，漢置。《晋志》脱。今據《太康地志》《沈志》《地形志》補入。領縣六。下密，漢舊縣。《地形志》晋屬北海。膠東，漢樸縣。《地形志》晋屬齊郡，後屬。即墨，漢舊縣。《沈志》《晋太康地志》屬北海。平壽，漢舊縣。《地形志》晋屬齊郡，後屬。劇，漢舊縣。郭璞《爾雅注》今北海劇縣。《地形志》晋屬琅邪，後屬。都昌，漢舊縣。杜預莊元年《左傳》注北海都昌縣。”

［3］臨淄：縣名，治所在今山東省淄博市臨淄區北。清畢沅《晋書地理志新補正》：“沅案《太平寰宇記》臨淄縣下云後漢爲營陵縣，晋復爲臨淄。今考《元和郡縣志》後漢營陵縣，屬北海國。臨淄縣屬齊國。樂史併爲一，恐誤。”孔祥軍《晋書地理志校注》：“魏作‘臨菑’，《左傳·莊公八年》《左傳·昭公十二年》杜注有齊國臨淄縣，則太康元年時齊國有臨淄縣，似於此前改‘臨菑’爲‘臨淄’。”

［4］西安：縣名，治所在今山東省淄博市西北。孔祥軍《晋書地理志校注》：“《左傳·昭公十年》《左傳·昭公十一年》杜注有齊國西安縣，則太康元年時齊國有西安縣。又據《後魏志》：‘西安，二漢、晋屬（齊）。’”

[5]東安平：縣名，治所在今山東省淄博市東北。孔祥軍《晉書地理志校注》："《左傳·莊公三年》經文杜注有齊國東安平縣，則太康元年時齊國有東安平縣。"

[6]女水：女，殿本作"汝"。

[7]廣饒：縣名，治所在今山東省壽光市北。孔祥軍《晉書地理志校注》："《後魏志》：'廣饒，二漢、晉屬（齊）。'"

[8]昌國：縣名，治所在今山東省淄博市東南。清畢沅《晉書地理志新補正》："沅案《沈志》又有益都縣，云魏立，而此志不録，蓋晉省。"孔祥軍《晉書地理志校注》："《後魏志》：'昌國，二漢、晉屬（齊）。'"

[9]樂毅：戰國時靈壽（今河北省靈壽縣西北）人，魏將樂羊後代，燕昭王時入燕，帥聯軍大敗齊國，攻下齊國城邑七十多座。後因燕惠王中反間計，樂毅遂離開燕國入趙國。

濟南郡[1]漢置。統縣五，户五千。或云魏平蜀，徙其豪將家於濟河北，故改爲濟岷郡。[2]而《太康地理志》無此郡名，未之詳。[3]

平壽[4]古國。寒浞封此。[5]　下密[6]有三石祠。[7]　膠東[8]侯國。　即墨有天山祠。[9]　祝阿[10]

[1]濟南郡：治所在歷城縣（今山東省濟南市）。清畢沅《晉書地理志新補正》："沅案杜預莊公十年《左傳》注，濟南郡有平陵縣。昭公十年注，濟南有於陵縣。《魏書·地形志》歷城，晉屬濟南。《沈志》平陵縣，漢至晉並曰東平陵。《太平寰宇記》永嘉末，濟南自東平陵移理歷城。又云鄒平縣後漢及晉不改。永嘉之亂，其縣始廢。則西晉時有此諸縣也。"

清洪亮吉《東晉疆域志》考北青州實州郡縣："濟南郡，漢置。《沈志》晉世濟岷郡云，魏平蜀，徙蜀豪將家於濟河，故立此郡。

安帝義熙中土斷，併濟南。又云晋《太康地志》無濟岷郡。《元和郡縣志》永嘉後濟南郡移理歷城，後又爲石勒所據。慕容氏亦有其地。義熙五年，劉裕平之。案裕未滅燕以前，晋亦有濟南郡，僑置在淮北。《宋書·武帝紀》義熙五年，慕容超大掠淮北，執濟南太守趙元。今考東晋領縣除土鼓、逢陵、東朝陽外，當同宋。凡五縣。《沈志》去州陸四百。去京都二千四百。歷城，漢舊縣。《晋志》無，《沈志》有。《太平寰宇記》晋永嘉之末，濟南郡治自東平陵移於歷城。案杜預莊十年注，濟南有平陵縣。昭十年注濟南有於陵縣。《地形志》濟南郡下歷城、著、平陵三縣云，漢晋屬濟南。土鼓縣云，二漢屬晋，罷後復。祝阿云二漢屬平原，晋屬濟南。今考《太平寰宇記》鄒平、於陵皆云自漢至晋不改。又云鄒平永嘉亂始廢。《沈志》平陵縣，漢至晋並曰東平陵。據此則西晋時歷城、鄒平、於陵、東平陵、著、劇等縣皆有。《晋志》並失載也。其所列濟南郡五縣，《沈志》《地形志》四縣皆屬北海。其即墨、下密則沈志稱《太康地志》已屬北海。是晋初本有北海郡可知。今詳見下。有黄巾固。著，漢舊縣。《晋志》無，《沈志》有。東平陵，漢舊縣。《沈志》漢至晋並曰東平陵，《晋志》亦無，《沈志》有。祝阿，漢舊縣。案此縣《沈志》稱《太康地志》無，而《晋志》及《永初郡國》皆有。故録入。有甕口。於陵，漢舊縣。案此及祝阿皆《永初郡國》有。又樂史稱《太康地志》云濟南郡管縣，管叔後又封於此。齊滅管，故其子孫仕齊。案濟南郡管縣，《兩漢志》作菅。應劭云音奸。《太康志》所云未知何據。"

清方愷《新校晋書地理志》："平壽、下密、膠東見前。《州郡志》即墨令，《太康地志》屬北海。（寅案《地形志》即墨，後漢屬北海，晋屬長廣，本《志》屬濟南，未詳孰是。）祝阿，《太康地志》無。《左氏傳》杜注《襄十九年》有濟南祝阿，蓋太康末省。又杜注桓十八年，有濟南歷城，莊十年有濟南平陵，襄二十七年有濟南東朝陽，昭十年有濟南於陵，哀十年有濟南隰陰。本《志》惟列東朝陽於樂安國，餘俱不載。又案即墨以上四縣皆在臨淄以東，祝阿一縣乃在齊西三百里。古人置郡領縣，地境相連，不應敻絶曠遠至此。又案《地形志》歷城著晋皆屬濟南，平陵晋屬濟南，曰東平陵。（寅案《州郡志》濟南有廣城令、著令、平陵令，皆云漢舊縣。廣城即歷城之訛，平陵漢晋並曰東平陵。又見《郡國志》，本《志》俱闕，非是。）本書《儒林・劉兆傳》兆濟南東平人，即此傳脱陵字。又樂史稱《太康地志》云濟南郡管縣，管叔後又封於此。又樂史稱鄒平，自漢至晋不改。永嘉亂始廢。本書《解系傳》系濟南著人，是本《志》於濟南應屬之縣，反皆不載。又删去北海郡，以所屬縣移列濟南，疏舛殊甚。又案《宋書・五行志》西晋有北海郡，《晋書》諸王傳太康元年以齊王攸子寔繼廣漢殤王，後改封北海王。是不特西晋有北海郡，並改爲王國也。（考《武帝紀》太康元年十二月戊辰，廣漢王贊薨，始以實嗣王，北海必在太康二三年間。正本《志》中篇應列年分。若謂《志》所列在太康元年平吴時，則贊方王廣漢，何以不稱國?）杜注北海都昌在莊元年，北海平壽在襄四年，北海即墨在襄六年。本書《隱逸・石垣傳》垣自云北海劇人。郭璞《爾雅》注，今北海劇縣。《州郡志》引《太康志》則以劇屬琅邪，總之不應删去北海也。”

孔祥軍《晋書地理志校注》改“濟南郡”作“北海國”，下作注曰:“原作‘濟南郡’。今檢《晋書》卷三《武帝紀》:‘（泰始元年封皇從叔父司馬）陵爲北海王。’則泰始元年爲北海國。又《宋書》卷二十八《符瑞志中》:‘泰始三年五月己卯，白麞見北海都昌，青州刺史沈文秀以獻。’則泰始三年有北海國。又《左傳・莊公元年》經文杜注有北海都昌縣、《左傳・襄公四年》杜注有北海平壽縣、《左傳・襄公六年》杜注有北海即墨縣，則太康元年有北海國。又《宋書》卷十七《禮志四》:‘太學博士傅休議:《禮》無皇子出後告廟明文，晋太康四年封北海王（司馬）寔紹廣漢殤王。’則太康四年有北海國。又《宋書》卷三十四《五行五》:‘（惠帝）永寧元年十月，南安、巴西、江陽、太原、新興、北海青蟲食禾葉。’則惠帝永寧時有北海國，故晋時北海國未廢。又

《晋書》卷十四殿本考證曰：‘按：注總數雖符，細計之，止得一百七十一，未見漢景所置北海郡，又考《宋書》則此書濟南所領之縣皆彼北海所領，而彼濟南所領者皆此書之所無，再檢《文獻通考》却與此書同，當是本書有脱誤耳。’是。則《晋志》濟南郡當爲北海國，其所領諸縣除祝阿縣外當屬北海國，而《晋志》闕載濟南郡所領諸縣，中華書局標點本《晋書》失校。方氏《新校志》以爲不應删去北海國，是；洪頤煊《諸史考異》卷二以爲晋初本有北海國，微誤。魏末領縣七，晋初營陵移屬青州城陽郡，劇縣移屬徐州東莞郡，領縣五。北海國，治乏考。”

同書中，孔祥軍於“北海國”條下又列“濟南郡”條，並云：“漢置。統縣七。歷城，平陵，祝阿，鄒平，隰陰，菅，著。”同時考“濟南郡”曰：“濟南郡治乏考。據北海國注釋①考證《晋志》濟南郡屬縣全闕，今考得其政區沿革：魏末領縣十一，其中土鼓、臺二縣似於晋初見廢，隰陰縣來屬，領縣十。其中梁鄒縣，《晋志》作‘鄒’屬樂安國。今檢《水經注》卷八酈道元引京相璠曰：‘濟南梁鄒縣有袁水者也。’又《水經注》卷十六載：‘京相璠與裴司空彦季修《晋輿地圖》、作《春秋地名》。’又《隋書·經籍志》：‘《春秋土地名》三卷，晋裴秀客京相璠等撰。’則酈道元所謂裴司空即裴秀，姚振宗《隋書經籍志考證》以爲‘《晋書》裴秀傳：(裴)秀爲司空，作《禹貢地域圖》十八篇，奏之。(京相)璠等是書蓋作於其時，晋武帝泰始中也。’是，則酈道元所引京相璠之語當是指西晋泰始時情况，則梁鄒縣至晋初仍屬濟南郡。又《晋書》卷三十八《司馬鑒傳》：‘咸寧初，以齊之梁鄒益封（司馬）鑒。’又《宋書》卷三十三《五行四》：‘太康六年……樂安梁鄒等八縣……隕霜傷桑麥。’則梁鄒縣西晋咸寧初割屬齊郡，太康時又割屬樂安國。其中於陵縣，《左傳·昭公十年》杜注有濟南於陵縣，則太康元年濟南郡有於陵縣。又《輿地廣記》卷六京東東路上淄州中長山縣條：‘長山縣，本二漢於陵地，屬濟南郡，晋省之。’則太康元年後省於陵縣。其中東朝陽縣，《晋志》屬樂安國。《左傳·

襄公二十七年》杜注有濟南東朝陽縣，則太康元年濟南郡有東朝陽縣。又《宋志》：'朝陽令，前漢曰朝陽，後漢、晋曰東朝陽，二漢屬濟南，《晋太康地志》屬樂安。'則太康三年東朝陽屬樂安國，其似於太康二年移屬樂安國。故領縣七。據《晋書》卷三《武帝紀》：'（泰始元年封皇從叔父司馬）遂爲濟南王……（咸寧三年徙）濟南王（司馬）耽爲中山王。'則泰始元年至咸寧三年爲濟南國，後還爲濟南郡。"又考證濟南郡所屬七個縣："（1）歷城：縣名。治所在今山東濟南市，魏屬濟南郡，《左傳·桓公十八年》杜注有濟南歷城縣，則太康元年濟南郡有歷城縣。又《宋書》卷二十八《符瑞中》：'太康三年閏四月己丑，白龍二見濟南歷城。'則太康三年濟南郡有歷城縣。又《後魏志》：'歷城，二漢、晋屬（濟南）。'則西晋時濟南郡有歷城縣。（2）平陵：縣名。治所在今山東章丘市西北。魏作'東平陵'屬濟南郡，今檢宋本《左傳·莊公十年》經文杜注有濟南平陵縣，則太康元年濟南郡有平陵縣。而魏時作'東平陵'，又《宋志》：'平陵令，漢舊縣，至晋並曰：東平陵。'又《魏志》卷十五：'初（司馬）郎所與俱徙趙咨，官至太常，爲世好士'裴注：'（趙）咨字君初，子（趙）酆字仲子，晋驃騎將軍，封東平陵公。'則至晋初仍作'東平陵'，至遲於太康元年前改爲'平陵'。又《後魏志》：'平陵，二漢、晋屬（濟南郡），曰：東平陵，後改。'則西晋時濟南郡有平陵縣。（3）祝阿：縣名。治所在今山東濟南市西南。魏屬濟南郡，《左傳·襄公十九年》、《左傳·昭公二十五年》經文、《左傳·哀公十年》杜注有濟南祝阿縣，則太康元年濟南郡有祝阿縣。又《後魏志》：'祝阿，二漢屬平原，晋屬濟南。'則西晋時濟南郡有祝阿縣。（4）鄒平：縣名。治所在今山東高青縣西南。魏屬濟南郡，今檢《晋書》卷三十三《何曾傳》：'（何）機（《白孔六帖》卷二十四"責桑梓拜"條小注"陸機爲鄒平令，性亦矜傲，責鄉里謝鯤等拜，或戒曰：'禮敬年爵，以德爲先，令鯤拜勢，懼傷風俗'，機不以爲慚。"今檢《晋書》何機、謝鯤均爲陳國陽夏人，而陸機爲吴郡人，不當與謝鯤爲“鄉里”。故《白孔六帖》所謂“陸機”當爲“何機”之訛。）爲鄒平令，性亦矜傲，責鄉里謝鯤等拜，或戒曰：“禮敬年爵，以德爲先，令鯤拜勢，懼傷風俗”，機不以爲慚。’則晋初有鄒平縣。又《寰宇記》卷十九河南道淄州鄒平縣條：‘鄒平縣……本漢舊縣，屬濟南郡，後漢及晋不改，永嘉之亂其縣遂廢。’則鄒平縣西晋時屬濟南郡。（5）隰陰：縣名。治所在今山東濟陽縣西南。魏作‘漯陰’屬平原郡。《左傳·哀公十年》杜注有濟南隰陰縣，則太康元年濟南郡有隰陰縣。（6）菅：縣名。治所在今山東濟陽縣東。魏屬濟南郡，今檢杜預《春秋釋例》卷六‘哀六年賴’條：‘或曰濟南營城南有賴亭。’則菅縣歷魏至晋未廢，且屬濟南郡。（7）著縣：治所在今山東濟陽縣西，魏屬濟南郡。今檢《後魏志》：‘著，二漢、晋屬（濟南郡）。’殿本《魏書》考證云：‘按著字乃著字之誤，兩漢有著縣屬濟南，晋省。’其謂‘著’當作‘著’是也，其謂‘晋省’非也。楊氏《補正》據《晋書》卷六十‘解系，濟南著人’以爲今本《晋志》脱此縣且魏、晋皆有此縣，是，其時當屬濟南郡。”

［2］濟岷郡：清畢沅《晋書地理志新補正》：“沅案《沈志》濟岷郡晋安帝義熙中土斷併濟南，則晋蓋分濟南立濟岷，非竟改濟南作濟岷也。此注云改爲濟岷郡，似誤。”

［3］《太康地理志》無此郡名，未之詳：清畢沅《晋書地理志新補正》：“沅案沈《太康地志》恐並無濟南郡。今考此志，濟南郡領縣五，下密、膠東、即墨，《太康地志》云屬北海祝阿。《太康地志》無唯平壽一縣，兩漢本屬北海。則《太康地志》無濟南郡可知。疑武帝以後始改北海爲濟南，但無名文可據耳。”

［4］平壽：縣名，治所在今山東省昌樂縣東南。孔祥軍《晋書地理志校注》：“魏屬北海郡，《左傳·襄公四年》杜注有北海平壽縣，則太康元年北海國有平壽縣。”

［5］寒浞：相傳爲夏代寒國伯明氏之子弟，爲人奸詐，被伯明氏驅逐，后羿收留了他。後殺后羿奪其妻室，終被少康所滅。

[6]下密：縣名，治所在今山東省昌邑市東。孔祥軍《晉書地理志校注》："魏屬北海郡，今檢《宋志》：'下密令……《晉太康地志》屬北海。'則太康三年北海國有下密縣。"

[7]三石祠：三，原本作"王"，宋本、殿本作"三"，據宋本、殿本、《晉書地理志新補正》《晉書斠注》改。

[8]膠東：縣名，治所在今山東省平度市。孔祥軍《晉書地理志校注》："魏屬北海郡，今檢《宋志》：'膠東令，本膠東國，後漢、《晉太康地志》屬北海。'則太康三年北海國有膠東縣。"

[9]即墨：縣名，治所在今山東省平度市東南。清畢沅《晉書地理志新補正》："沅案《太康地志》膠東、即墨、下密俱云屬北海。《通典》北海郡下云，晉爲北海、樂安二國之地。疑晉初有北海郡，無濟南郡，俟考。又《地形志》云，即墨，晉屬長廣。"孔祥軍《晉書地理志校注》："魏屬北海郡，今檢《宋書》卷二十九《符瑞下》：'晉武帝泰始五年七月己亥，白兔見北海即墨。'則泰始五年北海國有即墨縣。又《左傳·襄公六年》杜注有北海即墨縣，則太康元年北海國有即墨縣。又《宋志》：'即墨令……《晉太康地志》屬北海。'則太康三年北海國有即墨縣。《漢志》膠東國：'即墨，有天室山祠。'《晉志》似本此。而'天山祠'似當作'天室山祠'。"

[10]祝阿：縣名，治所在今山東省濟南市歷城區西南。清畢沅《晉書地理志新補正》："沅案《太平寰宇記》於陵縣自魏至晉不改。今考此《志》無之。當屬中葉後省。"孔祥軍《晉書地理志校注》："當作'都昌'。魏屬北海郡，今檢《宋書》卷二十八《符瑞志中》：'泰始三年五月己卯，白麞見北海都昌，青州刺史沈文秀以獻。'則泰始三年北海國有都昌縣。又《左傳·莊公元年》經文、《左傳·襄公十八年》杜注有北海都昌縣，則太康元年北海國有都昌縣。治所在今山東昌邑市。"

樂安國[1]漢置。統縣八，户一萬一千。

高苑[2]　臨濟有蚩尤祠。[3]　博昌有薄姑祠。[4]　利益[5]侯相。　蓼城[6]侯國。　鄒[7]　壽光古斟灌氏所封國。[8]　東朝陽[9]

[1]樂安國：治所在高苑縣（今山東省鄒平市長山鎮）。清方愷《新校晋書地理志》："前漢《地理志》有利縣屬齊郡，益縣屬北海郡。《郡國志》二縣皆屬樂安國。《水經注》濟水又東北逕利縣西，《水經注》巨洋水又東北逕益縣故城東，是兩漢時利、益實二縣名，本《志》併爲一，不詳改置，豈誤刊耶！若作二縣，則前注當云統縣九。又據杜注東朝陽當屬濟南，《州郡志》引《太康志》則云屬樂安。又《州郡志》菴令，前潢屬琅邪，後漢屬泰山。《晋太康地志》屬樂安。案菴，地理、郡國《志》均無此縣，或疑爲'益'爲'蓋'形相近而誤。然所屬郡名與兩《志》異，恐尚有誤字。蓋縣地境太遠，益縣爲近是。（寅案地理、郡國二《志》，蓋縣並屬泰山不屬瑯邪。益縣前漢屬北海，後漢屬樂安。《州郡志》所列菴令，不詳何地未可附會。）本書《樂安平王鑒傳》咸寧初以齊之梁、鄒益封，乃本《志》此國屬縣有鄒無梁。鄒，豫州魯郡下又重出鄒縣，是知樂安屬縣必因漢舊名梁鄒無疑。其故城爲今濟南府，鄒平縣治距樂安最近，鄒縣故城在今兖州府鄒縣東，中隔泰安一府，一字之誤，繆及千里矣。顧亭林亦疑鄒字上有缺文。（寅案《州郡志》樂安，漢高立名。千乘，和帝永元七年更名。《郡國志》有千乘、樂安二縣。《沈志》有千乘無樂安，晋不當二縣俱省也。）"

清洪亮吉《東晋疆域志》考北青州實州郡縣："樂安國，漢置。東晋陵縣，疑與宋同。凡三。《晋書》孝武太元十七年，齊國内史蔣喆殺樂安太守辟閭濬，據青州反。《沈志》去州陸一百八十，去京師陸一千八百。千乘，漢舊縣。臨濟，漢舊縣。博昌，漢舊縣。

郭璞《山海經注》濟水至樂安博昌縣入海。"

孔祥軍《晉書地理志校注》:"樂安國治乏考。據《晉書》卷三《武帝紀》:'(泰始元年封)皇弟(司馬)鑒爲樂安王。'則泰始元年爲樂安國。魏領縣九,其中千乘縣,據《輿地廣記》卷六京東東路望青州上千乘縣條:'千乘縣,漢舊縣,後漢屬樂安國,晉省之。'則其晉初省。其中樂安縣,據《輿地廣記》卷六京東東路望青州上博興縣條:'博興縣,本漢樂安縣,屬千乘郡,後漢屬樂安國,晉省之。'則其晉初省。咸寧後,梁鄒縣來屬,太康二年東朝陽縣來屬,則領縣九。《晉志》利、益連刻,故爲八縣。"

[2]高苑:縣名,治所在今山東省鄒平市長山鎮。孔祥軍《晉書地理志校注》:"《輿地廣記》卷六京東東路上淄州下高苑縣條:'漢屬千乘郡,後漢、晉屬樂安國。'"

[3]臨濟:縣名,治所在今山東省高青縣東南。孔祥軍《晉書地理志校注》:"《宋書》卷二十九《符瑞下》:'咸寧五年,木連理生樂安臨濟。'則咸寧五年樂安國有臨濟縣。《漢志》東郡:'壽良,蚩尤祠在西北涑上。'又《續漢志》東平國:'壽張,春秋曰良,漢曰壽良,光武改曰壽張。有堂聚,故聚屬東郡。劉昭注引《地道記》曰:"有蚩尤祠,狗城。"則原注爲錯簡,蚩尤祠當系於兗州平國壽張縣下。'"

[4]博昌:縣名,治所在今山東省博興縣東南。　薄姑:即蒲姑,上古東夷姓氏之一,曾建蒲姑國。孔祥軍《晉書地理志校注》:"《左傳·莊公八年》《左傳·昭公九年》杜注有樂安博昌縣,則太康元年樂安國有博昌縣。又《後魏志》:'博昌,前漢屬千乘,後漢、晉屬(樂安)。'《續漢志》樂安國:'博昌,有薄姑城。'《晉志》似本此,而'薄姑祠'似誤,當作'薄姑城'。"

[5]利益:二縣名,治所均在今山東省博興縣。吴士鑑《晉書斠注》:"漢利縣,屬齊郡。""《讀史方輿紀要》卷三五曰,利縣城在博興縣東南四十里。"孔祥軍《晉書地理志校注》:"利:縣名。治所在今山東博興縣東,宋本《晉志》:'利''益'二字連刻,故

通行本多作‘利益’。今檢《漢志》齊郡有利縣，《續漢志》樂安國有利縣，又《水經注》卷八：‘（濟水）又東北過利縣西’，則魏時仍有利縣，各通行本並誤。酈道元對此條經文加注云：‘齊郡有利縣。王莽之利治也。’楊守敬《水經注疏》按曰：‘後漢、魏、晋並屬樂安，宋廢。’是。益：縣名。治所在今山東壽光市南。”

[6]蓼城：縣名，治所在今山東省利津縣南。

[7]鄒：縣名，治所在今山東省鄒城市東南。孔祥軍《晋書地理志校注》：“魏屬濟南郡，今檢《宋書》卷三十三《五行四》：‘太康六年……樂安梁鄒等八縣……隕霜傷桑麥。’則太康六年樂安郡有梁鄒縣，《晋志》所謂‘鄒’誤，當作‘梁鄒’。”

[8]壽光：縣名，治所在今山東省壽光市東北。孔祥軍《晋書地理志校注》：“《左傳·襄公四年》杜注有樂安壽光縣，則太康元年樂安國有壽光縣。”　斟灌氏：夏諸侯，姒姓，幫助夏后相遷帝丘，後被寒浞所滅。

[9]東朝陽：縣名，治所在今山東省鄒平市西北。清畢沅《晋書地理志新補正》：“沅案杜預襄公二十七年《左傳》注，濟南東朝陽縣，與《太康地志》異。此《志》本《太康地志》。”孔祥軍《晋書地理志校注》：“《左傳·襄公二十七年》杜注有濟南東朝陽縣，則太康元年濟南郡有東朝陽縣。又《宋志》：‘朝陽令，前漢曰朝陽，後漢、晋曰東朝陽，二漢屬濟南，《晋太康地志》屬樂安。’則太康三年東朝陽屬樂安國，其似於太康二年移屬樂安國。”

城陽郡[1]漢置，屬北海，自魏至晋分北海而立焉。郡統縣十，户一萬二千。

莒[2]故莒子國。　姑幕[3]古薄姑氏國。　諸[4]　昌安[5]　淳于[6]故淳于公國。　東武[7]　高密[8]漢改爲郡。　壯武[9]　黔陬[10]　平昌[11]

［1］城陽郡：治所在莒縣（今山東省莒縣）。清方愷《新校晋書地理志》："（寅案本《志》城陽郡漢置，屬北海。自魏至晋分北海而立焉。則當先列北海郡，領平壽、都昌、即墨、下密、膠東等縣矣。）《州郡志》夷安、營陵、朱虚引《太康地志》屬城陽。營陵、朱虚互見徐州琅琊國。《地形志》夷安晋屬城陽，後屬高密。本《志》均不載，而於後篇言惠帝分城陽之十一縣，置高密國。内又有營陵、安邱、大劇、臨朐等縣，是惠帝以前諸縣俱屬城陽，可知乃分營陵、朱虚、劇、安邱、臨朐五縣屬東莞，疑有脱誤。互見徐州東莞郡。又後篇大劇若爲一縣，則袛十縣。若分劇爲一縣，則大字斷非縣名，疑刊本有誤。附紀於此。（寅案大疑，蓋字之訛。據《志》當是城陽郡分六縣，東莞郡分五縣也。後篇平昌下疑脱"東莞之"三字。）《沿革圖》馬氏曰，左隱元年注，城陽莊武縣，今志作壯武。（寅案《郡國志》亦作壯武，疑今本《左氏傳》杜注誤。）"

孔祥軍《晋書地理志校注》："城陽郡治乏考。據《魏志》卷一《武帝紀》：'（建安三年）分琅邪、東海、北海爲城陽、利城、昌慮郡。'則城陽郡建安三年置且其所領諸縣當來自琅邪、東海、北海三郡地，而東海不預也。《晋志》誤。當作'分琅邪、北海而立焉'。魏時城陽郡屬徐州，當於晋初來屬。魏領縣十，晋初營陵、黔陬、姑幕三縣來屬，領縣十三；太康元年東武縣移屬東莞郡，領縣十二；太康四年，東武縣復屬焉，營陵縣、朱虚縣，移屬東莞郡，領縣十一。檢《宋志》：'夷安令……後漢屬北海，《晋太康地志》屬城陽。'則太康三年城陽郡有夷安縣。又《後魏志》：'夷安，前漢屬琅邪，後漢屬北海，晋屬城陽。'則西晋時城陽郡有夷安縣，《晋志》闕載夷安縣。太康四年後，營陵、朱虚二縣復屬，領縣十三，太康十年莒、姑幕、諸、東武四縣移屬徐州東莞郡，則領縣九；元康九年後，黔陬壯武、淳于、昌安、高密、平昌、營陵等七縣移屬高密國，則領縣二：夷安、朱虚。"

［2］莒：縣名，治所在今山東省莒縣。清畢沅《晋書地理志新

補正》："沅案《太平寰宇記》魏明帝復城陽郡，莒縣屬焉，而城陽郡徙理東武。晋太康十年，割莒縣屬東莞郡。惠帝自東莞移理莒城。《南燕録》曰慕容德以尚書潘聰爲徐州刺史，鎮莒城。又以桓遵爲徐州刺史，亦理此。"孔祥軍《晋書地理志校注》："《左傳·隱公二年》經文杜注有城陽莒縣，則太康元年城陽郡有莒縣。又《後魏志》：'莒，前漢、晋屬城陽。'則西晋時城陽郡有莒縣。又據《晋志》：'太康十年，以青州城陽郡之莒、姑幕、諸、東武四縣屬東莞。'則太康十年後其移屬徐州東莞郡。"

[3]姑幕：縣名，治所在今山東省諸城市西北。孔祥軍《晋書地理志校注》："魏屬琅邪國，《左傳·文公十二年》經文、《左傳·昭公五年》經文有杜注城陽姑幕縣，則太康元年城陽郡有姑幕縣。又《後魏志》：'姑幕，二漢屬琅邪，晋屬城陽。'則西晋時城陽郡有姑幕縣。又據上引《晋志》太康十年後其移屬徐州東莞郡。"

[4]諸：縣名，治所在今山東省諸城市西南。孔祥軍《晋書地理志校注》："《左傳·隱公四年》經文杜注有城陽諸縣，則太康元年城陽郡有諸縣。又《宋志》：'諸令，前漢屬城陽，後漢屬琅邪，《晋太康地志》屬城陽。'則太康三年城陽郡有諸縣。又《後魏志》：'諸，二漢屬琅邪，晋屬城陽。'則西晋時城陽郡有諸縣。又據上引《晋志》太康十年其移屬徐州東莞郡。"

[5]昌安：縣名，治所在今山東省安丘市東南。孔祥軍《晋書地理志校注》："《宋志》：'昌安令……後漢屬北海，《晋太康地志》屬城陽。'則太康三年城陽郡有昌安縣。又《後魏志》：'昌安，前漢屬高密，後漢屬北海，晋屬城陽。'元康九年其移屬高密國。"殿本將"昌安"置於"平昌"後。

[6]淳于：縣名，治所在今山東省安丘市杞城村。孔祥軍《晋書地理志校注》："《左傳·隱公二年》經文、《左傳·桓公五年》杜注有城陽淳于縣，則太康元年城陽郡有淳于縣。又《後魏志》：'淳于，二漢屬北海，晋屬城陽。'元康九年其移屬高密國。"

[7]東武：縣名，治所在今山東省諸城市。孔祥軍《晋書地理

志校注》:“《後魏志》:‘東武，二漢屬琅邪，晋屬域陽。’則西晋時城陽郡有東武縣。又《宋志》:‘東武令，二漢屬琅邪，《晋太康地志》屬東莞。’太康元年東莞郡復置，東武似於此時移屬東莞郡，太康三年後東莞郡廢，東武縣似還屬城陽郡。又據上引《晋志》太康十年其移屬東莞郡。”

[8]高密：縣名，治所在今山東省高密市西南。孔祥軍《晋書地理志校注》:“《宋志》:‘高密令，前漢屬高密，後漢屬北海，《晋太康地志》屬城陽。’則太康三年城陽郡有高密縣。又《後魏志》:‘高密，前漢屬，後漢屬北海，晋屬城陽。’元康九年其移屬高密國。”

[9]壯武：縣名，治所在今山東省即墨市西。孔祥軍《晋書地理志校注》:“《左傳·隱公元年》杜注有城陽壯武縣，則太康元年城陽郡有壯武縣，元康九年其移屬高密國。”

[10]黔陬：縣名，治所在今山東省膠州市黔陬村東。孔祥軍《晋書地理志校注》:“魏屬東萊郡，《左傳·僖公二十九年》經文、《左傳·襄公二十四年》杜注有城陽黔陬縣，則太康元年城陽郡有黔陬縣。又《宋志》:‘黔陬，前漢屬琅邪，後漢屬東萊，《晋太康地志》屬城陽。’則太康三年城陽郡有黔陬縣。據殷蓀編《中國磚銘》（江蘇美術出版社 1998 年版）所收《太康八年八月磚銘》:‘晋故太康八年八月一日乙亥城陽黔陬王從事。’可知太康八年城陽郡有黔陬縣。《後魏志》:‘黔陬，前漢屬琅邪，後漢屬東萊，晋屬城陽。’元康九年其移屬高密國。”

[11]平昌：縣名，治所在今山東省諸城市西北。孔祥軍《晋書地理志校注》:“《左傳·昭公五年》經文杜注有城陽平昌縣，則太康元年城陽郡有平昌縣。又《宋志》:‘平昌令，前漢屬琅邪，後漢屬北海，《晋太康地志》屬城陽。’則太康三年城陽郡有平昌縣。又《後魏志》:‘平昌，前漢屬琅邪，後漢屬北海，晋屬城陽。’元康九年其移屬高密國。”

東萊國[1]漢置郡。統縣六，户六千五百。

掖[2]侯相。　當利[3]侯國。　盧鄉[4]　曲城[5]　黄[6]有萊山、松林萊君祠。[7]　惤[8]侯國。有百支萊王祠。[9]

[1]東萊國：治所在掖縣（今山東省萊州市）。清洪亮吉《東晋疆域志》考北青州實州郡縣："東萊郡，漢置。東晋領縣七。曲城，漢舊縣。掖，漢舊縣。《史記索隱》稱《晋書地道記》有過鄉，北有過城，即古過國。㩻，漢舊縣。盧鄉，漢舊縣。《宋書·符瑞志》太康八年，木連理生盧鄉。牟平，漢舊縣。《圖經》晋省，後復置。當利，漢舊縣。黄，漢舊縣。"

清方愷《新校晋書地理志》："《郡國志》郡屬有東牟縣，本書《懷帝紀》永嘉元年有東牟太守龐伉，本《志》郡既不載縣，復移置泰山下，誤矣。互見泰山郡。本書《蘇峻傳》峻長廣掖人。案掖爲東萊國治，不當移爲長廣，恐《傳》誤也。（寅案長廣郡有挺縣，《州郡志》引《太康地志》同。《蘇峻傳》長廣掖人，掖即挺之訛字，非東萊之掖縣。）"

孔祥軍《晋書地理志校注》："東萊郡治乏考。魏領縣十二，其中牟平縣，據《後魏志》：'牟平，二漢屬東萊，晋罷。'則其晋初省。其中昌陽縣，據《輿地廣記》卷六京東東路中萊州望萊陽縣條：'萊陽縣，二漢昌陽縣，屬東萊郡，晋省之，其後復置。'其晋初亦廢。晋初黔陬縣移屬城陽郡，則領縣九，咸寧三年長廣、不其、挺三縣移屬長廣郡，則領縣六。"

[2]掖：縣名，治所在今山東省萊州市。清畢沅《晋書地理志新補正》："沅案《太平寰宇記》東萊郡，後漢移理黄縣，魏不改。晋武帝太康四年，徙遼東王蕤爲東萊王，復理掖。"孔祥軍《晋書地理志校注》："《左傳·襄公四年》杜注有東萊掖縣，則太康元年東萊郡有掖縣。又《宋書》卷二十九《符瑞下》：'太康八年九月，嘉禾生東萊掖，則太康八年東萊郡有掖縣。又《後魏志》："掖……

二漢、晋屬（東萊）。”’”

[3]當利：縣名，治所在今山東省萊州市西南。孔祥軍《晋書地理志校注》：“《後魏志》：‘當利，二漢、晋屬東萊。’”

[4]盧鄉：縣名，治所在今山東省平度市西北。孔祥軍《晋書地理志校注》：“《宋書》卷二十九《符瑞下》：‘太康八年九月，木連理生東萊盧鄉。’則太康八年東萊郡有盧鄉縣。又《後魏志》：‘盧鄉，二漢、晋屬（東萊）。’”

[5]曲城：縣名，治所在今山東省招遠市西南。孔祥軍《晋書地理志校注》：“《後魏志》：‘西曲城，二漢、晋曰曲城，屬（東萊）。’”

[6]黄：縣名，治所在今山東省龍口市東南黄城集村。

[7]萊君祠：萊，原本、宋本作“來”，殿本作“萊”，據殿本改。

[8]惤：縣名，治所在今山東省龍口市東南。關於東萊國屬縣，清畢沅《晋書地理志新補正》：“沅案《太平寰宇記》牟平，晋屬東萊國。《地形志》晋罷，後復。”殿本作“㡘”。

[9]有百支萊王祠：萊，原本、宋本作“來”，殿本作“萊”，據殿本、中華本校勘記改。

長廣郡[1]咸寧三年置。統縣三，户四千五百。

不其[2]侯國。　長廣[3]　挺[4]

[1]長廣郡：治所在不其縣（今山東省即墨市西南）。清畢沅《晋書地理志新補正》：“沅案《地形志》二漢屬東萊，後罷。晋惠帝復，後屬長廣。《太平寰宇記》晋無昌陽縣。又稱顧野王曰，晋惠帝元康八年，復立昌陽縣，屬長廣郡。”

孔祥軍《晋書地理志校注》：“長廣郡治乏考。魏無此郡，今檢《宋志》：‘《起居注》：咸寧三年，以齊東部縣爲長廣郡。’則咸寧三年增置長廣郡。太康三年長廣郡領縣三，據《宋志》：‘昌陽令，晋惠帝元康八年分長廣縣立。’又《後魏志》：‘昌陽，二漢屬東萊，後罷，晋惠帝復。’又《輿地廣記》卷六京東東路中萊州望萊陽縣條：‘萊陽縣，二漢昌陽縣，屬東萊郡，晋省之，其後復置。’則元康八年增置昌陽縣，領縣四。”

[2]不其：縣名，治所在今山東省即墨市西南。孔祥軍《晋書地理志校注》：“魏屬東萊郡，今檢《宋志》：‘不其令，前漢屬琅邪，後漢屬東萊，《晋太康地志》屬長廣。’則太康三年長廣郡有不其縣。”

[3]長廣：縣名，治所在今山東省萊陽市東。孔祥軍《晋書地理志校注》：“魏屬東萊郡，今檢《宋志》：‘長廣令，前漢屬琅邪，後漢屬東萊，《晋太康地志》屬長廣。’則太康三年長廣郡有長廣縣。”

[4]挺：縣名，治所在今山東省萊陽市南。孔祥軍《晋書地理志校注》：“魏屬東萊郡，今檢《宋志》：‘挺令，前漢屬膠東，後漢屬北海，《晋太康地志》屬長廣。’則太康五年長廣郡有挺縣。”

惠帝元康十年，[1]又置平昌郡。[2]又分城陽之黔陬、壯武、淳于、昌安、高密、平昌、營陵、[3]安丘、[4]大、[5]劇、[6]臨朐十一縣爲高密國。[7]自永嘉喪亂，[8]青州淪没石氏。[9]東萊人曹嶷爲刺史，造廣固城，[10]後爲石季龍所滅。季龍末，遼西段龕自號齊王，[11]據青州。慕容恪滅趙，[12]克青州。苻氏平燕，盡有其地。及苻氏敗後，刺史苻朗以州降。[13]朝廷置幽州，以别駕辟閭渾爲刺史，[14]鎮廣固。隆安四年，[15]爲慕容德所滅，[16]遂都之，是爲南燕，復改爲青州。德以并州牧鎮陰平，[17]幽州刺史鎮發干，[18]徐州刺史鎮莒城，青州刺史鎮東萊，兖州刺史鎮梁父。[19]慕容超移青州於東萊郡，[20]後爲劉裕所滅，留長史羊穆之爲青州刺史，[21]築東陽城而居之。自元帝渡江，於廣陵僑置青州。至是始置北青州，[22]鎮東陽城，[23]以僑立州爲南青州。[24]而後省南青州，而北青州直曰青州。

[1]惠帝元康十年：中華本校勘記："《舉正》：元康祇九年。"

[2]平昌郡：清畢沅《晋書地理志新補正》："沅案《安德陳太后傳》父廣平昌太守。"清洪亮吉《東晋疆域志》考北青州實州郡縣："平昌郡，《晋書》惠帝元康十年又置平昌郡，東晋領縣疑與宋同，凡五。《晋書·安德陳太后傳》父廣，爲平昌太守。《沈志》去州陸二百，去京都陸一千七百。安丘，漢舊縣。《沈志》《晋太康地志》屬琅邪。《晋書·伏滔傳》平昌安丘人。平昌，漢舊縣。《沈志》《晋太康地志》屬城陽。東武，漢舊縣。《沈志》《晋太康地志》屬東莞。琅邪，漢舊縣。《沈志》《晋太康地志》無。朱虚，漢舊縣。《沈志》《晋太康地志》屬城陽。"

[3]營陵：縣名，治所在今山東省昌樂縣南。

[4]安丘：縣名，治所在今山東省安丘市西南。

[5]大：縣名，即廣縣，治所在今山東省青州市西南。

[6]劇：縣名，治所在今山東省壽光市紀臺鎮。

[7]"分城陽之"至"臨朐十一縣爲高密國"：中華本校勘記："《考異》：營陵以下五縣皆隸東莞，不隸城陽，恐有脱文。又東莞有廣縣，此云'大'者，疑避隋煬諱改。"清洪亮吉《東晋疆域志》考北青州實州郡縣："高密郡，《晋志》惠帝元康十年，又分城陽之黔陬、壯武、淳于、昌安、高密、平昌、營陵、安丘、大、劇、臨朐十一縣爲高密國。《謝玄傳》高密内史毛藻。東晋領縣疑與宋同。凡六。《沈志》去州陸二百，去京都陸一千八百。黔陬，漢舊縣。《沈志》《晋太康地志》屬城陽。淳于，漢舊縣。《沈志》

《晋太康地志》屬城陽。高密，漢舊縣。《沈志》《晋太康地志》屬城陽。夷安，漢舊縣。《沈志》《晋太康地志》屬城陽。營陵，漢舊縣。《沈志》《晋太康地志》屬城陽。昌安，漢舊縣。《沈志》《晋太康地志》屬城陽。”

孔祥軍《晋書地理志校注》：“吴氏《斠注》引周家禄《校勘記》：‘營陵上宜冠徐州東莞，以别於城陽。’當作‘安丘上宜冠徐州東莞，以别於城陽。’據徐州東莞郡考證，營陵時屬城陽郡，中華校、周氏皆誤。”臨朐，縣名，治所在今山東省青州市西南。

[8]永嘉喪亂：清畢沅《晋書地理志新補正》：“沅案《晋書·本紀》永嘉元年東萊人王彌反，東牟太守龐伉、長廣太守宋羆並遇害。是永嘉時又有東牟，未知何時所立也。”

[9]青州淪没石氏：孔祥軍《晋書地理志校注》：“據《晋書》卷五《孝愍帝紀》：‘（建興元年）六月，石勒害兖州刺史田徽。是時，山東郡邑相繼陷於勒。’則似至建興元年青州淪没。”

[10]廣固城：位於今山東省青州市西北。清畢沅《晋書地理志新補正》：“沅案《齊地記》晋永嘉五年，東萊曹嶷爲刺史，所築有大澗，甚廣，因之爲固，謂之廣固城。初南燕慕容德議所都，尚書潘聰曰：‘青齊沃壤，號曰東秦，土方二千，户餘十萬。廣固者，曹嶷之所營，山川峻阻，爲帝王之都。’德從之。”

[11]段龕：東部鮮卑人，段遼侄子，西晋末自號齊王，後被東晋任命爲鎮北將軍。後降前燕，爲伏順將軍。終被害。

[12]慕容恪：字玄恭，本書卷一一一有載記。

[13]苻朗：字元達，本書卷一一四有載記。

[14]别駕：官名，别駕從事、别駕從事史省稱。州部佐官，因從刺史行部，别乘傳車，故稱。位居州吏之右。

[15]隆安四年：孔祥軍《晋書地理志校注》：“吴氏《斠注》據《晋書·安帝紀》以爲當在隆安三年，今檢《建康實録》卷十、《通志》卷十下慕容德陷青州皆在‘隆安三年’，則《晋志》誤，當改。”

[16]慕容德：字玄明，又名備德，本書卷一二七有載記。

[17]陰平：縣名，治所在今山東省棗莊市舊嶧縣西南。

[18]發干：縣名，治所在今山東省冠縣東南。

[19]梁父：縣名，治所在今山東省新泰市西。

[20]慕容超：字祖明，本書卷一二八有載記。

[21]長史：官名，掌顧問參謀，爲所在官署掾屬之長。魏晉南北朝時王府、公府、軍府、邊郡均置。八至六品。

[22]北青州：清洪亮吉《東晋疆域志》："北青州，《藝文類聚》稱《太康地志》曰，青州，東方少陽，其色青，其氣清。清，歲之首，事之始也，故以爲名。周之建國，表齊東海，居於青州，故吴季札觀樂於魯，聞齊之詩曰：'泱泱乎大國之風也，其表東海者乎！'《晋志》永嘉亂後，青州淪没石氏。東萊人曹嶷爲刺史，造廣固城，後爲石季龍所滅。季龍末，遼西段龕自號齊王，據青州。慕容恪滅趙，克青州。苻氏平燕，盡有其地。及苻氏敗後，刺史苻朗以州降朝廷，置幽州，以别駕辟閭渾爲刺史，鎮廣固。隆安四年，爲慕容德所滅，遂都之，復改爲青州。及劉裕滅慕容超，留長史羊穆之爲青州刺史，築東陽城居之。自元帝渡江於廣陵僑置青州。至是始置北青州，鎮東陽城，以僑立青州爲南青州。《宋書·武帝紀》晋義熙五年七月，詔加公北青、冀二州刺史。凡統舊郡八，縣四十四。州治，《沈志》安帝義熙五年平廣固，北青州刺史治東陽城。《魏書·地形志》，青州，司馬德宗治東陽城。《晋志》義熙十三年北青州刺史向彌留戍碻磝。"

[23]東陽城：縣名，治所在今山東省青州市。

[24]南青州：孔祥軍《晋書地理志校注》："錢氏《考異》卷十九以爲晋無南青州之名，此承《宋志》追稱。"

徐州。案《禹貢》海岱及淮之地，舜十二牧，則其一也。於周入青州之域。《春秋元命包》云："天氐流爲徐州。”[1]蓋取舒緩之義，或云因徐丘以立名。秦兼天下，以置泗水、薛、琅邪三郡。楚漢之際，分置東陽郡。漢又分置東海郡，改泗水爲沛，改薛爲魯，分沛置楚國，以東陽屬吴國。景帝改吴爲江都，[2]武帝分沛、東陽置臨淮郡，改江都爲廣陵。及置十三州，以其地爲徐州，統楚國及東海、琅邪、臨淮、廣陵四郡。宣帝改楚爲彭城郡，[3]後漢改爲彭城國，以沛郡之廣戚縣來屬，[4]改臨淮爲下邳國。及太康元年，復分下邳屬縣在淮南者置臨淮郡，分琅邪置東莞郡。州凡領郡國七，[5]縣六十一，户八萬一千二十一。

［1］氐：星宿名。二十八宿之一，東方蒼龍七宿的第三宿。有星四顆。

［2］江都：郡國名，治所在廣陵縣（今江蘇省揚州市西北蜀岡上）

［3］宣帝：漢宣帝劉詢，字次卿，戾太子之孫。公元前 74 至前 49 年在位。在位期間治國“以霸王道雜之”，號稱“中興”。

［4］廣戚縣：治所在今江蘇省沛縣東南廣戚鄉。孔祥軍《晋書地理志校注》：“《宋志》：‘廣戚，前漢屬沛，後漢、《晋太康地志》屬彭城。’則太康三年時彭城國有廣戚縣。”

［5］凡領郡七：孔祥軍《晋書地理志校注》：“魏領郡六，晋初城陽郡移屬青州，則領郡五。泰始元年增置東莞郡，咸寧三年廢。太康元年增置臨淮郡、東莞二郡，領郡七。太康四年後東莞郡再廢。太康十年又置東莞郡，領郡七。據《宋志》：‘蘭陵太守，晋惠帝元康元年，分東海立。’又《晋志》：‘元康元年，分東海置蘭陵郡。’則惠帝元康元年分東海置蘭陵郡。洪亮吉《東晋疆域志》卷四據《太平寰宇記》以爲蘭陵郡初置時領縣五：蘭陵、昌慮、承、

合鄉、戚，且治承城，是。'元康七年增置東安、淮陵二郡。據《宋志》：'東安太守，東安故縣名，前漢屬城陽，後漢屬琅邪，《晋太康地志》屬東莞，晋惠帝分東莞立。'《晋志》：'元康元年，分東海置蘭陵郡。七年分東莞置東安郡。'元康七年分東莞郡置東安郡。又《宋志》東安太守所領蓋縣，西晋時屬東安，則東安郡初置時似有東安、蓋二縣。據《晋志》：'元康元年，分東海置蘭陵郡。七年分東莞置東安郡，分臨淮置淮陵郡。'又《宋志》：'淮陵太守，本淮陵縣，前漢屬臨淮，後漢屬下邳，晋屬臨淮，惠帝永寧元年，以爲淮陵國。'則元康七年分臨淮置淮陵郡，永寧元年爲淮陵國。又《宋志》淮陵太守所領司吾、徐二縣，西晋時屬臨淮郡，則淮陵郡處置時似領此二縣。永興元年置堂邑郡。領郡十一。據《晋志》：'元康元年，分東海置蘭陵郡。七年分東莞置東安郡，分臨淮置淮陵郡，以堂邑置堂邑郡。'而《宋志》：'堂邑本爲縣，前漢屬臨淮，後漢屬廣陵，晋又屬臨淮，晋惠帝永興元年，分臨淮淮陵立堂邑郡。'胡阿祥先生《宋書州郡志彙釋》卷一以爲當從《宋志》。則永興元年置堂邑郡，可考者唯有堂邑一縣。"

彭城國[1]漢以爲郡。統縣七，户四千一百二十一。

彭城[2]故殷伯大彭國。　留[3]張良所封。[4]　廣戚　傅陽[5]　武原[6]　吕[7]　梧[8]

[1]彭城國：治所在彭城縣（今江蘇省徐州市）。清洪亮吉《東晋疆域志》考北徐州實州郡縣："彭城郡，漢置。東晋領縣可考者五。《晋書》元帝太興元年，彭城内史周撫殺沛國内史周默以反。明帝太寧二年，石虎寇兗州，刺史劉遐自彭城退保泗口。成帝咸和元年，蘭陵人朱縱斬石虎將郭祥以彭城來降。《沈志》彭城去京都水一千三百六十，陸一千。"

孔祥軍《晋書地理志校注》："彭城國治彭城，在今江蘇徐州市，據《晋書》卷三《武帝紀》：‘（泰始元年封皇從叔父司馬）權爲彭城王。’則泰始元年爲彭城國。晋惠帝元康時蕃、薛二縣來屬彭城郡，領縣九。”

［2］彭城：縣名，治所在今江蘇省徐州市。清畢沅《晋書地理志新補正》：“沅按《元和郡縣志》彭城，州理城東，晋封劉裕爲宋公，都此。”清洪亮吉《東晋疆域志》：“彭城，漢舊縣。有州治城、小城、碭山、寒山、皇丘、泗水、綏輿里、安上里、叢亭里。”孔祥軍《晋書地理志校注》：“《後魏志》：‘彭城，前漢屬楚國，後漢、晋屬（彭城）。’”

［3］留：縣名，治所在今山東省微山縣東南。清洪亮吉《東晋疆域志》：“留，漢舊縣。《宋書·武帝紀》帝北討軍次留城。《晋志》又有廣戚、傅陽、武原三縣。《沈志》稱《晋太康地記》廣戚屬彭城。今考徐、豫二州，自晋氏南遷，淪落過半，容西晋所有者，或没於劉、石，或鞠爲丘墟。今於《晋書》紀傳所無及《沈志》不録者，俱不敢列入，他皆仿此。”孔祥軍《晋書地理志校注》：“《左傳·襄公元年》杜注有彭城留縣，則太康元年彭城國有留縣。又《後魏志》：‘留，二漢、晋屬（彭城）。’”

［4］張良：字子房，其先爲戰國韓國人，秦滅韓後，圖謀刺殺秦始皇，失敗逃亡。後歸屬劉邦，爲重要謀士。因多出奇計，漢初被封爲留侯。

［5］傅陽：縣名，治所在今江蘇邳州市西北。

［6］武原：縣名，治所在今江蘇省邳州市邳城鎮泇口村。孔祥軍《晋書地理志校注》：“《後魏志》：‘武原，前漢屬楚國，後漢、晋屬（彭城）。’”

［7］吕：縣名，治所在今江蘇省徐州市銅山區東南舊黄河北岸吕梁集。清洪亮吉《東晋疆域志》：“吕，漢舊縣。有吕梁。”孔祥軍《晋書地理志校注》：“《左傳·襄公元年》杜注有彭城吕縣，則太康元年彭城國有吕縣。又《後魏志》：‘吕，前漢屬楚國，後漢、晋屬（彭城）。’”

[8]梧：縣名。吴士鑑《晉書斠注》："梧，漢屬楚國，後漢屬彭城國。《新斠注·地理志》十五曰或云梧即郚，似非。郚，今兖州府泗水縣，地太遠。"

下邳國[1]漢置爲臨淮郡。統縣七，户七千五百。

下邳[2]葛嶧山在西，古嶧陽也。韓信爲楚王，[3]都之。

淩[4] 良城[5]侯相。 睢陵[6] 夏丘[7] 取慮[8] 僮[9]

[1]下邳國：治所在下邳縣（今江蘇省睢寧縣古邳鎮東）。清畢沅《晉書地理志新補正》："沅案《通典》東晉又分置宿遷郡。"

清方愷《新校晉書地理志》："《州郡志》北陵令，本屬南下邳，二漢無。《晉太康地志》屬下邳，本名陵，而廣陵舊有陵縣。晉武帝太康二年，以下邳之陵縣非舊土而同名，改爲北陵。據此則下邳之陵當作北陵，廣陵或當另有陵縣。互見廣陵。（寅案，汲古本陵縣作'淩'，《郡國志》廣陵有浚縣，下邳無。本《志》廣陵無淩縣，下邳有，當从《州郡志》爲正。）"

清洪亮吉《東晉疆域志》："下邳郡，漢置。東晉領縣可考者四。《晉書》明帝太寧元年，石勒攻陷下邳。成帝咸和元年，濟岷太守劉闓殺下邳太守夏侯嘉叛降石勒。穆帝升平二年，以郗曇爲北中郎將鎮下邳。哀帝隆和元年，以庾希爲徐兖二州刺史鎮下邳，二年自下邳退鎮山陽。《沈志》晉武帝分下邳之淮南爲臨淮，而下邳如故。去州水二百，陸一百八十。去京都水一千一百八十，陸八百。舊臨淮郡有東陽縣，《謝玄傳》詔使移鎮東陽城。有石鼈屯。"

孔祥軍《晉書地理志校注》："下邳國治下邳，在今江蘇邳州市南。據《晉書》卷三《武帝紀》：'（泰始元年封皇從叔父司馬）晃爲下邳王。'則泰始元年爲下邳國。魏領縣十二，其中曲陽縣，據《宋志》：'曲陽令，前漢屬東海，後漢屬下邳，《晉太康地志》無。'又《後魏志》：'曲陽，前漢屬東海，後漢屬下邳，晉省。'則其晋初省。其中淮陰縣晋初移屬廣陵郡。晋初增置淩縣，則領縣十一。太康元年淮陵等四縣移屬臨淮郡，則領縣七。”

［2］下邳：縣名，治所在今江蘇省睢寧縣古邳鎮東。清畢沅《晋書地理志新補正》：“沅案《太平寰宇記》晋太康元年，自徐城移下邳國理此。封安平王子晃爲王。”清洪亮吉《東晋疆域志》：“下邳，漢舊縣。《沈志》稱《晋太康地志》屬下邳。《太平寰宇記》晋太康元年自徐州移下邳國治此。封安平王子晃爲王。有下邳小城。”孔祥軍《晋書地理志校注》：“《宋志》：‘下邳令，前漢屬東海，後漢、《晋太康地志》屬下邳。’則太康三年下邳國有下邳縣。又《後魏志》：‘下邳，前漢屬東海，後漢、晋屬（下邳）。’”

［3］韓信：秦末淮陰（今江蘇省淮安市淮陰區南）人，早年家貧，常從人寄食。後隨項羽起兵，因不受重用，轉投劉邦。受蕭何舉薦，拜大將軍。功勛卓著，爲漢初三傑之一。漢立封楚王，後貶爲淮陰侯。終爲吕后設計所殺。

［4］淩：縣名，治所在今江蘇省泗陽縣西北。清畢沅《晋書地理志新補正》：“沅案後漢屬廣陵。《太平寰宇記》云，《太康地志》屬下邳。晋武帝以南有廣陵，故曰北陵，又云陵縣，永嘉後省。”孔祥軍《晋書地理志校注》：“魏無此縣，今檢《宋志》：‘北淩令，本屬南下邳，二漢無，《晋太康地志》屬下邳，本名淩。而廣陵郡舊有淩縣，晋武帝太康二年，以下邳之淩縣非舊土而同名，改爲北淩。’又《宋志》：‘淩令，前漢屬泗水，後漢屬廣陵，三國時廢，晋武帝太康二年又立，屬廣陵。’綜合二條史文可知，武帝太康二年前於下邳國增置淩縣，太康二年又於廣陵郡復置淩縣，於是有兩淩縣，而廣陵淩縣爲舊縣，故改下邳之淩縣爲北淩，以示區別，《晋志》誤，當作北淩。”

［5］良城：縣名，治所在今江蘇省邳州市東南。清洪亮吉《東晋疆域志》：“良城，漢舊縣。《沈志》《晋太康地志》屬下邳。”孔祥軍《晋書地理志校注》：“《宋志》：‘良城令，前漢屬東海，後漢、《晋太康地志》屬下邳。’則太康三年下邳國有良城縣。又《後魏

志》：'良城，前漢屬東海，後漢、晋屬（下邳）。'"

[6]睢陵：縣名，治所在今江蘇省泗洪縣東南洪澤湖中。清洪亮吉《東晋疆域志》："睢陵，漢舊縣。《地形志》彭城郡睢陵縣，晋亂屬濟陰。案今以實縣，仍從晋《地理志》，列下邳郡下。"孔祥軍《晋書地理志校注》："《宋志》：'睢陵令，前漢屬臨淮，後漢屬下邳，《晋太康地志》無。'則太康三年時睢陵縣暫廢。又《後魏志》：'睢陵，前漢屬臨淮，後漢、晋屬（下邳）。'"

[7]夏丘：縣名，治所在今安徽省泗縣東。孔祥軍《晋書地理志校注》："《輿地廣記》卷二十淮南東路上宿州中虹縣條：'本虹、夏丘二縣地。漢皆屬沛郡。東漢虹屬沛國，夏丘屬下邳國，晋因之。'"

[8]取慮：縣名，治所在今安徽省靈璧縣潼郡村。孔祥軍《晋書地理志校注》："《左傳·昭公十六年》杜注有下邳取慮縣，則太康元年下邳國有取慮縣。"

[9]僮：縣名，治所在今安徽省泗洪縣東北。清洪亮吉《東晋疆域志》："漢舊縣。《沈志》稱《晋太康地志》屬下邳。《晋志》又有淩、夏丘、取慮三縣。《沈志》稱《太康地志》陵縣屬下邳。《太平寰宇記》淩縣永嘉後省。"孔祥軍《晋書地理志校注》："《左傳·僖公十五年》經文杜注有下邳僮縣，則太康元年下邳國有僮縣。又《宋志》：'僮令，前漢屬臨淮，後漢、《晋太康地志》屬下邳。'則太康三年下邳國有僮縣。又《後魏志》：'僮，前漢屬臨淮，後漢、晋屬（下邳）。'"

東海郡[1]漢置。統縣十二，户一萬一千一百。

郯[2]故郯子國。　祝其[3]羽山在縣之西。　朐[4]　襄賁[5]　利城[6]　贛榆[7]　厚丘[8]　蘭陵[9]　承[10]　昌慮[11]　合鄉[12]　戚[13]

［1］東海郡：治所在郯縣（今山東省郯城縣北）。清洪亮吉《東晉疆域志》："東海郡，漢置。東晉領縣可考者三。《沈志》去州水一千，陸六百七十。案《宋書·劉道憐傳》義熙中領北東海太守即此。"

孔祥軍《晉書地理志校注》："據《輿地廣記》卷六京東東路同下州淮陽軍望下邳縣條：'郯縣……二漢、晉爲東海郡治。'則東海郡治郯，在今山東郯城縣。魏爲東海國，《晉志》爲東海郡。今檢《後魏志》：'郯郡，秦置，漢高改爲東海，後漢爲（東海）國，晉復（爲東海郡），武定八年改（爲郯郡）。'則至晉初確復爲東海郡。魏領縣十一，太康元年增置贛榆縣，則領縣十二。元康元年，蘭陵等五縣移屬蘭陵郡，領縣七。"

［2］郯：縣名，治所在今山東省郯城縣北。孔祥軍《晉書地理志校注》："《後魏志》：'郯，二漢、晉屬（東海）。'"

［3］祝其：縣名，治所在今江蘇省連雲港市贛榆區西北夾谷山附近。孔祥軍《晉書地理志校注》："據《左傳·昭公七年》杜注有東海祝其縣，則太康元年東海郡有祝其縣。《漢志》東海郡：'祝其，《禹貢》羽山在南，鯀所殛。'又《續漢志》東海郡：'祝其有羽山。'劉昭注曰：'殛鯀之山。杜預曰在縣西南。'則羽山非在祝其縣西，當在其西南。《晉志》似本《漢志》，然微誤。"祝，原本、宋本作"況"，殿本作"祝"，據殿本改。

［4］朐：縣名，治所在今江蘇省連雲港市海州區西南錦屏山側。

［5］襄賁：縣名，治所在今山東省蘭陵縣東南。清洪亮吉《東晉疆域志》："襄賁，漢舊縣。"

［6］利城：縣名，治所在今江蘇省連雲港市贛榆區青口鎮西古城。清洪亮吉《東晉疆域志》："利成，漢舊縣。《圖經》晉仍爲利城縣，屬東海郡，劉宋省。案此則東晉時有此縣也。"

［7］贛榆：縣名，治所在今江蘇省連雲港市贛榆區青口鎮東北鹽倉城。清畢沅《晉書地理志新補正》："沅案《沈志》，縣，魏省。晉太康元年復立，尋又省。"清洪亮吉《東晉疆域志》："贛榆，漢

舊縣。樂史稱《郡國縣道記》曹魏省。晉太康中復立，尋又省。又云晉移贛榆縣治艾不城。案《沈志》言太康元年復立，不言後又省。《晉志》又有郯、祝其、朐、厚丘四縣。祝其故縣有羽山。朐故縣有郁洲。厚丘故縣有陰平城。”孔祥軍《晉書地理志校注》：“魏無此縣，今檢《宋志》：‘贛榆令，前漢屬琅邪，後漢屬東海，魏省，晉太康元年復立。’則太康元年復置贛榆縣。又《左傳·昭公十九年》杜注有東海贛榆縣，則太康元年贛榆復置，屬東海郡。又《後魏志》：‘贛榆，前漢屬琅邪，後漢、晉屬（東海）。’”

[8]厚丘：縣名，治所在今江蘇省沭陽縣厚鎮村。厚，原本、宋本作“原”，殿本作“厚”，據殿本、中華本校勘記改。本卷下文“厚丘”同。

[9]蘭陵：縣名，治所在今山東省蘭陵縣。清洪亮吉《東晉疆域志》考蘭陵郡之蘭陵縣：“蘭陵，漢舊縣。《地形志》二漢、晉屬東海，後屬。”孔祥軍《晉書地理志校注》：“《後魏志》：‘蘭陵，二漢、晉屬東海。’元康元年移屬蘭陵郡。”

[10]承：縣名，治所在今江蘇省常州市武進區。清洪亮吉《東晉疆域志》考蘭陵郡之承縣：“承，漢舊縣。《地形志》二漢、晉屬東海，後屬。”孔祥軍《晉書地理志校注》：“《左傳·宣公四年》經文杜注有東海承縣，則太康元年東海郡有承縣。《後魏志》：‘承，二漢、晉屬東海，元康元年移屬蘭陵郡。’”

[11]昌慮：縣名，治所在今山東省滕州市東南。清洪亮吉《東晉疆域志》考蘭陵郡之昌慮縣：“昌慮，漢舊縣。《地形志》二漢、晉屬東海，後屬。有桃山。”孔祥軍《晉書地理志校注》：“《左傳·莊公五年》經文、《左傳·昭公三十一年》經文杜注有東海昌慮縣，則太康元年東海郡有昌慮縣。又《後魏志》：‘昌慮，二漢、晉屬東海，元康元年移屬蘭陵郡。’”

[12]合鄉：縣名，治所在今山東省滕州市東北。清洪亮吉《東晉疆域志》考蘭陵郡之合鄉縣：“合鄉，漢舊縣。《地形志》二漢、晉屬東海，後屬。”孔祥軍《晉書地理志校注》：“《左傳·襄公

十九年》杜注有東海合鄉縣，則太康元年東海郡有合鄉縣。又《後魏志》：‘合鄉，二漢、晋屬東海。’元康元年移屬蘭陵郡。”

[13]戚：縣名，治所在今山東省微山縣。清洪亮吉《東晋疆域志》考蘭陵郡之戚縣：“戚，漢舊縣。”孔祥軍《晋書地理志校注》：“元康元年移屬蘭陵郡。”

琅邪國[1]秦置郡。統縣九，户二萬九千五百。

開陽[2]侯相。　臨沂[3]　陽都[4]　繒[5]　即丘[6]　華[7]　費[8]魯季氏邑。[9]　東安[10]　蒙陰[11]山在西南。[12]

[1]琅邪國：治所在今山東省臨沂市。清畢沅《晋書地理志新補正》：“沅案《元和郡縣志》晋元帝於郡城置發干戍，以南軍鎮之。自永嘉之後，琅邪陷於敵寇，成帝於丹陽江乘縣界别立南琅邪郡。”

清方愷《新校晋書地理志》：“《地形志》營陵、朱虚，晋屬琅邪。據《州郡志》引《太康地志》則屬城陽。今《志》兩縣俱屬東莞，未詳所本。蒙陰見東莞。馬氏曰，左哀七年注，今琅邪鄫縣，今《志》作繒。”

清洪亮吉《東晋疆域志》：“琅邪國，秦置。東晋領縣可考者三。《晋書》元帝永昌元年，琅邪太守孫默叛降石勒。穆帝永和十一年慕容恪攻段龕於廣固，北中郎將荀羡率師次於琅邪以救之。《元和郡縣志》元帝於郡城置發干戍，以南軍鎮之。自永嘉以後陷於胡寇。今考《晋志》義熙七年北徐州統彭城、沛、下邳、蘭陵、東莞、東安、琅邪、陽平、濟陰、北濟陰十一郡，除陽平等三郡係僑置，餘皆實土。蓋自義熙六年劉裕平慕容超，徐境復全入晋也。此《志》大率以義熙爲斷，餘皆仿此。《沈志》去州陸四百，去京都水一千五百，陸一千一百。有發干戍。”

孔祥軍《晋書地理志校注》：“據《輿地廣記》卷六京東東路

上沂州望臨沂縣條：‘漢開陽縣屬東海郡……後漢、晋爲琅邪國治。’則琅邪國治開陽，在今山東臨沂市北。據《晋書》卷三《武帝紀》：‘（泰始元年封皇叔父司馬）倫爲琅邪王。’則泰始元年爲琅邪國。魏時領縣十一，其中琅邪縣，據《後魏志》：‘琅邪，二漢屬琅邪，晋罷。’又《輿地廣記》卷六京東東路上密州望諸城縣條：‘晋省琅邪縣，後復置。’則其晋時省。其中姑幕縣移屬青州城陽郡。蒙陰、華二縣晋初來屬。東莞、安丘兩縣泰始元年移屬東莞郡，則領縣九：開陽、臨沂、陽都、繒、即丘、華、費、東安、蒙陰。又咸寧三年東莞郡廢，其所領六縣併入琅邪國，領縣十五：開陽、臨沂、陽都、繒、即丘、華、費、東安、蒙陰、東莞、安丘、臨朐、劇、廣、蓋。太康元年東莞郡復置，六縣回屬，東安、蒙陰二縣暫屬旋還，領縣九。太康四年後東莞郡復廢，諸縣復來屬，領縣十五：開陽、臨沂、陽都、繒、即丘、華、費、東安、蒙陰、東莞、安丘、臨朐、劇、廣、蓋。太康十年東莞郡復置，東安等七縣移屬之。領縣八：開陽、臨沂、陽都、繒、即丘、華、費、蒙陰。”

[2]開陽：縣名，治所在今山東省臨沂市北。孔祥軍《晋書地理志校注》：“《左傳・昭公十八年》經文、《左傳・哀公三年》經文杜注有琅邪開陽縣，則太康元年琅邪國有開陽縣。”

[3]臨沂：縣名，治所在今山東省費縣東。孔祥軍《晋書地理志校注》：“《左傳・隱公七年》經文杜注有琅邪臨沂縣，則太康元年琅邪國有臨沂縣。又《宋書》卷三十四《五行四》：‘太康六年三月戊辰……琅邪臨沂等八縣……隕霜傷桑、麥。’則太康六年琅邪國臨沂縣。又《後魏志》：‘臨沂，前漢屬，後漢、晋屬琅邪。’”

[4]陽都：縣名，治所在今山東省沂南縣南。孔祥軍《晋書地理志校注》：“《左傳宣公九年》經文、《左傳・昭公八年》杜注有琅邪陽都縣，則太康元年琅邪國有陽都縣。”

[5]繒：縣名，治所在今山東省蘭陵縣西北。清洪亮吉《東晋疆域志》：“陽都，漢舊縣。胡三省云，段龕置徐州於琅邪郡。《慕容儁載記》荀羡攻破陽都，斬龕徐州刺史王騰。《晋志》又有開

陽、臨沂、繒、華、蒙陰五縣。”孔祥軍《晋書地理志校注》：“《左傳·莊公九年》經文杜注有琅邪繒縣，則太康元年琅邪國有繒縣。”

[6]即丘：縣名，治所在今山東省郯城縣東北。清洪亮吉《東晋疆域志》：“即丘，漢舊縣。《沈志》《晋太康地志》屬琅邪。”孔祥軍《晋書地理志校注》：“《宋志》：‘即丘令，前漢屬東海，後漢、《晋太康地志》屬琅邪。’則太康三年琅邪國有即丘縣。又《後魏志》：‘即丘，前漢屬東海，後漢、晋屬（琅邪）。’”

[7]華：縣名，治所在今山東省費縣東北。孔祥軍《晋書地理志校注》：“魏屬兖州泰山郡，《左傳·隱公九年》經文杜注有琅邪華縣，則太康元年琅邪國有華縣。華縣似於晋初來屬。”

[8]費：縣名，治所在今山東省費縣西北。清洪亮吉《東晋疆域志》：“費，漢舊縣。《沈志》《晋太康地志》屬琅邪。”孔祥軍《晋書地理志校注》：“《左傳·隱公八年》經文、《左傳·閔公二年》杜注有琅邪費縣，則太康元年琅邪國有費縣。又《宋志》：‘費令，前漢屬東海，後漢屬泰山，《晋太康地志》屬琅邪。’則太康三年琅邪國有費縣。又《後魏志》：‘費，前漢屬東海，後漢屬泰山，晋屬（琅邪）。’”

[9]魯季氏邑：孔祥軍《晋書地理志校注》：“《漢志》東海郡：‘費，故魯季氏邑。’《晋志》此文似本此。”

[10]東安：縣名，治所在今山東省沂水縣西南。孔祥軍《晋書地理志校注》：“東安縣似於太康元年東莞郡復置時暫屬旋還，太康十年東莞郡復置，東安縣再屬焉。元康七年移屬東安郡。”

[11]蒙陰：縣名，治所在今山東省蒙陰縣西南。孔祥軍《晋書地理志校注》：“魏屬兖州泰山郡，今檢《輿地廣記》卷六京東東路上沂州中新泰縣條：‘漢蒙陰縣屬泰山郡……晋……屬琅邪國。’則蒙陰縣似於晋初來屬。又《左傳·莊公九年》《左傳·哀公十七年》杜注有東莞蒙陰縣，則太康元年蒙陰縣屬東莞郡，太康元年復置東莞郡，蒙陰縣似於此時暫屬旋還。”

[12]山在西南：孔祥軍《晋書地理志校注》：“《漢志》泰山

郡：'蒙陰，《禹貢》蒙山在西南，有祠。'《晋志》似本此，而指意不明。"



東莞郡[1]太康中置。統縣八，户一萬。

東莞[2]故魯鄆邑。　朱虚[3]　營陵[4]尚父吕望所封。[5]　安丘[6]故莒渠丘父封邑。　蓋[7]　臨朐[8]有海水祠。[9]　劇　廣[10]



[1]東莞郡：治所在今山東省沂水縣，西晋元康間移治莒縣（今山東省莒縣）。清畢沅《晋書地理志新補正》："沅案《沈志》咸寧三年，復以東莞郡合琅邪。太康十年復立。"

清方愷《新校晋書地理志》："杜注隱元年《左氏傳》，有東莞、劇縣，莊元年有東莞、臨朐，襄十八年有東莞，蓋與本《志》同，乃本《志》青州後篇又盡屬城陽，又與《太康地志》《地形志》各異，不詳孰是。又《左傳·莊九年》注有東莞蒙陰，此屬琅邪，又復不同，尤不可解。又《州郡志》東莞太守，晋武帝太始元年分琅邪立，咸寧三年復，以合琅邪。太康十年復立。本《志》既先列東莞郡，後篇又言太康十年分屬四縣，與《沈志》又異。然咸寧三年既併入琅邪，則杜預以太康五年薨，預存時不應仍有東莞，恐《沈志》誤也。（寅案本《志》言太康元年分琅邪置東莞，與《沈志》異。疑《沈志》太康十年爲元年之訛。）本書《孝友·王裒傳》裒城陽營陵人，此屬東莞，未詳。"

清洪亮吉《東晋疆域志》考實州郡縣北徐州之東莞郡："東莞郡，《沈志》晋武帝太始元年分琅邪立。咸寧三年復以合琅邪。太康十年復立。《晋志》統縣八。後分置東安郡，凡領縣五。《沈志》去州陸七百，去京都水二千，陸一千四百。莒，漢舊縣。《太平寰宇記》太康十年，割莒縣屬東莞郡，惠帝自東莞移治莒城。姑幕，漢舊縣。《史記正義》稱《晋太康地志》城陽姑幕縣有五色土，封諸侯錫之茅土，用爲社。《晋志》太康十年以城陽郡之莒、姑幕、諸、東武四縣屬東莞郡。案元康十年立平昌郡，東武又移屬平昌。諸，漢舊縣。《沈志》稱《晋太康地志》屬城陽。東莞，漢舊縣。《晋志》又有劇、廣二縣。案劇縣，今據郭璞、魏收，入北海。有團城、沂山、大峴山。臨朐，漢舊縣。《宋書·武帝紀》義熙五年公遣咨議參軍檀韶直趨臨朐，韶率將軍向彌等即日陷城。有巨蔑水。”

孔祥軍《晋書地理志校注》：“東莞郡治乏考。魏末無此郡，據《宋志》：‘東莞太守，晋武帝泰始元年，分琅邪立，咸寧三年復以合琅邪，太康十年復立。’又《晋書》卷三《武帝紀》：‘（泰始元年封皇叔父司馬）伷爲東莞王。’則泰始元年置東莞國。則東莞國當於武帝泰始元年置，咸寧三年見廢，諸縣併入琅邪國。又《左傳·隱公元年》杜注有東莞劇縣、《左傳·莊公九年》杜注有東莞蒙陰縣，則太康元年有東莞郡。又《晋志》：‘及太康元年……分琅邪置東莞郡’，則東莞郡太康元年復置。又檢《宋志》：‘東安太守，東安故縣名，前漢屬城陽，後漢屬琅邪，《晋太康地志》屬東莞，晋惠帝分東莞立。’《宋志》：‘東武令，二漢屬琅邪，《晋太康地志》屬東莞。’則太康三年仍有東莞郡，四年後省，又於太康十年復置。綜上所考，東莞郡沿革至爲複雜，大致爲泰始元年初置，領縣六：東莞、安丘、蓋、臨朐、劇、廣，咸寧三年，諸縣併入琅邪國。太康元年再置，領縣九：東莞、安丘、蓋、臨朐、劇、廣、東武、東安、蒙陰，太康四年，朱虚、營陵二縣來屬，蒙陰、東安回屬瑯邪國，東武縣回屬城陽郡；太康四年後再廢，諸縣似仍屬琅邪國，營陵、朱虚兩縣回屬城陽郡。太康十年，第三次重置，城陽郡四縣來屬，領縣十一：東莞、安丘、蓋、臨朐、劇、廣、東安、姑幕、諸、東武、莒。惠帝元康七年，東安、蓋二縣移屬東安郡，領縣九：東莞、安丘、臨朐、劇、廣、東武、姑幕、諸、莒。元康九年，安丘、廣、劇、臨朐四縣移屬高密國，領縣五。”

［2］東莞：縣名，治所在今山東省沂水縣。孔祥軍《晋書地理

志校注》:“魏屬琅邪國，東莞縣似於泰始元年移屬東莞郡，咸寧三年併入琅邪，太康元年又屬東莞郡，太康四年後又屬琅邪國，太康十年又屬東莞郡。”

[3]朱虛：縣名，治所在今山東省臨朐縣東南。孔祥軍《晋書地理志校注》:“魏屬城陽郡，太康四年來屬，後復屬城陽郡。”

[4]營陵：縣名，治所在今山東省昌樂縣南。孔祥軍《晋書地理志校注》:“魏屬北海國，太康四年來屬，後復屬城陽郡。元康九年移屬高密國。”

[5]尚父吕望：又稱太公望、吕尚。西周開國大臣，姜姓，吕氏，字子牙。助文王興國，佐武王滅商。

[6]安丘：縣名，治所在今山東省安丘市西南。孔祥軍《晋書地理志校注》:“魏屬琅邪國，東莞縣似於泰始元年移屬東莞郡，咸寧三年併入琅邪，太康元年又屬東莞郡，太康四年後又屬琅邪國，太康十年三屬東莞郡。元康九年移屬高密國。”

[7]蓋：縣名，治所在今山東省沂源縣東南。孔祥軍《晋書地理志校注》:“魏屬兗州泰山郡，《左傳·襄公十八年》杜注有東莞蓋人，則太康元年東莞郡有蓋縣。又據本郡考證，蓋縣似於泰始元年移屬東莞郡，咸寧三年東莞郡廢，其併入琅邪國，又於太康元年復屬東莞郡，太康四年後東莞郡復廢，其復入琅邪國，太康十年又屬東莞郡，惠帝元康七年移屬東安郡。”

[8]臨朐：縣名，治所在今山東省臨朐縣。孔祥軍《晋書地理志校注》:“魏屬青州齊國，《左傳·莊公元年》經文杜注有東莞臨朐，則太康元年東莞郡有臨朐縣。又據本郡考證，臨朐縣似於泰始元年移屬東莞郡，咸寧三年東莞郡廢，其併入琅邪國，又於太康元年復屬東莞郡，太康四年後東莞郡復廢，其復入琅邪國，太康十年又屬東莞郡。元康九年移屬高密國。”

[9]有海水祠：《漢志》齊郡臨朐縣有逢山祠，東萊郡臨朐縣有海水祠。此處臨朐縣地望當爲《漢志》齊郡之臨朐，與東萊之臨朐相隔甚遠，《晋志》此文當本《漢志》，作“海水祠”顯誤，當

作“逢山祠”。

［10］廣：縣名，治所在今山東省青州市西南。清畢沅《晋書地理志新補正》：“沅案《太平寰宇記》東武縣，晋屬東莞郡。按今《地志》不載，或咸寧三年省郡時縣並廢。後郡復立，遂不置東武縣也。又云晋太康十年，割莒縣入東莞郡，惠帝自東莞移理營城。”孔祥軍《晋書地理志校注》：“魏屬青州齊國，據本郡考證，廣縣似於泰始元年移屬東莞郡，咸寧三年東莞郡廢，其併入琅邪國，又於太康元年復屬東莞郡，太康四年後東莞郡復廢，其復入琅邪國，太康十年又屬東莞郡。元康九年移屬高密國。”

廣陵郡[1]漢置。統縣八，户八千八百。

淮陰[2]　射陽[3]　輿[4]　海陵[5]有江海會祠。　廣陵[6]　鹽瀆[7]　淮浦[8]　江都[9]有江水祠。

［1］廣陵郡：三國時治淮陰縣（今江蘇省淮安市淮陰區西南甘羅城），東晋移治廣陵縣（今江蘇省揚州市西北蜀岡上）。清畢沅《晋書地理志新補正》：“沅案《通典》東晋末，以廣陵控接三齊，故青兗二州刺史皆鎮於此。又晋安帝置六合縣。《沈志》海陵三國時廢，晋武帝太康元年復立。”

清方愷《新校晋書地理志》：“杜注哀十二年傳有廣陵、海陵。本《志》作海陽，字之誤。《州郡志》海陵三國時廢，晋太康元年復立。又《州郡志》廣陵太守高郵令，漢舊縣。三國時廢，晋太康元年復立。今高郵屬臨淮，與《沈志》異。（寅案廣陵、江都、高郵三縣自漢至宋皆屬廣陵。不容太康中獨屬臨淮，本《志》恐誤。）又《郡國志》廣陵有淩縣，《太康地志》言廣陵有陵縣。又案《郡國志》廣陵下有堂邑縣。後篇言惠帝元康七年，以堂邑置堂邑郡，則未置郡以前，縣仍漢舊可知矣。《册府元龜》令長部，晋范廣爲堂邑令，《志》脱。”

孔祥軍《晋書地理志校注》:“據《宋志》:‘廣陵太守……晋武帝太康三年，治淮陰故城，後又治射陽。’則廣陵郡治淮陰，在今江蘇淮安市淮陰區，後移治射陽，今江蘇寶應縣東。魏領縣二，太康元年晋武帝平吴，復立射陽、輿、海陵、廣陵四縣，晋初淮陰縣來屬，則領縣七，太康二年又置淩、鹽瀆二縣，後置江都縣，領縣十。其中海西縣魏屬廣陵郡。今檢《宋書》卷二十九《符瑞下》:‘太康三年六月，木連理生廣陵海西。’則晋太康三年廣陵郡有海西縣。又《宋志》:‘海西令，前漢屬東海，後漢、晋屬廣陵。’則西晋有海西縣且屬廣陵郡，明矣，《晋志》失載海西縣。其中淩縣，檢《宋志》:‘淩令，前漢屬泗水，後漢屬廣陵，三國時廢，晋武帝太康二年又立，屬廣陵。’則太康二年復立淩縣，且屬廣陵郡。《晋志》失載淩縣。”

[2]淮陰：縣名，治所在今江蘇省淮安市淮陰區西南甘羅城。孔祥軍《晋書地理志校注》:“魏屬下邳郡，今檢《宋志》:‘淮陰令，前漢屬臨淮，後漢屬下邳，《晋太康地志》屬廣陵。’則太康三年廣陵郡有淮陽縣。”

[3]射陽：縣名，治所在今江蘇省寶應縣射陽鎮。清畢沅《晋書地理志新補正》:“沅案《沈志》，三國時廢，晋太康元年復立。又廣陵縣亦太康二年復立，今按《志》無此縣，蓋後復省。”孔祥軍《晋書地理志校注》:“魏無此縣，今檢《宋志》:‘射陽令，前漢屬臨淮，後漢屬廣陵，三國時廢，晋太康元年復立。’則射陽縣太康元年復置。”

[4]輿：縣名，治所在今江蘇省儀徵市北。孔祥軍《晋書地理志校注》:“魏無此縣，三國時其爲魏、吴間棄地，則輿縣似於太康元年平吴後所置。”

[5]海陵：縣名，治所在今江蘇省泰州市。陵，原本、宋本、殿本作“陽”，據中華本校勘記改。孔祥軍《晋書地理志校注》:“今檢《宋志》:‘海陵令，前漢屬臨淮，後漢、晋屬廣陵（《續漢志》廣陵郡無海陵縣，又據《輿地廣記》卷二十淮南東路上泰州

望海陵縣條："漢屬臨淮郡……東漢省之，晋復置，屬廣陵郡。"則所謂"後漢、晋屬廣陵"當爲"後漢省，晋屬廣陵"），三國時廢，晋太康元年復立。'則太康元年復立海陵縣。又《左傳·哀公十二年》經文杜注有廣陵海陵縣，則太康元年海陵縣復置時即屬廣陵郡。"

[6]廣陵：縣名，治所在今江蘇省揚州市西北蜀岡上。孔祥軍《晋書地理志校注》："魏無此縣，三國時其爲魏、吴間棄地，則廣陵縣似於太康元年平吴後所置。"

[7]鹽瀆：縣名，治所在今江蘇省鹽城市。孔祥軍《晋書地理志校注》："魏無此縣，今檢《宋志》：'鹽城令，舊曰鹽瀆，前漢屬臨淮，後漢、晋屬廣陵，三國時廢，晋武帝太康二年復立。晋安帝更名。'則太康二年復立鹽瀆縣，且當屬廣陵郡。"

[8]淮浦：縣名，治所在今江蘇省漣水縣西。

[9]江都：縣名，治所在今江蘇省揚州市西南。清畢沅《晋書地理志新補正》："沅案《沈志》三國時廢，太康六年復立。江左又省併輿縣。"孔祥軍《晋書地理志校注》："魏無此縣，今檢《宋志》：'江都令，漢舊縣，三國時廢，晋武帝太康六年後立。'《晋志》斷代政區爲太康四年，則江都縣復置當在太康四年前，《宋志》所謂太康六年似誤。"

臨淮郡[1]漢置，章帝以合下邳，太康元年復立。統縣十，户一萬。

盱眙[2]　東陽[3]　高山[4]　贅其[5]　潘旌[6]　高郵[7]　淮陵[8]　司吾[9]　下相[10]　徐[11]

[1]臨淮郡：治所在盱眙縣（今江蘇省盱眙縣東北）。清方愷《新校晋書地理志》："此郡地轄淮水左右，以今輿地言之，各縣皆濱洪澤湖，惟高郵一縣最遠，地勢不合，當屬廣陵。又案《荀顗

傳》，封臨淮公。若從高平、鉅鹿例當稱國。又顗於咸熙初封臨淮侯，武帝踐祚進爵爲公，是在魏末。晋初已有臨淮郡，乃本《志》前篇云太康元年分置臨淮郡。與傳矛盾，必有一誤。”

孔祥軍《晋書地理志校注》：“據《宋志》：‘晋太康元年，復分下邳之淮南爲臨淮郡，治盱眙。’則臨淮郡治盱眙，在今江蘇盱眙縣東北。魏無此郡，今檢據上引《宋志》及《晋志》則太康元年分下邳國置臨淮郡。今檢《宋志》：‘堂邑本爲縣，前漢屬臨淮，後漢屬廣陵，晋又屬臨淮。’則太康元年平吴，又置臨淮郡，堂邑縣似於此時置，而《晋志》失載，當補。惠帝永興元年移屬堂邑郡。”

[2]盱眙：縣名，治所在今江蘇省盱眙縣東北。清畢沅《晋書地理志新補正》：“沅案《太平寰宇記》晋義熙中又置盱眙郡。又云治於今盱眙縣東一里臺子山上。”孔祥軍《晋書地理志校注》：“魏無此縣，太康元年平吴置臨淮郡，其似於此時置。”

[3]東陽：縣名，治所在今江蘇省盱眙縣馬壩鎮東陽村。孔祥軍《晋書地理志校注》：“魏無此縣，太康元年平吴置臨淮郡，其似於此時置。今檢《宋志》：‘東陽令，前漢屬臨淮，後漢屬廣陵，《晋太康地志》屬臨淮。’則太康三年臨淮郡有東陽縣。”

[4]高山：縣名，治所在今江蘇省盱眙縣南。孔祥軍《晋書地理志校注》：“魏無此縣，太康元年平吴置臨淮郡，其似於此時置。”

[5]贅其：縣名，治所在今江蘇省盱眙縣西南。孔祥軍《晋書地理志校注》：“魏無此縣，太康元年平吴置臨淮郡，其似於此時置。”

[6]潘旌：縣名，治所在今江蘇省泗洪縣一帶。《史記》卷七《項羽本紀》索隱：“潘旌是邑之名，後爲縣，屬臨淮”。孔祥軍《晋書地理志校注》：“魏無此縣，太康元年平吴置臨淮郡，其似於此時置。”

[7]高郵：縣名，治所在今江蘇省高郵市。清畢沅《晋書地理志新補正》：“沅案《沈志》縣，三國時廢。太康中復立。”孔祥軍《晋書地理志校注》：“魏無此縣，今檢《宋志》：‘高郵令，漢舊縣，

三國時廢，晋太康元年復立。'又《輿地廣記》卷二十淮南東路同下州高郵軍望高郵縣條：'漢屬廣陵國。東漢屬廣陵郡。吴省之，晋太康元年復立，屬臨淮郡。'又《寰宇記》卷一百三十淮南道高郵軍高郵縣條：'高郵縣……三國時荒廢，晋太康中復立。'所謂'晋太康中'當爲'晋太康元年'。"

[8]淮陵：縣名，治所在今江蘇省盱眙縣西。《資治通鑑》卷一四五《梁紀》天監二年胡三省注："按今招信軍，盱眙縣西南一十五里有三城。又西十五里至淮陵城，臨池河。池河過淮陵城西而北入於淮，謂之池河口。"清畢沅《晋書地理志新補正》："沅案《晋書·蘇峻傳》'除淮陵内史'，則淮陵又作國。"孔祥軍《晋書地理志校注》："魏屬下邳郡，今檢《宋志》：'淮陵太守，本淮陵縣，前漢屬臨淮，後漢屬下邳，晋屬臨淮。'臨淮郡太康元年分下邳立，則其太康元年來屬。"

[9]司吾：縣名，治所在今江蘇省新沂市南。孔祥軍《晋書地理志校注》："魏屬下邳郡，今檢《宋志》：'司吾令，前漢屬東海，後漢屬下邳，《晋太康地志》屬臨淮。'則太康三年臨淮郡有司吾縣，臨淮郡太康元年分下邳立，則其太康元年來屬。元康七年移屬淮陵郡。"

[10]下相：縣名，治所在今江蘇省宿遷市西南。孔祥軍《晋書地理志校注》："魏屬下邳郡，今檢《後魏志》：'下相，前漢、晋屬臨淮。'臨淮郡太康元年分下邳立，則其太康元年來屬。"

[11]徐：縣名，治所在今江蘇省泗洪縣城頭鄉大徐臺子村。清畢沅《晋書地理志新補正》："沅案《元和郡縣志》晋太康三年復置，屬臨淮。"孔祥軍《晋書地理志校注》："魏屬下邳郡，今檢《宋志》：'徐令，前漢屬臨淮，後漢屬下邳，《晋太康地志》屬臨淮。'則太康三年臨淮郡有徐縣，臨淮郡太康元年分下邳立，則其太康元年來屬。元康七年移屬淮陵郡。"

太康十年，以青州城陽郡之莒、姑幕、諸、東武四縣屬東莞。元康元年，分東海置蘭陵郡。[1]七年，又分東莞置東安郡，[2]分臨淮置淮陵郡，[3]以堂邑置堂邑郡。[4]永嘉之亂，臨淮、淮陵並淪没石氏。元帝渡江之後，徐州所得惟半，乃僑置淮陽、[5]陽平、[6]濟陰、[7]北濟陰四郡。[8]又琅邪國人隨帝過江者，遂置懷德縣及琅邪郡以統之。[9]是時，幽、冀、青、并、兖五州及徐州之淮北流人相帥過江淮，帝並僑立郡縣以司牧之。割吴郡之海虞北境，立郯、朐、利城、祝其、[10]厚丘、西隰、襄賁七縣，寄居曲阿，[11]以江乘置南東海、[12]南琅邪、[13]南東平、[14]南蘭陵等郡，[15]分武進立臨淮、淮陵、南彭城等郡，[16]屬南徐州，[17]又置頓丘郡屬北徐州。[18]明帝又立南沛、南清河、南下邳、南東莞、南平昌、南濟陰、南濮陽、南太平、[19]南泰山、南濟陽、南魯等郡，以屬徐、兖二州，初或居江南，或居江北，或以兖州領州。郗鑒都督青兖二州諸軍事、兖州刺史，[20]加領徐州刺史，鎮廣陵。蘇峻平後，[21]自廣陵還鎮京口。又於漢故九江郡界置鍾離郡，[22]屬南徐州，江北又僑立幽、冀、青、并四州。穆帝時，移南東海七縣出居京口。義熙七年，始分淮北爲北徐州，淮南但爲徐州，統彭城、沛、下邳、蘭陵、東莞、東安、琅邪、淮陽、陽平、濟陰、北濟陰十一郡，以盱眙立盱眙郡，統考城、[23]直瀆、[24]陽城三縣，[25]又分廣陵界置海陵、山陽二郡。[26]後又以幽冀合徐州，青并合兖州。[27]

［1］蘭陵郡：治所在氶縣（今山東省棗莊市嶧城區）。清洪亮吉《東晋疆域志》："蘭陵郡，《晋志》惠帝元康元年，分東海置蘭陵郡。《太平寰宇記》晋惠帝分東海之蘭陵、承、戚、合鄉、昌慮五縣置蘭陵郡，治承城。《沈志》去州陸二百，去京都水一千六百，陸一千三百。"

［2］東安郡：治所在蓋縣（今山東省沂源縣東南）。清畢沅《晋書地理志新補正》："沅案《沈志》晋惠帝立東安郡，領縣三。"清洪亮吉《東晋疆域志》："東安郡，《沈志》東安故縣名。《晋太康地志》屬東莞。《晋志》惠帝元康七年又分東莞置東安郡。東晋凡領縣二，《沈志》云，去州屋上百，去東都陸一千三百。蓋，漢舊縣。《沈志》稱《晋太康地志》屬樂安，《晋志》屬東莞。新泰，《沈志》魏立，屬泰山。《地形志》亦云魏置。今考《晋太康地志》云，縣舊名平陽，泰始中鎮南將軍羊祜以縣人表改爲新泰，屬泰山郡。晋惠帝割屬東安郡。《水經注·洙水下》晋武帝太康九年改平陽爲新泰。然則云魏立者誤也。"

［3］淮陵郡：治所在武進縣（今江蘇省丹陽市東）。清畢沅《晋書地理志新補正》："沅案《沈志》惠帝永寧元年，以爲淮陵國，所領有司吾、徐、下邳、廣陽等縣。"

［4］以堂邑置堂邑郡：清畢沅《晋書地理志新補正》："沅案《沈志》晋安帝改堂邑爲秦郡。《王國寶傳》遷堂邑太守。《楊佺期傳》同。"孔祥軍《晋書地理志校注》："吴氏《斠注》引《宋志》：'晋惠帝永興元年，分臨淮淮陵立堂邑郡。'以爲此文誤增'以堂邑'三字，且屬諸元康七年，均不如《宋志》之確。"堂邑郡，治所在堂邑縣（今江蘇省南京市六合區東）。

［5］淮陽：郡名，治所在淮陽縣（今江蘇省淮安市淮陰區西古泗水西岸）。清洪亮吉《東晋疆域志》："淮陽郡，《沈志》晋安帝義熙中土斷立，後又分置宿預郡，凡領縣三（僑縣别見）。《沈志》去州水六百，陸五百。去京都水七百，陸五百五十。淮陽，《圖經》晋縣也。故城在今清河縣西南，案縣當與郡同立。甬城，《元和郡

縣志》晉安帝義熙中於此置淮陽郡，仍置甬城縣。樂史稱《縣道記》舊治在淮之北，泗水之西，亦謂之泗口城。晉寧，《圖經》東晉末置晉寧縣，屬淮陽郡。”

[6]陽平：郡名，治所在茌眉戍（今安徽省固鎮縣西）。

[7]濟陰：郡名，東晉僑置，治所在睢陽縣（今江蘇省睢寧縣）。（詳見胡阿祥《東晉南朝僑州郡縣與僑流人口研究》，江蘇教育出版社 2008 年版，第 176 頁）

[8]乃僑置淮陽、陽平、濟陰、北濟陰四郡：清畢沅《晉書地理志新補正》：“沅案《沈志》晉安帝於淮陽郡立宿預縣。”孔祥軍《晉書地理志校注》：“據《晉書》卷五《孝懷帝紀》：‘（永嘉四年四月）賊王桑、冷道陷徐州，刺史裴盾遇害。’則似至永嘉四年徐州淪没。錢氏《考異》卷十九據《宋志》《晉書·安帝紀》以爲此四郡皆非元帝僑置，故疑《晉志》此文乃是誤以宋末僑置之郡以爲元帝所立。”北濟陰，郡名，治所在離狐縣（今山東省單縣南）。吴士鑑《晉書斠注》：“淮陽，晉義熙中土斷立。北濟陰，宋孝武帝孝建元年立。則皆非元帝僑置矣。”

[9]遂置懷德縣及琅邪郡以統之：清畢沅《晉書地理志新補正》：“沅案《沈志》成帝咸康元年，桓温領郡，鎮江乘之蒲州金城上。求割丹陽之江乘縣境立郡。又分江乘縣地立臨沂縣。”懷德縣，東晉僑置縣，治所在今江蘇省南京市内。

[10]祝其：祝，宋本作“況”。

[11]曲阿：縣名，治所在今江蘇省丹陽市。

[12]南東海：郡名，治所在郯縣（今江蘇省鎮江市）。

[13]南琅邪：郡名，治所在今江蘇省句容市西北。

[14]南東平：郡名，治所在今江蘇省句容市一帶。

[15]南蘭陵：郡名，治所在蘭陵縣（今江蘇省常州市武進區萬綏鎮）。

[16]武進：縣名，治所在今江蘇省丹陽市東。

[17]南徐州：治所在京口（今江蘇省鎮江市）。

［18］又置頓丘屬北徐州：孔祥軍《晋書地理志校注》：“此句舛亂殊甚，錢氏《考異》卷十九指出其誤有四：一，其時未有南、北徐之分；二，其時僑置諸郡例無加南字者，故無南琅邪等郡名；三，未經土斷，頓丘郡仍當存司州之名，不當屬徐州；四，未經土斷，東平郡仍當存兗州之名，不當屬南徐州。”北徐州，治所在彭城縣（今江蘇省徐州市）。清洪亮吉《東晋疆域志》：“北徐州，《晋志》太康元年復分下邳屬縣在淮南者，置臨淮郡，分臨淮置東莞郡。凡領郡國七、縣六十一。元帝渡江之後，徐州所得惟半。《元和郡縣志》：晋氏南遷，又於淮南僑立徐州。安帝始分淮北爲北徐州，淮南但曰徐州。《晋書》安帝義熙十三年，加劉裕領司、豫、北徐、雍四州刺史。恭帝元熙元年，劉懷慎爲北徐州刺史。《宋書·劉道憐傳》：義熙七年，加北徐州刺史。今考劉裕平廣固，後盡得徐州故土。凡領舊郡七，增置郡五（僑郡别見），縣三十七。州治《沈志》魏晋宋治彭城。”

［19］南太平：中華本校勘記：“《考異》：晋無太平郡，當是‘廣平’之誤。《宋志》謂永初郡國有廣平郡。《十駕齋養新録》六：此沿襲隋諱改‘廣’爲‘大’，後人妄改爲‘太’耳。”

［20］郗鑒：字道徽，本書卷六七有傳。郗，原本、宋本、殿本作“郄”，據其本傳及中華本改。

［21］蘇峻：字子高，本書卷一〇〇有傳。

［22］鍾離郡：治所在燕縣（今安徽省鳳陽縣東北）。清畢沅《晋書地理志新補正》：“沅案《沈志》漢九江郡、晋淮南郡有鍾離縣，即此地也。”

［23］考城：縣名，治所在今江蘇省盱眙縣西南。

［24］直瀆：縣名，治所在今江蘇省盱眙縣南。

［25］陽城：縣名，治所在今江蘇省盱眙縣西南。

［26］置海陵、山陽二郡：清畢沅《晋書地理志新補正》：“沅案《沈志》海陵郡領建陵、臨江、如皋、寧海、蒲濤五縣，俱晋安帝立。山陽郡領山陽、鹽城、東城、左鄉四縣。鹽城，漢舊縣，三國

時省。晉武帝太康二年復立，晉安帝更名。餘三縣俱安帝立。”

[27]青并合兗州：原本、宋本、殿本青下有“州”字，據中華本校勘記删。

荆州。案《禹貢》荆及衡陽之地，舜置十二牧，則其一也。《周禮》：“正南曰荆州。”《春秋元命包》云：“軫星散爲荆州。”[1]荆，强也，言其氣躁强。亦曰警也，言南蠻數爲寇逆，其人有道後服，無道先强，常警備也。[2]又云取名於荆山。六國時，其地爲楚。及秦，取楚鄢郢爲南郡，又取巫中地爲黔中郡，以楚之漢北立南陽郡，滅楚之後，分黔中爲長沙郡。漢高祖分長沙爲桂陽郡，改黔中爲武陵郡，分南郡爲江夏郡。武帝又分長沙爲零陵郡。及置十三州，因舊名爲荆州，統南郡、南陽、零陵、桂陽、武陵、長沙、江夏七郡。[3]後漢獻帝建安十三年，魏武盡得荆州之地，分南郡以北立襄陽郡，又分南陽西界立南鄉郡，分枝江以西立臨江郡。[4]及敗於赤壁，南郡以南屬吴，吴後遂與蜀分荆州。於是南郡、零陵、武陵以西爲蜀，江夏、桂陽、長沙三郡爲吴，南陽、襄陽、南鄉三郡爲魏。而荆州之名，南北雙立。蜀分南郡，立宜都郡，[5]劉備没後，宜都、武陵、零陵、南郡四郡之地悉復屬吴。魏文帝以漢中遺黎立魏興、新城二郡，[6]明帝分新城立上庸郡。孫權分江夏立武昌郡，又分蒼梧立臨賀郡，分長沙立衡陽、湘東二郡。[7]孫休分武陵立天門郡，分宜都立建平郡。孫皓分零陵立始安郡，分桂陽立始興郡，又分零陵立邵陵郡，分長沙立安成郡。荆州統南郡、武昌、武陵、宜都、建平、天門、長沙、零陵、桂陽、衡陽、湘東、邵陵、臨賀、始興、始安十五郡，其南陽、江夏、襄陽、南鄉、魏興、新城、上庸七郡屬魏之荆州。及武帝平吴，分南郡爲南平郡，分南陽立義陽郡，改南鄉爲順陽郡，又以始興、始安、臨賀三郡屬廣州，以揚州之安成郡來屬。[8]州統郡二十二，[9]縣一百六十九，[10]户三十五萬七千五百四十八。

[1]軫星：星宿名。二十八宿之一，南方朱雀七宿的最末一宿。有星四顆。

[2]常警備也：常，殿本作“當”。

[3]統南郡、南陽、零陵、桂陽、武陵、長沙、江夏七郡：清畢沅《晋書地理志新補正》：“沅案《後漢書·劉表傳》荆州八郡。《漢官儀》荆州統長沙、零陵、桂陽、南陽、江陵、武陵、南郡、章陵。案章陵不知何時始置。惟《魏志·趙儼傳》太祖征荆州，以儼領章陵太守。疑郡屬建安時所立。又‘江陵’宜作‘江夏’。”

[4]臨江郡：治所在今湖北省宜都市。

[5]宜都郡：治所在夷陵縣（今湖北省宜昌市東南長江北岸）。

[6]魏文帝：魏，原本、宋本作“郡”，殿本據中華本改。

[7]分長沙立衡陽、湘東二郡：清畢沅《晋書地理志新補正》：“沅案《吴志》在孫亮太平二年，此云權分置，誤。”

[8]以揚州之安成郡來屬：清畢沅《晋書地理志新補正》：“沅案《晋書》荆州刺史理襄陽。洎平吴復理南陵。羊祜、杜預繼領荆州，或鎮襄陽，或鎮江陵。王敦爲刺史，理武昌。桓温以永和元年督荆州，鎮夏口。八年，還江陵，始營城府。此後嘗以江陵爲州理。《沈志》陶侃前治沔陽，後治武昌。王廙治江陵。庾亮治武昌。庾翼進襄陽，復還夏口。桓温治江陵。桓冲治上明。王説還江陵。此後遂治江陵。”

[9]州統郡二十二：孔祥軍《晋書地理志校注》："魏領南陽、南鄉、襄陽、江夏、魏興、義陽、上庸、新城八郡。咸寧元年置建平郡。咸寧二年置新野郡，太康元年廢。晋太康元年平吴，南郡、建平、天門、武陵、宜都、長沙、衡陽、湘東、零陵、邵陵、武昌、桂陽、安成十三郡來屬，分南郡置南平郡，吴之建平郡併入晋之建平郡。領郡二十二。據《元和志》卷二十一山南道隨州條：'晋太康九年，分義陽置隨郡。'又據《晋書》卷三十七《隨穆王整傳》：'武帝以義陽國一縣追封爲隨縣王。子邁嗣。太康九年，以義陽之平林益邁爲隨郡王。'則太康九年增置隨郡，初置時唯有隨、平林兩縣，領郡二十三。"

[10]縣一百六十九：九，原本、宋本作"七"，殿本作"九"，據殿本、中華本校勘記改，以與所領總數合。

江夏郡[1]漢置。統縣七，户二萬四千。

安陸[2]横尾山在東北，古之陪尾山。　雲杜[3]故雲子國。　曲陵[4]　平春[5]　鄳[6]　竟陵[7]章山在東北，古之内方山。[8]　南新市[9]

[1]江夏郡：治所在安陸縣（今湖北省安陸市西南）。清方愷《新校晋書地理志》："本《志》揚州宣城郡春穀縣，注言孝武改春爲陽。案孝武以母鄭太后名春，凡縣名春者皆改。弋陽郡之蘄春，江夏郡之平春，安城郡之宜春，淮南郡之壽春，吴郡之富春等縣，悉改春爲陽，散見《州郡志》《元和志》《寰宇記》中。汝南之北宜春，東晋省，似不應獨注春穀一縣下。又《州郡志》引《太康地志》平春、鄳二縣，皆屬義陽郡。本書李重、張光《傳》，皆江夏鍾武人。案鍾武，漢縣，後漢廢，蓋西晋復立。本《志》闕。（寅案《州郡志》鍾武，前漢屬江夏，後漢、《晋太康地志》無，不詳何時復立。）"

清洪亮吉《東晋疆域志》："江夏郡，漢置。三國時魏吴並立。及晋平吴始合爲一。《元和郡縣志》江夏郡自後漢末當吴魏二國之境，永嘉南遷後，又當苻秦、石趙，與東晋犬牙爲界。又云曹魏與晋俱理安陸。東晋領縣四。案《通鑑》注，宋曰晋江夏郡，治林障。義熙元年徙夏口。今考江夏郡三字，蓋荆州刺史之誤。《晋書》劉毅表請荆州刺史劉道規鎮夏口。六年遂自臨漳徙理夏口也。有蘄春故縣、長岐。安陸，漢舊縣。案《通典》安陸縣，晋初亦屬江夏郡。後分置安陸郡。《太平寰宇記》亦云晋咸和中，分置安陸郡。今考《沈志》安陸太守，宋孝武帝孝建元年分江夏立。且晋江夏郡皆理安陸，不得云晋時已置安陸郡也。《通典》等蓋誤，今不取。有新城、上昶城、石巖山、鳳凰岡、楊口、清水、三連。灄陽，《沈志》晋惠帝世安陸人朱伺爲陶侃將，求分安陸東界爲此縣。案《符瑞志》晋簡文帝咸安二年，甘露降隨郡灄陽縣界，則灄陽又似屬隨郡。今從沈約《州郡志》，列江夏下。有灄口。沌陽，《元和郡縣志》晋於安陸縣地臨漳山下置沌陽，屬江夏郡，自上昶城移理焉，後郡又移理夏口。沌陽縣屬下不改。《水經注》晋永嘉六年王敦以陶侃爲荆州鎮此。有魯山、障山、沔口、沌口。曲陵，吴石陽縣。《沈志》稱《晋起居注》太康元年改江夏石陽曰曲陵。《水經注》潼水出江夏郡之曲陵西北潼縣西北潼山。"

孔祥軍《晋書地理志校注》："江夏郡治安陸，在今湖北云夢縣。魏末領縣五，太康元年武帝平吴，雲杜、竟陵二縣來屬，領縣七。元康九年雲杜、竟陵移屬竟陵郡，領縣五。"

[2]安陸：縣名，治所在今湖北省安陸市西南。清畢沅《晋書地理志新補正》："沅案《通典》晋後復置安陸郡。《朱伺傳》伺求别立縣，因割安陸東界爲灄陽縣。《沈志》吴立石陽縣。《晋起居注》太康元年，改曰曲陽。明帝太始六年併安陸。"孔祥軍《晋書地理志校注》："《左傳·宣公四年》杜注有江夏安陸縣，則太康元年江夏郡有安陸縣。"

[3]雲杜：縣名，治所在今湖北省京山市。孔祥軍《晋書地理

志校注》："吴屬江夏郡。《左傳·宣公四年》杜注有江夏雲杜縣，則太康元年江夏郡有雲杜縣，則太康元年武帝平吴後，雲杜縣即屬江夏郡，元康九年移屬竟陵郡。"

[4]曲陵：縣名，治所在今湖北省漢川市西北。孔祥軍《晋書地理志校注》："魏末作'石陽'，今檢《宋志》：'江夏又有曲陵縣，本名石陽，吴立。《晋起居注》：太康元年，改江夏石陽爲曲陵（"曲陵"各本作"曲陽"，中華書局標點本校勘記引成孺《宋書州郡志校勘紀》以爲當作"曲陵"，是）。'則太康元年江夏郡有石陽縣，其時改名爲曲陵。"

[5]平春：縣名，治所在今河南省信陽市西。孔祥軍《晋書地理志校注》："《輿地廣記》卷二十七荆湖北路上中安州中應山縣條：'本東漢平春縣，屬江夏郡。晋因之。'而《宋志》：'平陽縣侯，前漢無，後漢屬江夏曰平春，《晋太康地志》屬義陽，晋孝武改。'則太康三年平春縣似屬義陽郡。而《晋志》《輿地廣記》均載平春縣屬江夏郡，則《宋志》似誤。"

[6]鄳（méng）：縣名，治所在今河南省信陽市東北。孔祥軍《晋書地理志校注》："《輿地廣記》卷九京西北路同下州信仰軍中下信仰縣條：'漢鄳縣，屬江夏郡。後漢及晋因之。'而《宋志》：'鄳令，二漢屬江夏，《晋太康地志》屬義陽，并作鄳，音盲。'則太康三年鄳縣似屬義陽郡。據《元和志》卷九河南道申州鍾山縣條：'本漢鄳縣地，屬江夏郡，宋永初中屬義陽郡。'則《宋志》似誤。"

[7]竟陵：縣名，治所在今湖北省潛江市西北。孔祥軍《晋書地理志校注》："吴屬江夏郡。《左傳·昭公十三年》《左傳·定公五年》杜注有江夏竟陵縣，則太康元年江夏郡有竟陵縣，太康元年武帝平吴後，竟陵縣即屬江夏郡，元康九年移屬竟陵郡。"

[8]古之内方山：清畢沅《晋書地理志新補正》："沅案《太平寰宇記》竟陵，晋武帝改爲長壽縣，屬竟陵。《晋紀》咸和二年，竟陵太守李陽。"

[9]南新市：縣名，治所在今湖北省京山市東北。

南郡[1]漢置。統縣十一，[2]户五萬五千。

江陵[3]故楚都。　編[4]有雲夢官。　當陽[5]　華容[6]　鄀[7]故鄀子國。　枝江[8]故羅國。　旌陽[9]　州陵[10]楚蔞人州侯所邑。　監利[11]　松滋[12]　石首[13]

[1]南郡：治所在江陵縣（今湖北省江陵縣）。清畢沅《晋書地理志新補正》："沅案《沈志》晋武帝太康元年，改曰新郡，尋復故。"

清洪亮吉《東晋疆域志》："南郡，秦置。《沈志》晋武帝太康元年改曰新都，尋復舊。東晋領縣十。江陵，漢舊縣。有内外城、紀南城、金堤、東皇堂、南蠻府、江津戍、馬頭、枚回洲、寵洲、龍洲、涌口、零口、豫章口、柞溪、龍泉、大橋、沙橋、破冢、女觀湖、靈溪、楊林、魯宗之壘。編，漢舊縣。《圖經》漢故城，在今荆門州界，晋隆安五年移治此。當陽，漢舊縣。郭璞《山海經注》漳水出荆山，至南郡當陽縣入沮水。有章山。華容，漢舊縣。郭璞《山海經注》今沲水出南郡東沲山，至華容縣入江也。《沈志》晋武帝太康元年後復立。《晋書・地理志》蜀亂，又割南郡之華容、州陵、監利三縣别立豐都縣，合四縣置成都郡。爲成都王穎國，居華容縣。愍帝建興中併還南郡，亦併豐都爲監利。《水經注》稱《晋書地道記》云陶朱冢在華容縣，樹碑云：是越之范蠡。《晋太康地記》盛引之《荆州記》劉澂之記並言在縣之西南。郭仲産言在縣東十里。有華容浦、涌中。鄀，漢舊縣。《沈志》稱《晋太康地志》作鄀。有成都郡城。枝江，漢舊縣。郭璞《山海經注》睢水東南至南郡枝江縣入江也。有沲洲、百里洲。旌陽，《沈志》二漢無旌陽。見《晋太康地志》，疑是吴所立。州陵，漢舊縣。《沈志》晋武帝太康元年復立。疑是吴所省也。監利，《元和郡縣志》晋武帝太康五年分華容縣立。《沈志》稱《晋起居注》，太康四年復立南郡之監利縣，尋復省。石首，《晋書·地理志》有。《圖經》晋分華容縣置。有陽岐。”

清方愷《新校晋書地理志》：“《州郡志》南郡太守，秦立，漢文帝元年爲臨江國。景帝中元年復故。晋武帝太康元年改曰新郡，尋復故。本《志》但云漢置，似有缺。又《州郡志》監利侯相，沈約案《晋起居注》太康四年復立南郡之監利縣，尋復省之。言由先有而被省也。疑是吴所立，又是吴所省。今考本《志》，秦寧二州，皆太康三年罷。（秦州雖七年復置，其時寧州已廢，亦不當並存中篇。）中篇既列二州，則以三年爲斷，不當於此列監利縣也。又杜注《左傳·桓十年》有南郡、華容，《續漢志》汝南城父縣有章華臺，注引杜預曰，章華宫在華容縣城内。《州郡志》華容，晋太康元年省，後復立。《水經注》江水又東逕公安縣北，注云杜預克定江南，罷華容置之，謂之江安縣，南郡治矣。以華容之南鄉爲南郡，晋太康元年改曰南平。據沈酈説，則有江安便無華容。今以華容屬南郡，雖江安屬南平，同時並存，不詳何據。又按《路史·國名紀》云，預云華容今監利也。據此則《左傳·桓十年》杜注，華容下疑宋本有此六字，蓋預以華容并監利，後又分置江安故云然。”

孔祥軍《晋書地理志校注》：“南郡，太康元年來屬，治乏考。中華校：‘統縣十一，“一”各本作“二”，今從殿本作“一”，與所領縣數合。’亦誤。此處當作‘統縣十’。吴末領縣八，太康元年平吴後，公安縣廢，作唐、孱陵二縣移屬南平郡，旌陽，鄀二縣來屬，增置州陵、石首二縣，則領縣九，太康四年增置監利縣，領縣十。《晋志》領縣十一，又領松滋縣，西晋時松滋縣屬豫州安豐郡，此處爲衍文。永嘉元年後華容、州陵、監利三縣移屬成都郡，領縣七。據《宋志》南郡太守條：‘晋武帝太康元年改曰新郡，尋復故。’則南郡似一度改名新郡，尋复。”

［2］統縣十一：一，宋本作“二”。

［3］江陵：縣名，治所在今湖北省江陵縣。孔祥軍《晋書地理志校注》："吴屬南郡，《左傳·桓公二年》《左傳·莊公十九年》杜注有南郡江陵縣，則太康元年南郡有江陵縣。"

［4］編：縣名，治所在今湖北省荆門市西北。孔祥軍《晋書地理志校注》："吴屬南郡，《左傳·莊公十八年》杜注有南郡編縣，則太康元年南郡有編縣。"

［5］當陽：縣名，治所在今湖北省荆門市西南。孔祥軍《晋書地理志校注》："吴屬南郡，《左傳·莊公十八年》杜注有南郡當陽縣，則太康元年南郡有當陽縣。"

［6］華容：縣名，治所在今湖北省監利市北。清畢沅《晋書地理志新補正》："沅案《沈志》晋武帝太康元年省，後復立。"孔祥軍《晋書地理志校注》："吴屬南郡。《左傳·桓公十一年》《左傳·莊公十八年》《左傳·昭公七年》杜注有南郡華容縣，則太康元年南郡有華容縣。而《宋志》：'華容公相，漢舊縣，晋太康元年省，後復立。'太康元年明有華容縣，《宋志》誤。永嘉元年後移屬成都郡。"

［7］鄀：縣名，治所在今湖北省宜城市東南。孔祥軍《晋書地理志校注》："魏屬襄陽郡，《左傳·莊公十九年》《左傳·僖公二十五年》杜注有南郡鄀縣，則太康元年南郡有鄀縣。"

［8］枝江：縣名，治所在今湖北省枝江市東北。孔祥軍《晋書地理志校注》："吴屬南郡，《左傳·桓公十二年》杜注有南郡枝江縣，則太康元年南郡有枝江縣。"

［9］旌陽：縣名，治所在今湖北省枝江市北。孔祥軍《晋書地理志校注》："魏屬襄陽郡，太康元年武帝平吴後，旌陽縣似移屬焉。"

［10］州陵：縣名，治所在今湖北省洪湖市東北。孔祥軍《晋書地理志校注》："吴末無此縣，今檢《宋志》：'州陵侯相，漢舊縣，屬南郡，晋太康元年復立，疑是吴所省。'則晋太康元年復立州陵縣。永嘉元年後移屬成都郡。"

[11]監利：縣名，治所在今湖北省監利縣東北。清畢沅《晋書地理志新補正》："沅案《荆州圖副》晋太康五年立，屬南郡。"孔祥軍《晋書地理志校注》："吴末無此縣，今檢《宋志》：'監利侯相，按《晋起居注》：太康四年，復立南郡之監利縣，尋復省之，言由先有而被省也，疑是吴所立，又是吴所省。'又《元和志》卷二十一山南道復州監利縣條：'本漢華容縣也，晋武帝太康五年分立監利縣，屬南郡。'則監利縣似太康四年置，後廢，五年又復置，仍屬焉。永嘉元年後移屬成都郡。"

[12]松滋：縣名，治所在今湖北省松滋市西北。清畢沅《晋書地理志新補正》："沅案《晋太康地志》咸康三年，以松滋流户在荆土者立松滋縣。"

[13]石首：縣名，治所在今湖北省石首市。孔祥軍《晋書地理志校注》："吴末無此縣，其始置確年文獻乏考。"

襄陽郡[1]魏置。統縣八，户二萬二千七百。

宜城[2]故鄢也。　中廬[3]　臨沮[4]荆山在東北。　邔　襄陽[5]侯相。　山都[6]　鄧城[7]　鄾[8]

[1]襄陽郡：治所在宜城縣（今湖北省宜城市南）。清洪亮吉《東晋疆域志》："襄陽郡，魏置。《晋書》成帝咸康五年，石虎將李農陷沔南。孝武帝太元元年，朱序鎮襄陽。四年，苻丕攻陷襄陽，序爲丕所擒。九年使竟陵太守趙統伐襄陽，克之。《元和郡縣志》安帝時魯宗之爲刺史，仍於州理置寧蠻校尉。東晋領縣八。襄陽，漢舊縣。《晋書》成帝咸和七年四月，石勒將郭敬陷襄陽。七月，竟陵太守李陽拔新野、襄陽，因而戍之。孝武帝太元四年，苻堅使子丕攻陷襄陽，執南中郎將朱序，又陷順陽。六年，苻堅遣其襄陽太守閻震寇竟陵，襄陽太守桓石虔討擒之。七年，苻堅將都貴焚燒沔北田穀，略襄陽百姓而去。九年，竟陵太守趙統伐襄陽，克之。

十四年，詔淮南所獲俘虜悉贖出之，以襄陽、淮南饒沃地各立一縣居之。義熙十二年，姚泓使將魯軌寇襄陽，雍州刺史趙倫之擊走之。案襄陽於東晋時南北之衝，尤爲要害，故南渡初周訪以梁州刺史鎮襄陽。訪卒，而甘卓、周撫繼之。其後桓宣以司州刺史鎮襄陽，至永和後而襄陽又常爲雍州寄治之所。是雖一隅而司、荆、雍、梁四州皆曾治此也。郭璞《山海經注》晋永康元年，襄陽郡上鳴石似玉，色青，撞之聲聞七八里。《太平御覽》稱王隱《晋書》云，永康元年，襄陽郡上言，得鳴石鐘，聞七八里。案郭注則王隱書‘鐘’字乃‘撞’字之誤也。有州治中城、石城、夫人城、樊城、平魯城、馬鞍山、峴山、方山、蔡洲、沔水、濁水、樊溪、均口、撓溝。宜城，漢舊縣。有沶口。中盧，漢舊縣。《晋書·成帝紀》咸康元年，石遇寇中盧，王國退保襄陽。臨沮，漢舊縣。《沈志》稱《晋太康地志》屬襄陽。《水經注》沮水又屈逕其縣南，晋咸和中爲沮陽郡也。今考他地理書不言晋立沮陽郡，道元所記當有所本，姑附記此。有臨漳城、沮中。上黄，《水經注》晋武平吴，割臨沮之北鄉、中盧之南鄉立上黄縣，治軨鄉。邔，漢舊縣。鄧城，《晋書載記》慕容垂救襄陽，軍於鄧城。《通鑑》注鄧城縣屬襄陽，蓋晋置也。鄾，《圖經》晋置，後省。”

清方愷《新校晋書地理志》：“洪氏亮吉《東晋疆域志》云，案《晋書·地理志》，義陽郡有鄧縣，襄陽郡復有鄧城縣，疑誤。今考杜氏《左傳釋例》鄧國義陽鄧縣，鄾在鄧縣南。本《志》中篇略紀太康郡縣，適當杜預作鎮襄陽時，豈有現存鄾縣不列於注，反云在鄧縣南之理！至鄧與鄧城二縣重出。洪氏已辯其非，無可回護。若《圖經》云晋置鄾縣，則由《晋志》而誤也。（寅案《郡國志》鄧有鄾聚，桓九年《左傳》鄧南鄙鄾人，杜注鄾在鄧縣南，沔水之北。《一統志》襄陽縣東北二十里有鄧城。鄾城在鄧城南八里。又案鄧縣，今南陽府鄧州，晋太康中，鄧屬義陽，則鄧城與鄾皆非晋縣也。）又僖二十四年，邘晋應韓，杜注應國在襄陽父城縣西，父城或作城父。江氏永《春秋地理考實》更正，然考父城在今汝州寶豐縣魯山界，距襄陽殊遠，似當近屬南陽，恐襄陽爲南陽之誤。本《志》兩郡俱無此縣，又不可解。又前篇《水經注·沔水》篇，建安十三年，魏武平荆州，分南郡立爲襄陽郡。建安爲漢獻帝年號，當云漢置也。又《水經注·沔水》篇，晋武平吴，割臨沮之北鄉、中廬之南鄉立上黄縣，治軨鄉，不言所屬。《州郡志》言二漢、晋無上黄，疑《水經注》別有所本。（寅案《州郡志》上黄，本書襄陽，與酈注合，《志》缺。）”

孔祥軍《晋書地理志校注》：“襄陽郡治乏考。據《宋志》：‘襄陽公相，魏武帝平荆州，分南郡編以北及南陽之山都立，屬荆州。’今檢《水經注》卷二十八：‘魏武平荆州，分南郡立爲襄陽郡。’《晋志》：‘後漢獻帝建安十三年，魏武盡得荆州之地，分南郡以北立襄陽郡。’《元和志》卷二十一山南道襄州襄陽縣條：‘襄陽縣，本漢舊縣也，屬南郡……魏武帝平荆州，分南郡置襄陽郡，縣屬焉，後遂不改。’則《宋志》所謂‘及南陽之山都’當誤，故襄陽郡乃建安十二年分南郡置。魏領縣七，太康元年鄀、旌陽二縣移屬南郡，咸寧二年後太康三年前山都縣來屬，領縣六。《晋志》領縣八，其中列有鄧城、鄘二縣，均誤。”

[2]宜城：縣名，治所在今湖北省宜城市南。孔祥軍《晋書地理志校注》：“《左傳·桓公十二年》《左傳·桓公十三年》杜注有襄陽宜城縣，則太康元年襄陽郡有宜城縣。”

[3]中廬：縣名，治所在今湖北省南漳縣東北。孔祥軍《晋書地理志校注》：“《左傳·文公十四年》杜注有襄陽中廬縣，則太康元年襄陽郡有中廬縣。”

[4]臨沮：縣名，治所在今湖北省遠安縣西北。清畢沅《晋書地理志新補正》：“沅案《太平寰宇記》晋安帝分立高安縣。郭仲産《南雍州記》晋平吴，割臨沮之北鄉立上黄縣。《水經注》晋咸和中以縣爲沮陽郡治。”孔祥軍《晋書地理志校注》：“《宋志》：‘臨沮伯相，漢舊縣。晋《太康永寧地志》屬襄陽。’”

[5]襄陽：縣名，治所在今湖北省襄陽市。

［6］山都：縣名，治所在今湖北省襄陽市西北。孔祥軍《晉書地理志校注》："魏屬南陽郡，今檢《水經注》卷三十一：'晉咸寧二年，封大司馬扶風武王少子（司馬）歆爲新野郡公，割南陽五屬：棘陽、蔡陽、穰、鄧、山都，則山都縣至咸寧二年仍屬南陽郡，其後似移屬新野郡。又《宋志》："山都男相，漢舊縣，屬南陽，《晉太康地志》屬襄陽。"則太康三年山都屬襄陽郡。新野郡太康元年廢，山都縣似於此時移屬襄陽郡。'"

［7］鄧城：縣名，治所在今湖北省襄陽市西北。

［8］鄾：縣名，治所在今湖北省襄陽市北。孔祥軍《晉書地理志校注》："《左傳・桓公九年》杜注'鄾，在今鄧縣南，沔水之上'，若其時有鄾縣，則當注曰：'在今襄陽鄾縣'，故此鄾亦爲衍文，方氏《新校志》吴翊寅按以爲'鄧城與鄾皆非晉縣也'，是。"

南陽國[1]秦置郡。統縣十四，户二萬四千四百。

宛[2]　西鄂[3]侯相。　雉[4]　魯陽[5]公國相。　犨[6]　淯陽[7]公國相。　博望[8]公國相。　堵陽[9]　葉[10]侯相。有長城山，號曰方城。　舞陰[11]公國相。　比陽[12]公國相。　涅陽[13]　冠軍[14]　酈[15]

［1］南陽國：治所在宛縣（今河南省南陽市）。清洪亮吉《東晉疆域志》："南陽郡，秦置。《南陽王模傳》永興中作國，傳子保，永嘉初國廢。東晉仍作郡，領縣十四。《成帝紀》咸和三年石勒攻宛，南陽太守王國叛降於勒。《元和郡縣志》永嘉五年爲劉聰所没。成帝咸康四年復歸於晉。苻堅之亂又没。後秦姚興時又復還。《沈志》去京都水四千四百。宛，漢舊縣。《晉書・穆帝紀》永和五年，石遵將石遇攻宛陷之，執南陽太守郭啓。升平五年，桓温鎮宛。《海西公紀》太和元年，南陽人趙弘、趙億據宛城反，太守桓澹走保新野。二年，桓豁擊趙億走之。有桓温壘。西鄂，漢舊縣。

郭璞《山海經注》清泠水在西鄂縣山上。雉，漢舊縣。顏師古《漢書注》稱《太康地志》曰陳倉人所逐二童子名寶鷄者，雄止陳倉爲石，雌止此縣，故名。案説與《史記》等書正相反，疑《太康志》誤也。魯陽，漢舊縣。《李矩傳》矩將歸朝廷，至魯陽縣墮馬卒。《桓冲傳》石越寇魯陽。郭璞《山海經注》今汝水出南陽魯陽縣大盂山。有魯陽關、魯陽山。犨，漢舊縣。云陽，漢育陽縣。《水經注》縣故南陽典農治，後以爲淯陽郡。省郡復縣，避晋簡文帝諱，更名雲陽焉。博望，漢舊縣。堵陽，漢舊縣。葉，漢舊縣，有方城。舞陰，漢舊縣。比陽，漢舊縣。《太平御覽》稱《晋太康地記》曰自葉至比陽，南北連百里，號爲方城，亦曰長城。涅陽，漢舊縣。冠軍，漢舊縣。《史記索隱》稱《太康地理志》武關當冠軍縣西，嶢關在武關之西。案索隱所稱，又云《太康地理志》與他書稍異。酈，漢舊縣。”

清方愷《新校晋書地理志》：“堵陽《州郡志》作赭陽。（寅案《郡國志》有堵陽，無赭陽，本《志》不誤。）又郭璞《山海經》注今湍水出南陽穰縣，本《志》穰屬義陽，《州郡志》穰，漢舊縣，屬南陽，不言晋徙，屬義陽。郭説是也。（寅案《郡國志》穰屬南陽，《州郡志》屬新野，云晋惠帝分南陽立，則未分以前，晋亦屬南陽矣。）”

孔祥軍《晋書地理志校注》：“南陽國治宛，在今河南南陽市。魏末領縣二十八，其中湖陽縣，據《輿地廣記》卷八京西南路上唐州中下湖陽縣條：‘湖陽縣，故蓼國，二漢屬南陽郡，晋省入棘陽（四庫本《輿地廣記》：“棘陽”作“棗陽”，李勇先、王小紅校勘本《輿地廣記》未出校注，其時有“棘陽”縣，無“棗陽”，四庫本誤）。’又宋本《春秋經傳集解·桓公十一年》傳文‘鄖人軍於蒲騷，將與隨、絞、州、蓼伐楚師’，杜預注：‘蓼國今義陽棘陽縣東南湖陽城。’則晋太康元年前湖陽縣已省。其中安昌、平林、平氏、義陽四縣泰始元年移屬義陽郡，新野、隨縣泰始元年後移屬義陽郡，山都、穰、蔡陽、棘陽、鄧五縣咸寧二年移屬新野郡，復陽縣後似廢，則領縣十五。其中襄鄉縣魏屬襄陽郡。今檢胡克家李善注本《文選》卷四張衡《南都賦》:'太一餘糧,中黄瑴玉'條李善注曰:'《博物志》曰:"欲得好瑴玉,用合漿,於襄鄉縣舊穴中鑿取"。'又胡氏李注本《文選》卷二十三嵇康《幽憤詩》李善注、胡氏李注本《文選》卷三十五張景陽《七名》李善注皆引'張華《博物志》'。查《隋書·經籍志》:'《博物志》十卷,張華撰。'又《晋書》卷三十六《張華傳》:'張華,字茂先,范陽方城人也,父(張)平,魏漁陽郡守……陳留阮籍見之,嘆曰:"王佐之才也"……張華著《博物志》十篇。'則李善注所引《博物志》當爲西晋張華所撰,則西晋時襄鄉縣仍存,後廢,領縣十四。"

[2]宛:縣名,治所在今河南省南陽市。孔祥軍《晋書地理志校注》:"《左傳·隱公元年》《左傳·僖公六年》杜注有南陽宛縣,則太康元年南陽郡有宛縣。又《後魏志》:'宛,二漢、晋屬(南陽)。'"

[3]西鄂:縣名,治所在今河南省南陽市北。孔祥軍《晋書地理志校注》:"《後魏志》:'西鄂,二漢、晋屬(南陽)。'"

[4]雉:縣名,治所在今河南省南召縣東南。孔祥軍《晋書地理志校注》:"《後魏志》:'北雉,二漢、晋曰雉,屬南陽。'"

[5]魯陽:縣名,治所在今河南省魯山縣。

[6]犨:縣名,治所在今河南省魯山縣東南。孔祥軍《晋書地理志校注》:"《左傳·襄公十八年》《左傳·昭公四年》杜注有南陽犨縣,則太康元年南陽郡有犨縣。"

[7]淯陽:縣名,治所在今河南省南陽市南。清畢沅《晋書地理志新補正》:"沅案《沈志》孝武帝改名雲陽。《水經注》縣,故南陽典農治,後以爲淯陽郡省郡復縣,避簡文諱,更名雲陽焉。"孔祥軍《晋書地理志校注》:"今檢《漢志》作'育陽'。《宋志》:'雲陽男相,漢舊縣,故名育陽,晋孝武改。'《後魏志》:'雲陽,二漢、晋曰育陽,屬(南陽郡)。'則《晋志》誤,當作'育陽'。"

[8]博望:縣名,治所在今河南省方城縣西南博望鎮。

[9]堵陽：縣名，治所在今河南省方城縣東。

[10]葉：縣名，治所在今河南省葉縣西南舊縣鎮。孔祥軍《晉書地理志校注》："《左傳·僖公四年》、《左傳·宣公三年》、《左傳成公十四年》經文、《左傳·昭公二十五年》杜注有南陽葉縣，則太康元年南陽郡有葉縣。"

[11]舞陰：縣名，治所在今河南省泌陽縣西北。孔祥軍《晉書地理志校注》："《後魏志》：'舞陰，二漢、晉屬（南陽）。'"

[12]比陽：縣名，治所在今河南省泌陽縣。

[13]涅陽：縣名，治所在今河南省鄧州市東北。孔祥軍《晉書地理志校注》："《後魏志》：'涅陽，二漢、晉屬（南陽）。'"

[14]冠軍：縣名，治所在今河南省鄧州市西北。孔祥軍《晉書地理志校注》："《後魏志》：'冠軍，二漢、晉屬（南陽）。'"

[15]酈：縣名，治所在今河南省南陽市西北。孔祥軍《晉書地理志校注》："《後魏志》：'酈，二漢、晉屬（南陽）。'"

順陽郡[1]太康中置。統縣八，户二萬一百。

酇[2]　順陽[3]　南鄉[4]　丹水[5]　武當[6]侯相。　陰[7]　築陽[8]　析[9]

[1]順陽郡：治所在南鄉縣（今河南省淅川縣）。清畢沅《晉書地理志新補正》："沅案魏分南陽里南鄉郡。晉武帝改今名。此注云太康中置，誤。《沈志》晉成帝咸康四年，復立南鄉郡，後復舊。"

清洪亮吉《東晉疆域志》："順陽郡，《史記索隱》稱《太康地理志》魏武帝建安中分南陽立南鄉郡。晉武帝改曰順陽郡。《沈志》成帝咸康四年復立南鄉，後復舊。《地形志》魏分置曰南鄉，司馬衍更名。《水經注》《晉書地理志》云太康中置，微誤。東晉凡領六縣。南鄉，漢舊縣。《水經注》郡舊治酇城，永嘉中丹水浸没，至永和中徙治南鄉故城。《晋書·穆帝紀》永和八年，苻健别帥侵順陽，太守薛珍擊破之。案《晋書》劉裕遣使求和於秦，且求南鄉等諸郡。秦割南鄉、順陽、新野、舞陰等十二郡歸於晋。是南鄉又别作郡，未知始於何時。或即成帝咸康四年所立也。有縣治城、淅川。酇，漢舊縣。《晋書·成帝紀》咸和元年劉曜將黄秀、帛成寇酇，平北將軍魏該帥衆奔襄陽。順陽，漢舊縣。《地形志》晋屬南鄉。武當，漢舊縣。《晋書·元帝紀》太興二年，梁州刺史周訪及杜曾戰於武當，斬之。《孝武帝紀》太元八年，鷹揚將軍郭洽及苻堅將張崇戰於武當，大敗之。有武當山。陰，漢舊縣。《太平寰宇記》稱陰城縣。《圖經》云晋咸寧中，封扶風王子暢爲順陽王。城内有順陽碑。築陽，漢舊縣。《桓冲傳》冲伐苻堅，拔堅築陽。有萬歲城。汎陽，《水經注》晋分築陽立汎陽縣。《沈志》晋武帝太康五年立，屬順陽。析，漢舊縣。《太平寰宇記》永嘉末没於劉聰。案後蓋仍復。有武關。修陽，以上二縣，《沈志》云《永初郡國》《何志》並有。《水經注》析水南流逕修陽縣故城北，即析之北鄉也。案此縣當係晋末所立，故録入。"

清方愷《新校晋書地理志》："杜注《左氏傳·桓七年》有築陽，僖二十五年有丹水析，昭十九年有陰，皆云南陽屬縣。今作順陽則從後改郡名也。然考《州郡志》，汎陽令，晋太康五年立，屬南鄉，仍屬順陽。仍字疑後字之誤。據此知太康五年以前皆名南鄉郡也。本《志》不載汎陽，誤。又案《武帝紀》太康十年，封扶風王子暢爲順陽王，疑南鄉之改順陽，當在是年。則當作順陽國。本書《良吏·范晷傳》晷，南陽順陽人，豈順陽未立國時縣屬南陽不屬南鄉耶？未詳。（寅案《郡國志》順陽屬南陽郡。又《州郡志》云，魏分南陽立南鄉，晋武帝更名順陽。本《志》言順陽，太康中置，則太康五年以前，《志》例當作南鄉郡也。"

孔祥軍《晋書地理志校注》："據《晋志》：'順陽郡，太康中置'，《宋志》：'順陽太守，魏分南陽立曰南鄉，晋武帝更名。'又《宋志》：'汎陽令，晋武帝太康五年立，屬南鄉，仍屬順陽。'則太康五年時仍有南鄉郡。又《水經注》卷二十：‘丹水又南逕南鄉縣故城東北，漢建安中，割南陽右壤爲南鄉郡，逮晋封宣帝孫（司馬）暢爲順陽王，因立爲順陽郡，而南鄉爲縣。’《晋書》卷三《武帝紀》：‘（太康十年）徙扶風王（司馬）暢爲順陽王。’則太康十年方改南鄉郡爲順陽郡，《晋志》順陽郡當作南鄉郡，所謂‘太康中置’，當爲‘太康十年改南鄉爲順陽’。又《晋志》：‘後漢獻帝建安十三年，魏武盡得荆州之地……又分南陽西界立南鄉郡……及（晋）武帝平吴……改南鄉爲順陽郡。’亦誤，當爲‘及武帝平吴……其後，太康十年改南鄉爲順陽郡。’南鄉郡治酇，在今湖北老河口市西北。魏末領縣八，據《宋志》：‘汎陽令，晋武帝太康五年立，屬南鄉，仍屬順陽。’則太康五年增置汎陽令，領縣九。”

［2］酇：縣名，治所在今河南省永城市酇城鎮。

［3］順陽：縣名，治所在今河南省淅川縣南。孔祥軍《晋書地理志校注》：“《後魏志》：‘順陽，二漢屬南陽，晋屬南鄉。’”

［4］南鄉：縣名，治所在今河南省淅川縣。孔祥軍《晋書地理志校注》：“《後魏志》：‘順陽，後漢屬南陽，晋屬南鄉。’”

［5］丹水：縣名，治所在今河南省淅川縣南。清畢沅《晋書地理志新補正》：“沅案《太平寰宇記》永嘉亂後廢。”孔祥軍《晋書地理志校注》：“《左傳·僖公二十五年》《左傳·哀公四年》杜注有南鄉丹水縣，則太康元年南鄉郡有丹水縣。又《後魏志》：‘丹水，前漢屬恒農，後漢屬南陽，晋屬南鄉。’”

［6］武當：縣名，治所在今湖北省丹江口市西北。

［7］陰：縣名，治所在今湖北省老河口市西北。清畢沅《晋書地理志新補正》：“沅案《太平寰宇記》陰城縣，《圖經》云晋咸寧中封扶風王子暢爲順陽王，城内有順陽碑。”孔祥軍《晋書地理志校注》：“《左傳·昭公十九年》杜注有南鄉陰縣，則太康元年南鄉郡有陰縣。”

［8］築陽：縣名，治所在今湖北省穀城縣北。清畢沅《晋書地理志新補正》：“沅案《水經注》分築陽立汎陽縣。”孔祥軍《晋書

地理志校注》："《左傳·桓公七年》經文杜注有南鄉築陽縣，則太康元年南鄉郡有築陽縣。"

[9]析：縣名，治所在今河南省西峽縣。清畢沅《晋書地理志新補正》："沅案《太平寰宇記》永嘉末，没於劉聰。"孔祥軍《晋書地理志校注》："《左傳·僖公二十五年》杜注有南鄉析縣，則太康元年南鄉郡有析縣。"

義陽郡[1]太康中置。統縣十二，户一萬九千。

新野[2]侯相。　穰[3]　鄧[4]故鄧侯國。　蔡陽[5]　隨[6]故隨國。　安昌[7]　棘陽[8]　厥西[9]　平氏[10]桐柏山在南。　義陽[11]　平林[12]　朝陽[13]

[1]義陽郡：治所在新野縣（今河南省新野縣），東晋移治平陽縣（今河南省信陽市）。清畢沅《晋書地理志新補正》："沅案《元和郡縣志》云，晋太康九年，分義陽郡置隋郡。《太平寰宇記》晋武帝太始元年，割南陽之東鄙復置義陽郡，封安平獻王孚次子望爲義陽王。元帝遷都，淪陷劉石。安帝時以流人在南郡者立南義陽於郡郭下。"

清洪亮吉《東晋疆域志》："義陽郡，《沈志》文帝立，後省。《水經注》稱闞駰言晋泰始中，割南陽東鄙之安昌、平陵、平氏、義陽四縣置義陽郡於安昌城。又稱《太康地志》《晋書地道記》並云，義陽郡以南陽屬縣爲名。《沈志》又稱《晋太康地志》郡屬荆州。《太平寰宇記》泰始元年復置義陽郡，封安平獻王孚次子望爲義陽王。元帝遷都，淪陷劉、石。今考《元和郡縣志》，江左省義陽縣地入平春縣。晋孝武帝改平春爲平陽。又平氏縣石城山，酈元、杜佑、樂史俱云晋於北山上置義陽郡，今廢。城猶在山上。《水經注》永和五年，晋大司馬桓温築平林、新城。據此數條，則義陽郡非全没劉氏可知。又案《義陽王望傳》封義陽王，邑萬户。

是望所封，特義陽等數縣，後或没於劉、石耳。樂史疑望封全得義陽郡，及後遭亂，又疑郡皆淪没，蓋失不深考也，今不取。《晋書・地理志》統縣十二，東晋又分出隨、新野二郡，凡領縣五。厥西，《沈志》二漢無，《晋太康地志》有。《晋志》同。《水經注》作瀙西，云以瀙水得名。平氏，漢舊縣。郭璞《山海經注》今淮水出義陽平氏縣桐柏山。案《水經注》《太平寰宇記》郡蓋先治安昌，後又徙治平氏厥西。有天木山。安昌，魏舊縣。平陽，漢平春縣。晋太元中避諱改平陽。案此縣本名平春，因鄭太后諱乃改，與河東郡所分之平陽迥別。《沈志》南義陽郡下合以爲一，非是。《沈志》《晋太康地志》屬義陽。《元和郡縣志》江左省義陽縣地入平春縣。有仁順城。鄳，漢舊縣。《沈志》稱《晋太康地志》屬義陽。案《晋書・地理志》平陽、鄳二縣皆屬江夏郡。《沈志》同。今考《元和郡縣志》江左義陽縣寄理鄳縣石城。案《元和郡縣志》'縣'字當屬'郡'字之誤。樂史亦云石城山上有晋義陽郡廢城也。《沈志》義陽令，《晋太康地志》有，後省，至宋孝武時復立。則江左無義陽縣也。有石城。"

清方愷《新校晋書地理志》："《武帝紀》《義陽王望傳》，泰始二年，封從伯父望爲義陽王。望卒，孫奇嗣，太康九年奇貶，更徙封章武王威爲義陽王。是太康以前，義陽爲王國，不當作郡。又《州郡志》隨陽太守，晋武帝分南陽義陽立義陽國。太康年又分義陽爲隨國，屬荆州。隨縣，《晋太康地志》屬義陽，後隨國與縣俱改。本《志》後篇言惠帝分義陽爲隨郡，與沈志異。《元和志》亦言，太康九年分義陽置隨郡。本書《隨穆王傳》武帝以義陽國一縣追封爲隨縣王。子邁嗣，太康九年以義陽之平林益邁爲隨郡王。《水經注・涓水》篇，東南逕隨縣西注。亦言太康中立爲郡。然則謂惠帝始分，誤也。又《州郡志》有厥西縣、平氏縣，今作厥縣、西平氏縣。刊本訛。《水經注》作瀙西，杜注《莊四年》作厥縣，亦傳寫訛脱。(寅案《郡國志》平氏桐柏大復山，淮水出，漢屬南陽。本《志》云桐柏山在南是也。厥西，沈約云二漢無，《太康地志》屬義陽，或又作關西，疑字之訛。）”

孔祥軍《晋書地理志校注》：“義陽郡治安昌，在今湖北棗陽市南。據《宋志》：‘義陽太守，魏文帝立，後省，晋武帝又立。’又《宋書》卷二十九《符瑞下》：‘泰始七年六月甲寅，義陽郡獲銅鼎。’又《水經注》卷三十：‘闞駰言：“晋太始中割南陽東鄙之安昌、平林、平氏、義陽四縣置義陽郡於安昌城，又《太康記》《晋書地道記》並有義陽郡以南陽屬縣爲名”。’則泰始七年前已置義陽郡。胡阿祥先生《宋書州郡志彙釋》卷二引《寰宇記》以爲泰始元年置義陽郡，是。武帝泰始元年分南陽安昌、平林、平氏、義陽四縣置義陽郡，且治安昌縣。其後似增置厥西縣，朝陽、新野、隨三縣來屬，領縣八。太康元年，穰、棘陽、鄧、蔡陽四縣來屬，領縣十二。太康九年，隨、平林二縣移屬隨郡，領縣十。”

［2］新野：縣名，治所在今河南省新野縣。孔祥軍《晋書地理志校注》：“魏末屬南陽郡，今檢《後魏志》：‘新野，二漢屬南陽，晋屬義陽。’義陽郡始置時領四縣，無新野縣，新野縣當是其後移屬焉。”

［3］穰：縣名，治所在今河南省鄧州市。孔祥軍《晋書地理志校注》：“魏末屬南陽郡，今檢《後魏志》：‘穰，二漢屬南陽，晋屬義陽。’則西晋時義陽郡有穰縣。又《水經注》卷三十一：‘晋咸寧二年，封大司馬扶風武王少子（司馬）歆爲新野郡公，割南陽五屬：棘陽、蔡陽、穰、鄧、山都。’則穰縣至晋咸寧二年仍屬南陽郡，後移屬新野郡，太康元年新野郡廢，穰縣似於此時移屬義陽郡。”

［4］鄧：縣名，治所在今河南省鄧州市。孔祥軍《晋書地理志校注》：“魏末屬南陽郡，據上引《水經注》鄧縣至晋咸寧二年仍屬南陽郡，後移屬新野郡，太康元年新野郡廢，其似於此時移屬義陽郡。”

［5］蔡陽：縣名，治所在今湖北省棗陽市蔡陽鎮。孔祥軍《晋書地理志校注》：“魏末屬南陽郡，據上引《水經注》蔡陽縣至晋咸

寧二年仍屬南陽郡，後移屬新野郡，太康元年新野郡廢，其似於此時移屬義陽郡。”

[6]隨：縣名，治所在今湖北省隨州市。清畢沅《晉書地理志新補正》：“沅案《水經注》武帝太康中立爲郡。”孔祥軍《晉書地理志校注》：“魏屬南陽郡，今檢《宋志》：‘隨陽子相令，漢隨縣屬南陽，《晉太康地志》屬義陽。’則太康三年義陽郡有隨縣，義陽郡始置時領縣四，無隨縣，此縣似於此後移屬焉。太康九年移屬隨郡。”

[7]安昌：縣名，治所在今河南省確山縣西。孔祥軍《晉書地理志校注》：“魏末屬南陽郡，《左傳·宣公十二年》杜注有義陽安昌縣，則太康元年義陽郡有安昌縣。其於泰始元年移屬義陽郡。”

[8]棘陽：縣名，治所在今河南省南陽市南。孔祥軍《晉書地理志校注》：“魏末屬南陽郡，《左傳·桓公十一年》杜注有義陽棘陽縣，則太康元年義陽郡有棘陽縣，又《宋志》：‘棘陽縣，漢縣，故屬南陽，《晉太康地志》屬義陽。’則太康三年義陽郡有棘陽縣。據上引《水經注》棘陽縣至晉咸寧二年仍屬南陽郡，後移屬新野郡，太康元年新野郡廢，棘陽縣似於此時移屬義陽郡。”

[9]厥西：縣名，治所在今湖北省隨州市西北。清畢沅《晉書地理志新補正》：“沅案今本誤作二縣，今從《沈志》改正。”孔祥軍《晉書地理志校注》：“魏無此縣，今檢《宋志》：‘厥西令，二漢無，《晉太康地志》屬義陽。’則太康三年義陽郡有厥西縣，義陽郡始置時領縣四，無厥西縣，此縣似於晉初增置。”

[10]平氏：縣名，治所在今河南省桐柏縣平氏鎮。原本、宋本“厥”爲一縣，“西平氏”爲一縣，殿本以“厥西”“平氏”各爲一縣，今據殿本、中華本校勘記改。

[11]義陽：縣名，治所在今河南省信陽市北。清畢沅《晉書地理志新補正》：“沅案《沈志》縣旋省。孝武孝建三年復分平陽立。”孔祥軍《晉書地理志校注》：“魏末屬南陽郡，今檢《後魏志》：‘義陽，晉屬（義陽）。’則西晉時義陽郡有義陽縣，泰始元年

移屬義陽郡。"

[12]平林：縣名，治所在今湖北省隨州市東北。清畢沅《晋書地理志新補正》："沅案《水經注》永和五年，晋大司馬桓温築新城。"孔祥軍《晋書地理志校注》："魏末屬南陽郡，泰始元年移屬義陽郡。太康九年移屬隨郡。"

[13]朝陽：縣名，治所在今河南省鄧州市東南。孔祥軍《晋書地理志校注》："魏屬南陽郡，今檢《輿地廣記》卷八京西南路上鄧州上穰縣條：'二漢朝陽縣，屬南陽郡，晋屬義陽郡。'義陽郡始置時領縣四，無朝陽縣，則其似於義陽郡置後移屬焉。"

新城郡[1]魏置。統縣四，户一萬五千二百。

房陵[2]　綏陽[3]　昌魏[4]　沶鄉[5]

[1]新城郡：治所在房陵縣（今湖北省房縣）。清畢沅《晋書地理志新補正》："沅案《水經注》沮水又東南逕汶陽郡北，即高安縣界，郡治錫城，縣居郡下城，故新城之下邑。義熙初分新城立。"

清洪亮吉《東晋疆域志》："新城郡，魏置。《晋書·地理志》統縣四。東晋領縣同。《晋書》孝武帝太元九年，桓冲將郭寶伐新城、魏興、上庸三郡，降之。《沈志》去州陸一千五百，去京都水五千二百。房陵，漢舊縣。綏陽，《沈志》魏立，後改爲秭歸。晋武帝太康二年復爲綏陽。昌，《沈志》魏立。郭璞《山海經注》今睢水出新城魏昌縣東南發阿山。沶鄉，《沈志》稱《何志》魏立。《晋太康地志》作沶。《水經注·沔水》下云沶鄉縣，分房陵立。郭璞《山海經注》荆山今在新城沶鄉縣南。案《沈志》又有閬陽縣，何不注置立，《水經注》汎水出梁州閬陽縣。容，永初中所立，故不録入。"

清方愷《新校晋書地理志》："《州郡志》房陵，《太康地志》王隱無，疑太康時省。又案郭璞注《山海經》新城汴陰縣亦有漳水。‘忭’疑當作‘沶’，本志無‘汴陰’有‘沶陰’。”

孔祥軍《晋書地理志校注》：“新城郡治房陵，在今湖北房縣。據《魏志》卷十四《劉曄傳》：‘延康元年，蜀將孟達率衆降……文帝甚器愛之，使（孟）達爲新城太守。’《蜀志》卷十《劉封傳》：‘魏文帝……合房陵、上庸、西城三郡，（孟）達領新城太守。’則延康元年始置新城郡。”

[2]房陵：縣名，治所在今湖北省房縣。清畢沅《晋書地理志新補正》：“沅案《太康地志》無此縣。”

[3]綏陽：縣名，治所在今湖北省神農架林區東南。綏陽，原本、宋本作“緩陽”，殿本作“綏陽”，據殿本、中華本校勘記改。清畢沅《晋書地理志新補正》：“沅案綏陽，《沈志》魏立爲秭歸。晋武帝太康二年復爲綏陽。”孔祥軍《晋書地理志校注》：“魏末作‘秭歸’屬新城郡，據《宋志》：‘綏陽令，魏立，後改爲秭歸，晋武帝太康二年，復爲綏陽。’中華校：‘各本作“緩陽”，今從殿本作“綏陽”，與《宋志》三、《華陽國志》二合。’則當作‘綏陽’，縣名，治所在今湖北興山縣西北。”

[4]昌魏：縣名，治所在今湖北省房縣西。孔祥軍《晋書地理志校注》：“《左傳・桓公十二年》杜注有新城昌魏縣，則太康元年新城郡有昌魏縣。”

[5]沶鄉：縣名，治所在今湖北省南漳縣西。孔祥軍《晋書地理志校注》：“《左傳・昭公十二年》杜注有新城沶鄉縣，則太康元年新城郡有沶鄉縣。而《宋志》：‘祁鄉令，《何志》魏立，《晋太康地志》作沶。’則太康三年新城郡有沶鄉縣。又《水經注》卷二十八：‘（零水）東徑新城郡之沶鄉縣，縣分房陵立。’則《宋志》所謂‘作沶’，顯誤。”

魏興郡[1]魏置。統縣六，户一萬二千。

晋興[2]　安康[3]　西城[4]　錫[5]　長利[6]

洵陽[7]

[1]魏興郡：治所在西城縣（今陝西省安康市西北漢江北岸）。清畢沅《晋書地理志新補正》："沅案《太平寰宇記》郡魏文帝時理洵口，晋太康二年移理錫縣，三年始改理平陽，至元康中又移理錫縣。永嘉後又移理西城。"

清洪亮吉《東晋疆域志》："魏興郡，魏置。《晋書·地理志》統縣六，東晋領縣同。《沈志》去州一千二百，去京都水六千七百。《太平寰宇記》魏時理洵口。晋太康二年移理錫縣，三年又改理平陽縣。元康中又移理錫縣。永嘉後復移理西城故城。《晋書》孝武帝太元四年，苻堅將韋鍾陷魏興，太守吉挹死之。西城，漢舊縣，屬漢中。《水經注》氐略漢川，梁州移治於此。有吉挹城。興晋，魏平陽縣。《沈志》晋武帝太康元年更名。案《水經注》甲水又東南逕魏興郡之興晋縣南。晋武帝太康中立，'立'字微誤。應云太康中改今名也。安康，漢安陽縣。《太平寰宇記》晋太康元年改今名。《晋太康地志》屬魏興郡。錫，漢長利縣。《沈志》後漢省，晋武帝太康四年復立，屬魏興，五年改長利爲錫。有洛津戍。鄖鄉，漢錫縣。《沈志》魏晋世爲郡，後省。武帝太康五年改爲鄖鄉。《何志》晋惠帝立，非也。《水經注》又云長利之鄖鄉，晋太康五年立以爲縣。有豐城、琵琶谷。洵陽，漢舊縣。《沈志》又云前漢有，後漢無，晋武帝太康四年復立。《太平御覽》稱《輿地志》魏置魏興郡，領洵陽等六縣。有淯口戍。"

清方愷《新校晋書地理志》："晋興當作興晋，見《州郡志》。又《州郡志》鄖鄉令下云，本錫縣，魏晋世爲郡，後省。武帝太康五年改爲鄖鄉。又《州郡志》錫縣令，前漢長利縣，後漢省，太康四年復立，五年改長利爲錫。據此則魏晋之際至太康三年有錫無長利，五年以後有錫有鄖鄉無長利。其二縣俱存，僅太康四年長利復立之時，不過一歲。以秦寧二州年分例之，不容並載。又《州郡志》洵陽作旬陽，前漢有後漢無，晋太康四年復立，與秦寧二州年分斷例亦不合。説見南郡監利。又案《漢書・地理志》漢中郡有鍚縣，又宏農郡上雒下注又有甲水出秦領山，東南至鍚，入沔。應劭師古皆注‘鍚’音‘陽’，即春秋所謂鍚穴，後訛爲錫，非也。（寅案鍚，《班志》作鍚，應劭顔師古皆云音陽。今考《郡國志》作錫，云沔陽有鐵錫。有鍚則作錫者，蓋本《續漢志》也。《説文》鍚，馬頭飾也。臣鉉等曰鍚，今經典作鍚，與章切，應顔説恐非是。）”

孔祥軍《晋書地理志校注》：“魏興郡治乏考。據《魏志》卷一《武帝紀》：‘（建安二十年）分漢中之安陽、西城爲西城郡。’又《水經注》卷二十七：‘漢水又東逕西城縣故城南，《地理志》漢中郡之屬縣也，漢末爲西城郡，建安二十四年劉備以申儀爲西城太守，（申）儀據郡降魏，魏文帝改爲魏興郡，治故西城縣之故城也。’《蜀志》卷十《劉封傳》：‘……魏假（申）儀魏興太守’裴注引《魏略》：‘建安末，（申儀）爲蜀所攻，以其郡西屬，黄初中（申）儀復來還，詔即以兄故號加（申）儀，因拜魏興太守，封列侯。’《華陽國志》卷二：‘黄初二年文帝轉（申）儀爲魏興太守，封鄖鄉侯。’則魏興郡乃爲建安所置之西城郡，西城郡設置後一度屬蜀漢，又於黄初二年復屬魏，且改名魏興郡。魏末領縣五，其中魏陽縣似後省，領縣四，太康四年增置洵陽、長利二縣，則領縣六。”

［2］晋興：清畢沅《晋書地理志新補正》：“沅案《沈志》魏立曰平陽，晋武帝太康元年更名。”孔祥軍《晋書地理志校注》：“魏作‘平陽’屬，今檢《宋志》魏興太守領有興晋縣：‘興晋令，魏立，曰：平陽，晋太康元年更名。’晋太康元年改平陽縣爲興晋縣。中華校：‘方校：“晋興”當作“興晋”，見《宋志》三。按：《羊玄之傳》謂玄之封興晋侯，則晋時仍名“興晋”。’興晋縣治所在今湖北省鄖西縣西。”

［3］安康：縣名，治所在今陝西省石泉縣東南池河西北漢江東

岸。清畢沅《晋書地理志新補正》："沅案《沈志》漢安陽縣，晋太康元年改今名。"孔祥軍《晋書地理志校注》："魏作'安陽'屬，今檢《宋志》：'安康令，二漢安陽縣，屬漢中，漢末省，魏時復立，屬魏興。晋太康元年更名。'《後魏志》：'安康，二漢曰安陽，屬漢中，漢末省，魏復，武帝更名，屬魏興郡。'則太康元年改安陽縣爲安康縣。"

[4]西城：縣名，治所在今陝西省安康市西北漢江北岸。

[5]錫：縣名，治所在今陝西省白河縣東漢江南岸白石河西。清畢沅《晋書地理志新補正》："沅案《沈志》晋武帝太康五年改爲鄖鄉。又云前漢長利縣屬漢中，後漢省。晋武帝太康四年復立，屬魏興。五年，改長利爲錫。"

[6]長利：縣名，治所在今湖北省鄖西縣西南。孔祥軍《晋書地理志校注》："魏無此縣，今檢《宋志》：'錫縣令，前漢長利縣，屬漢中，後漢省。晋武帝太康四年復立，屬魏興。'則太康四年復置長利縣。"

[7]洵陽：縣名，治所在今陝西省旬陽縣北旬河北岸。清畢沅《晋書地理志新補正》："沅案《沈志》晋武帝太康四年復立。"孔祥軍《晋書地理志校注》："魏無此縣，今檢《宋志》：'旬陽，前漢有，後漢無，晋武帝太康四年復立。'又宋本《寰宇記》卷一百四十一山南西道金州洵陽縣條：'本漢舊縣……後漢省，晋太康四年復立。'則太康四年復置洵陽縣。"

上庸郡[1]魏置。統縣六，户一萬一千四百四十八。

上庸[2]侯相。　安富[3]　北巫[4]　武陵[5]　上廉[6]　微陽[7]

[1]上庸郡：治所在上庸縣（今湖北省竹山縣西南四十里堵水北岸）。清畢沅《晋書地理志新補正》："沅案《沈志》魏明帝太和

二年，分新城之上庸、武陵、北巫爲上庸郡。景初元年，又分魏興之魏陽、錫郡之安富、上庸爲郡。疑是太和後省，景初又立也。又引《晋地記》武帝太康元年，改上庸之廣昌爲庸昌，二年省。”

清洪亮吉《東晋疆域志》：“上庸郡，魏置。東晋領縣七。《沈志》去州陸二千三百，去京都水六千七百。上庸，漢舊縣。《沈志》《晋太康地志》屬上庸郡。安富，《沈志》稱《晋太康地志》《永初郡國志》何、徐並有，作‘富安’。北巫，《沈志》稱《何志》晋武帝立。案魏所分新城之巫應即是此縣。然則非晋武立明矣。武陵，漢舊縣。《沈志》前漢屬漢中，後漢、《晋太康地志》、王隱並無。案《晋書·地理志》有。上廉，《太平寰宇記》晋於西城縣置上廉縣，取上廉水爲名，尋又改爲吉陽縣。案《周地圖記》云，上廉縣後移還上庸，又於平利置吉陽。故《永初郡國》云北吉陽也。有女媧堡。微陽，《沈志》魏立曰建始，晋武帝改。廣昌，《沈志》稱《何志》屬上庸，晋成帝立。《晋地記》武帝太康元年，改上庸之廣昌爲庸昌，三年省。疑是魏所立。”

清方愷《新校晋書地理志》：“安富，《華陽國志》同《州郡志》作富安。（寅案汲古閣本《州郡志》亦作安富云。《晋太康地志》《永初郡國》何、徐並有。又《州郡志》武陵令，前漢屬漢中，後漢《晋太康地志》王隱並無，疑後漢省，至太康後始復立也。又《華陽國志》上庸郡有安樂縣，咸熙元爲公國，封劉後主也。本《志》從《水經注》。《晋書地道記》説燕國安樂，爲劉禪所封，雖立説不同，不應并縣删削互見幽州燕國。”

孔祥軍《晋書地理志校注》：“上庸郡治乏考。《續漢志》無此郡，吴氏《考證》卷三據《魏志·武帝紀》、《蜀志·劉封傳》裴注引《魏略》，以爲上庸郡建安末始置，黄初元年併於新城郡，是。又宋紹興刊本《魏志》卷三《明帝紀》：‘（太和二年）分新城之上庸、武陵、巫縣爲上庸郡（據《百衲本二十四史校勘記·三國校勘記》“武陵”明南監、北監、汲古閣本及殿本均作“武靈”，盧氏《集解》以爲各本皆誤，當從宋本作“武陵”，是。殿本《考證》

云宋刻本無“巫”縣，今宋紹興刊本《三國志》確有“巫”縣，殿本所據不知何本，今不從）……（太和四年）省上庸郡……（景初元年）分魏興之魏陽、錫郡之安富、上庸爲上庸郡。’則上庸郡太和二年又置，領上庸、武陵、巫三縣，太和四年再廢，景初元年復置且領魏陽、安富、上庸三縣。又《魏志》卷四《三少帝紀》：‘（甘露四年）分新城郡復置上庸郡。’則上庸郡景初元年後又廢，吴氏《考證》卷三以爲其廢當在嘉平中，是，後於甘露四年又置。魏末領縣六，晉初增置上廉縣，其中廣昌縣，今檢《宋志》：‘廣昌子相……《晋地記》，太康元年改上庸之廣昌爲庸昌，二年省。’則太康二年庸昌縣廢，武陵縣先廢後復，領縣六。”

［2］上庸：縣名，治所在今湖北省竹山縣西南四十里堵水北岸。

［3］安富：縣名，治所在今湖北省十堰市鄖陽區東南。

［4］北巫：縣名，治所在今湖北省竹溪縣。清畢沅《晋書地理志新補正》：“沅案何承天《志》晋武帝立。《沈志》魏所分新城之巫，應即是此縣。何説非。”

［5］武陵：縣名，治所在今湖北省竹山縣西北。清畢沅《晋書地理志新補正》：“沅案《太康地志》無此縣。”孔祥軍《晋書地理志校注》：“《宋志》：‘前漢屬漢中，後漢、《晋太康地志》、王隱並無。’則太康三年時武陵縣已廢。太康四年重置。”

［6］上廉：縣名，治所在今陝西省平利縣西北老縣街東南。清畢沅《晋書地理志新補正》：“沅案《太平寰宇記》晋於西城縣置上廉縣，取上廉水爲名，尋又改爲吉陽縣。《周地圖記》曰上廉縣後移還上庸。又於平利置吉陽。”孔祥軍《晋書地理志校注》：“魏無此縣，今檢宋本《寰宇記》卷一百四十一金州平利縣條：‘本漢西城地，兩漢及魏蓋爲西城縣地。晋於今縣南平利川置上廉縣，取上廉水爲名。’則西晋時增置上廉縣。”

［7］微陽：縣名，治所在今湖北省竹山縣東。清畢沅《晋書地理志新補正》：“沅案魏立爲建始縣晋武帝改今名。”孔祥軍《晋書地理志校注》：“魏作‘建始’屬，今檢《宋志》：‘微陽令，魏立曰

建始，晋武帝改。’則武帝時改建始爲微陽。”

建平郡[1]吴、晋各有建平郡，太康元年合。統縣八，户一萬三千二百。

巫[2] 北井[3] 秦昌[4] 信陵[5] 興山[6] 建始[7] 秭歸[8]故楚子國。 沙渠[9]

[1]建平郡：治所在巫縣（今重慶市巫山縣）。清畢沅《晋書地理志新補正》：“《吴志》孫休永安三年分宜都立，領信陵、興山、秭歸、沙渠四縣。《沈志》晋又有建平都尉，領巫、北井、泰昌、建始四縣。晋武帝咸寧元年，改都尉爲郡。於是吴、晋各有建平郡。太康元年吴平，併合。”

清洪亮吉《東晋疆域志》：“建平郡，《沈志》吴、晋各有建平郡，太康元年吴平併合。案《沈志》建平郡有歸鄉縣。《何承天志》鄉故屬秭歸，吴分。《太康地志》云秭歸有歸鄉，故夔子國，楚滅之，而無歸鄉縣。沈約云《何志》所言非也。今考《劉弘傳》以仇勃爲歸鄉令，是晋有此縣矣。《何志》所言不誣，沈非之誤也。《晋書·地理志》亦無歸鄉縣。東晋領縣十四。《沈志》去京都水四千三百八十。巫，漢舊縣。郭璞《山海經注》巫山今在建平巫縣。有新崩灘。北井，《沈志》稱《晋太康地志》有，先屬巴東，晋武帝泰始五年度建平。泰昌，《沈志》《晋太康地志》有，《通典》晋武帝太康初置。南陵，《沈志》《永初郡國》有南陵、建始、信陵、興山、永新、永寧、平樂七縣。又云《太康地志》無南陵、永新、永寧、平樂、新鄉五縣，疑是江左所立。信陵，《沈志》信陵、興安、沙渠疑是吴立。《文選注》稱臧榮緒《晋書》曰，建平郡有信陵縣。興山，《太平寰宇記》吴孫休永安三年分秭歸縣北界立。建始，《沈志》晋初所立。太康五年省，後復立。今考《沈志》建平太守下云，晋又有建平都尉，領巫、北井、泰昌、建始四縣。晋武帝咸寧元年改都尉爲郡。於是吴、晋各有建平郡。太康元年吴平併合，是咸寧元年以前已有建始縣。而樂史稱《輿地志》云晋太康元年分秭歸、巫置建始縣者，誤矣。祝穆《方輿覽勝》又云，吴景帝置建平郡，建始、沙渠隸焉，今姑存疑俟考。秭歸，漢舊縣。郭璞《山海經注》今建平郡丹陽城，秭歸東七里。歸鄉，《沈志》稱《何承天志》吴立。沙渠，《沈志》《晋起居注》太康元年立。案沙渠是吴建平郡所領，吴平不應方立，不詳。《元和郡縣志》則云吴分巫縣立，自吴至梁、陳不改。永新。永寧。平樂。新鄉。”

清方愷《新校晋書地理志》：“劉逵《蜀都賦》注有巴東北新井縣，此有北井，疑即一縣。《沈志》稱《太康地志》北井先屬巴東，泰始五年度建平，是也。”

孔祥軍《晋書地理志校注》：“建平郡治乏考。魏末無此郡，今檢《宋志》：‘晋又有建平都尉，領巫、北井、泰昌、建始四縣。晋武帝咸寧元年，改都尉爲郡。’其中巫、建始二縣其時當屬孫吴建平郡，不當屬晋所謂建平都尉。又《輿地廣記》卷三十三夔州路同下州大寧監中下大昌縣條：‘本泰昌，晋太康初分秭歸置，屬建平郡。’則太康時方置泰昌縣，咸寧前所謂建平都尉何得領之，故《宋志》此條舛亂殊甚，似咸寧元年前曾以巴東郡之北井置建平都尉，又《宋志》：‘北井令，《晋太康地志》有，先屬巴東，晋武帝泰始五年度建平。’則建平都尉似置於泰始五年，咸寧元年改其爲建平郡，其時惟有北井一縣。又《宋志》：‘於是，吴、晋各有建平郡。太康元年吴平，並和。’《晋志》：‘建平郡，吴、晋各有建平郡，太康元年合。’則太康元年吴、晋建平郡合。太康元年吴建平郡所領巫、秭歸、興山、建始四縣來屬，又置泰昌、沙渠、信陵三縣，領縣八。”

［2］巫：縣名，治所在今重慶市巫山縣。

［3］北井：縣名，治所在今重慶市巫山縣大昌鎮東南。孔祥軍《晋書地理志校注》：“魏末屬巴東郡，北井縣泰始五年移屬建平都

尉，咸寧元年屬建平郡。”

[4]秦昌：縣名，治所在今重慶市巫山縣大昌鎮。孔祥軍《晉書地理志校注》：“三國無此縣，今檢《宋志》：‘泰昌令，《晉太康地志》有。’則太康三年已有泰昌縣。又《輿地廣記》卷三十三夔州路同下州大寧監中下大昌縣條：‘本泰昌，晉太康初分秭歸置，屬建平郡。’似太康元年分秭歸置泰昌縣。作‘秦昌’似誤。”

[5]信陵：縣名，治所在今湖北省秭歸縣東南。孔祥軍《晉書地理志校注》：“吴末無此縣，似於武帝平吴後置。”

[6]興山：縣名，治所在今湖北省興山縣北。清畢沅《晉書地理志新補正》：“沅案《太平寰宇記》吴孫休永安三年分秭歸縣之北界立。《沈志》信陵、沙渠亦疑吴所立。”

[7]建始：縣名，治所在今湖北省竹溪縣東。清畢沅《晉書地理志新補正》：“沅案《輿地志》太康元年，分巫、秭歸二縣置建始縣，後改爲大昌縣。《沈志》太康五年省，後復立。”

[8]秭歸：縣名，治所在今湖北省秭歸縣。孔祥軍《晉書地理志校注》：“《左傳·僖公二十六年》杜注有建平秭歸縣，則太康元年建平郡有秭歸縣。”

[9]沙渠：縣名，治所在今湖北省恩施市。孔祥軍《晉書地理志校注》：“吴無此縣，今檢《宋志》：‘沙渠令，《晉起居注》，太康元年立。’則太康元年立沙渠縣。”

宜都郡[1]吴置。統縣三，户八千七百。

夷陵[2]　夷道[3]　佷山[4]

[1]宜都郡：治所在夷陵縣（今湖北省宜昌市東南長江北岸）。清洪亮吉《東晉疆域志》：“宜都郡，《沈志》習鑿齒云魏武平荆州，分南郡、枝江以西爲臨江郡。建安十五年劉備改爲宜都。《水經注》稱王隱《地道》《太康地志》，吴分南郡立宜都郡。《晉書·地理

志》統縣三，東晋同。《沈志》去京水三千七百三十。夷陵，漢舊縣。《沈志》吴改曰西陵。晋武帝太康元年復置。有龍驤水。夷道，漢舊縣。《水經注·江水下》桓温父名彝，改曰西道。《晋書·懷帝紀》永嘉三年，宜都夷道山崩。佷山，漢舊縣。《沈志》晋武帝太康元年改爲興山，後復舊。今考建平郡本有興山，或晋時已併爲一縣。又宜昌縣，晋武帝立。《沈志》云太康永寧地志並無，疑是此後所立也。”

孔祥軍《晋書地理志校注》：“宜都郡治乏考。《續漢志》無宜都郡，今檢《宋志》：‘宜都太守，《太康地志》、王隱《地道》、《何志》並云吴分南郡立。張勃《吴録》云劉備立。按《吴志》，吕蒙平南郡，據江陵，陸遜别取宜都，獲秭歸、枝江、夷道縣。初權與劉備分荆州，而南郡屬備，則是備分南郡立宜都，非吴立也。習鑿齒云，魏武平荆州，分南郡枝江以西爲臨江郡，建安十五年，劉備改爲宜都。’《宋志》所辨宜都郡建置沿革甚詳。又《晋志》下荆州云：‘後漢獻帝建安十三年，魏武盡得荆州之地……分枝江以西立臨江郡。’又《吴志》卷二《孫權傳》：‘（建安二十四年）陸遜别取宜都。’則建安十三年曹操置臨江郡，劉備據之改曰宜都，建安二十四年吴取宜都。《晋志》所謂‘吴置’，誤甚。”

[2]夷陵：縣名，治所在今湖北省宜昌市東南長江北岸。孔祥軍《晋書地理志校注》：“吴末作‘西陵’，今檢《宋志》：‘夷陵令，漢舊縣，吴改曰西陵，晋太康元年復舊。’則晋太康元年復曰夷陵。”

[3]夷道：縣名，治所在今湖北省宜都市。

[4]佷山：縣名，治所在今湖北省長陽土家族自治縣西北。清畢沅《晋書地理志新補正》：“沅案《沈志》晋武帝太康元年，改爲興山，後復舊。”

南平郡[1]吴置，以爲南郡，太康元年改曰南平。統縣四，户七千。

作唐[2]　孱陵[3]　南安[4]　江安[5]



[1]南平郡：治所在江安縣（今湖北省公安縣西北）。清畢沅《晋書地理志新補正》："沅案《沈志》南平郡後治江安。"

清洪亮吉《東晋疆域志》："南平郡，《晋志》吴置，以爲南郡。太康元年改曰南平，領縣四。《沈志》晋武帝太康元年分南郡江南爲南平，郡治作唐，後治江安。去京都水三千五百，無陸。江安，《水經注》杜預克定江南，罷華容置之，謂之江安縣。南郡治吴，以華容之南鄉爲南郡。晋太康元年改爲南平也。案太康元年省華容立江安。《沈志》華容後復立，則與江安並置也。胡三省又謂分孱陵置。《圖經》又云晋改漢縣公安爲江安，並誤。《王廙傳》廙爲馬俊等所襲，奔於江安。孱陵，漢舊縣。《沈志》漢屬武陵。《晋太康地志》屬南平。有上明、沓中。南安，《沈志》晋武帝分江安立。《水經注》又云晋太康元年，分孱陵立南安縣。作唐，漢舊縣。《沈志》後漢屬武陵。《晋太康地志》屬南平。"

清方愷《新校晋書地理志》："《水經注·澧水》篇，澧水又東逕安南縣南，晋太康元年分孱陵立。此作南安，未詳。（寅案《州郡志》亦作南安，云晋武帝分江安立。《水經注》作安南，誤。又云分孱陵立，亦非是。考南安，分南郡之江安，故曰南安，則不當作安南矣！）"

孔祥軍《晋書地理志校注》："據《宋志》：'南平内史……晋太康元年，分南郡江南爲南平郡，治作唐。'則南平郡，治作唐。在今湖南安鄉縣北。吴無南平郡，據上引《宋志》及《晋志》荆州條：'及武帝平吴，分南郡爲南平郡。'則太康元年平吴後，分南郡置南平郡。"

[2]作唐：縣名，治所在今湖南省安鄉縣北。孔祥軍《晋書地理志校注》："《宋志》：'作唐侯相，前漢無，後漢屬武陵，《晋太康

地志》屬南平。'則太康三年南平郡有作唐縣。"

[3]孱陵：縣名，治所在今湖北省公安縣西北。孔祥軍《晋書地理志校注》："據《宋志》：'孱陵侯相，二漢舊縣，屬武陵。'《晋太康地志》屬南平，則太康三年南平郡有孱陵縣。"

[4]南安：縣名，治所在今湖南省華容縣東。清畢沅《晋書地理志新補正》："沅案《沈志》晋武帝分江安立。《水經注》又云太康元年分孱陵立安南縣。"

孔祥軍《晋書地理志校注》："今檢宋本《宋志》：'安南（中華書局標點本《宋書》據成孺《宋書州郡志校勘記》改爲"南安"，誤，胡阿祥《宋書州郡志彙釋》卷三以爲改爲"南安"不妥，是）令，晋武帝分江安立。'宋本《南齊志》南平郡有'安南'，又《永樂大典》卷一萬一千一百四十一所鈔《水經注》：'澧水又東逕安南縣（殿本《水經注》出按語，以爲近刻訛作"安南"而改爲"南安"誤甚，陳橋驛《水經注校釋》從之，亦誤）南，晋太康元年分孱陵立。'當作'安南'。據上引《宋志》《水經注》則太康元年置安南縣，其時似先分孱陵置江安，再分江安置安南，故有《宋志》《水經注》不同之記載，實非矛盾。"

[5]江安：縣名，治所在今湖北省公安縣西北。孔祥軍《晋書地理志校注》："吴無此縣，今檢《宋志》：'江安侯相，晋太康元年立。'又《輿地紀勝》卷六十四荆湖北路江陵府公安縣條引《皇朝郡縣誌》：'晋杜預平江南，置江安縣屬南平郡，宋爲南平郡治所，後改公安。'則太康元年立江安縣。"

武陵郡[1]漢置。統縣十，户一萬四千。

臨沅[2]　龍陽[3]　漢壽[4]　沅陵[5]　黚陽[6]　酉陽[7]　鐔城[8]　沅南[9]　遷陵[10]　舞陽[11]

[1]武陵郡：治所在臨沅縣（今湖南省常德市）。清洪亮吉

《東晋疆域志》:“武陵郡，漢置。東晋領縣九。《沈志》去京都水三千。臨沅，漢舊縣。龍陽，《沈志》稱《晋太康地志》吴立。漢壽，漢舊縣。《沈志》吴曰吴壽，晋武帝復舊。沅陵，漢舊縣。黚陽，《沈志》稱《晋太康地志》有。《元和郡縣志》吴至梁、陳不改。酉陽，漢舊縣。沅南，漢舊縣。遷陵，漢舊縣。舞陽，漢舊縣。《沈志》稱《晋太康地志》有，《晋書·地理志》又有鐔城縣。郭璞《山海經注》浪水出武陵鐔城縣北界。又云鐔城縣今屬武陵。《水經注》無陽縣故鐔成也。晋義熙中改從今名。案無陽、鐔城皆漢舊縣，此云改者，當省鐔成入無陽耳。《元和郡縣志》鐔城縣，安帝省。”

清方愷《新校晋書地理志》:“《州郡志》武陵郡陵太守下有酉陽。本《志》西陽疑即酉陽之誤。（寅案今各本已校正。）舞陽《水經注》作無陽。(寅案《班志》亦作無陽。）”

孔祥軍《晋書地理志校注》:“武陵郡治臨沅，在今湖南常德市。魏無此郡，今檢《宋志》:‘黽陽令……晋末（胡阿祥《宋書州郡志彙釋》卷三以爲當作“晋末”。當作“晋未”，是。）平吴時，峽中立武陵郡，有黽陽、黔陽縣，咸寧元年並省。’黽陽縣當是西晋所立，而黔陽縣本屬吴武陵郡，則細繹此段志文當作‘黽陽令……晋未平吴時，峽中立武陵郡有黽陽縣，咸寧元年並省。’則晋初曾置武陵郡，領黽陽縣，咸寧元年廢。太康元年武帝平吴後，吴武陵郡來屬。吴末武陵郡領縣十，其中辰陽縣，據《輿地廣記》卷二十八荆湖北路下下辰州下辰溪縣條:‘二漢辰陽縣，屬武陵郡，晋省之。’又《記纂淵海》卷十四荆湖北路辰州沅陵縣沿革條:‘辰溪，本漢武陵郡辰陽縣，晋省之。’則其晋初省。其中黔陽縣，《晋志》無載，似於太康元年武帝平吴時廢。晋太康時增置舞陽、黚陽二縣，則領縣十。”

[2]臨沅：縣名，治所在今湖南省常德市。

[3]龍陽：縣名，治所在今湖南省漢壽縣。清畢沅《晋書地理志新補正》:“沅案《何承天志》，吴立。”

［4］漢壽：縣名，治所在今湖南省常德市東北。清畢沅《晋書地理志新補正》："沅案《沈志》吴改名吴壽，晋武帝復舊。"孔祥軍《晋書地理志校注》："吴作'吴壽'，今檢《宋志》：'漢壽侯相……吴曰吴壽，晋武帝復舊。'則似太康元年平吴後改吴壽爲漢壽。"

［5］沅陵：縣名，治所在今湖南省沅陵縣南。

［6］黚陽：縣名，治所在今湖南省洪江市黔城鎮。孔祥軍《晋書地理志校注》："吴無此縣，今檢《宋志》：'黚陽長，二漢無，《晋太康地志》有。'則太康三年前已置黚陽縣，疑是太康元年武帝平吴後置。"

［7］酉陽：縣名，治所在今湖南省永順縣東南。

［8］鐔城：縣名，治所在今湖南省保靖縣南。清畢沅《晋書地理志新補正》："沅案《水經注》晋義熙中改名無陽。《元和郡縣志》又云晋文帝省。"

［9］沅南：縣名，治所在今湖南省常德市西南。

［10］遷陵：縣名，治所在今湖南省保靖縣東北。

［11］舞陽：縣名，治所在今湖南省保靖縣南。孔祥軍《晋書地理志校注》："吴無此縣，今檢《記纂淵海》卷十四荆湖北路沅州盧陽縣沿革：'本漢武陵郡無陽縣，晋置舞陽縣。'又《宋志》：'舞陽令，前漢作無陽，後漢屬，《晋太康地志》有。'則晋太康三年前已置舞陽縣，疑是太康元年武帝平吴後置。"

天門郡[1]吴置。統縣五，户三千一百。

零陽[2]　漊中[3]　充[4]　臨澧[5]　澧陽[6]

［1］天門郡：治所在澧陽縣（今湖南省石門縣）。清洪亮吉《東晋疆域志》："天門郡，吴置。《晋書·孝武帝紀》寧康二年，天門蠻賊攻郡，太守王匪死之。征西將軍桓豁遣師討平之。《太平御

覽》稱《晉中興書》應詹都督天門，武陵群蠻並反，詹誅其魁帥，餘皆降。《晉書·地理志》統縣五，東晉省充縣，增置漊陽縣，亦領縣五。《沈志》去京都水三千五百。澧陽，《水經注》晉太康四年立，天門郡治也。臨澧，《水經注》充縣廢省。臨澧即其地，縣即充縣之故治也。臨側澧水，故爲縣名。晉太康四年置。零陽，漢舊縣。漊中，《沈志》稱《晉太康地志》疑是吴立。《水經注》澧水東逕天郡婁中縣北。溇陽，《水經注》溇水出建平郡東逕溇陽縣南。晉太康中置。"

清方愷《新校晉書地理志》："今本《水經注·澧水》篇，東標零陽，西揭充縣，廢省臨豐，即其地縣。臨封，縣之故治，臨側澧水，即爲縣名。晉太康四年置，案文有訛奪。當云充縣廢省，即其地立臨澧縣，太康四年置。援酈氏意，則不應二縣並列。澧水篇下又云，溇水東逕溇陽縣南，晉太康中置。《州郡志》臨澧、澧陽太康四年立，例與監利等同，詳南郡漊中。《水經注·澧水》篇作婁中。（寅案《州郡志》亦作漊中，云二漢無。《晉太康地志》有漊，酈注作婁，省水旁也。）"

孔祥軍《晉書地理志校注》："天門郡治乏考。《續漢志》無此郡，今檢《吴志》卷三《孫休傳》：'（永安六年）分武陵爲天門郡。'又《宋志》：'天門太守，吴孫休永安六年，分武陵立。'又宋本《寰宇記》卷一百一十八江南西道澧州石門縣條：'吴分三縣置天門郡。'則孫休永安六年分武陵郡置天門郡，太康元年來屬。吴領縣三，太康元年武帝平吴其所領三縣來屬。太康四年增置臨澧、澧陽二縣，領縣五。"

[2]零陽：縣名，治所在今湖南省慈利縣東。

[3]漊中：縣名，治所在今湖南省慈利縣西三官寺。清畢沅《晉書地理志新補正》："沅案《沈志》疑是吴置。"

[4]充：西漢置，治所在今湖南省桑植縣。據朱圣鍾先生考證，充縣和臨澧縣實爲一縣。《水經注·澧水》："充縣廢省，臨澧即其地，縣即充縣之故治，臨側澧水，故爲縣名，晉太康四年置。"宋

本《太平寰宇記》卷一一八《江南西道十六·澧州》載："漢充縣地，屬武陵郡，晋省充縣立臨澧縣，《太康地志》云臨澧屬天門郡。"（參見朱圣鍾《〈晋書·地理志〉正誤一則》，《中國歷史地理論叢》2000年第4期）

[5]臨澧：即充縣。孔祥軍《晋書地理志校注》："吴無此縣，《宋志》：'臨澧，晋武帝太康四年立。'則太康四年置臨澧縣。"

[6]澧陽：縣名，治所在今湖南省石門縣。清畢沅《晋書地理志新補正》："沅案《沈志》臨澧、澧陽俱晋武帝太康四年立。《水經注》澧陽，天門郡治。"孔祥軍《晋書地理志校注》："吴無此縣，《宋志》：'澧陽，晋武帝太康四年立。'則太康四年置澧陽縣。"

長沙郡[1]漢置。統縣十，户三萬三千。

臨湘[2]　攸[3]　下雋[4]　醴陵[5]　劉陽[6]　建寧[7]　吴昌[8]　羅[9]　蒲沂[10]　巴陵[11]

[1]長沙郡：治所在臨湘縣（今湖南省長沙市）。清洪亮吉《東晋疆域志》："長沙郡，秦置。東晋領縣十一。《沈志》去京都水三千三百。臨湘，漢舊縣。郭璞《山海經注》長沙郡臨湘縣，有故陶關。攸，漢舊縣。下雋，漢舊縣。郭璞《山海經注》下雋縣今屬長沙。音昨兖反。有下雋山。醴陵，漢舊縣。瀏陽，《沈志》吴立。建寧，《沈志》吴立。《水經注》又云晋太始中立。吴昌，漢漢昌縣。《沈志》吴更名。羅，漢舊縣。有埤山。蒲圻，吴立。《沈志》又云晋武帝太康元年立。巴陵，吴立。《沈志》《山海經注》洞庭，地穴也，在長沙巴陵，有陶侃城、清水山、青艸湖。巴丘，《水經注》巴丘，山有巴陵故城，本吴之巴丘邸閣城也。晋太康元年立巴丘縣於此，後置建昌郡。案建昌郡成帝咸康元年省。今故附録於此。"

清方愷《新校晋書地理志》："劉陽，《州郡志》瀏陽。本書

《忠義·易雄傳》長沙瀏陽人，當從《州郡志》作‘瀏’。（寅案谷朗碑作劉陽，故省借。）《水經·湘水》篇又北至巴邱山，入於江。注，山有巴陵故城，本吴之巴邱邸閣，晉太康元年立巴邱縣於此。案《州郡志》亦作巴陵，疑太康初作巴邱，後改。《東晉疆域志》分作二縣，似誤。本書《良吏傳》潘京與樂廣同時爲巴邱令。”

孔祥軍《晉書地理志校注》：“長沙郡治臨湘，在今湖南長沙市。太康元年武帝平吴時來屬。吴末領縣十二，太康元年武帝平吴其湘西、連道二縣移屬衡陽郡，茶陵縣移屬湘東郡；所領其他八縣來屬，又增置蒲圻、巴陵二縣，領縣十。元康九年下雋、巴陵二縣移屬建昌郡，領縣八。永嘉元年移屬湘州。”

[2]臨湘：縣名，治所在今湖南省長沙市。

[3]攸：縣名，治所在今湖南省攸縣東北。

[4]下雋：縣名，治所在今湖北省通城縣西北。

[5]醴陵：縣名，治所在今湖南省醴陵市。

[6]劉陽：縣名，治所在今湖南省瀏陽市官渡鎮。孔祥軍《晉書地理志校注》：“《輿地廣記》卷二十六荆湖南路上潭州中瀏陽縣條：‘本漢臨湘縣地，吴置瀏陽縣，屬長沙郡，晉、宋因之。’”

[7]建寧：縣名，治所在今湖南省株洲市西北。清畢沅《晉書地理志新補正》：“沅案《水經注》晉泰始中立。”

[8]吴昌：縣名，治所在今湖南省平江縣東南。

[9]羅：縣名，治所在今湖南省汨羅市北。

[10]蒲沂：縣名，治所在今湖北省嘉魚縣西北長江中。清畢沅《晉書地理志新補正》：“沅案《太平寰宇記》吴黄武二年分沙羨縣置。”孔祥軍《晉書地理志校注》：“吴末無此縣，今檢《宋志》：‘蒲圻男相，晉太康元年立。’《輿地廣記》卷二十七荆湖北路上緊鄂州中蒲圻縣條：‘晉太康元年置，屬長沙郡。’則《晉志》作‘蒲沂’誤，當爲‘蒲圻’。又據上引《宋志》太康元年增置蒲圻屬長沙郡。”

[11]巴陵：縣名，治所在今湖南省岳陽市。清畢沅《晉書地

理志新補正》："沅案《水經注》晋太康元年立巴丘縣於此，後置建昌郡。"孔祥軍《晋書地理志校注》："吴無此縣，今檢《宋志》：'巴陵男相，晋太康元年立，屬長沙。'又《真誥》卷十三'以其叔茂而名地焉'陶弘景小注'巴陵縣，始晋初'。又《水經注》卷三十八：'晋太康元年立巴陵縣。'則晋太康元年置巴陵縣。元康九年移屬建昌郡。"

衡陽郡[1]吴置，故屬長沙。統縣九，户二萬三千。[2]

湘鄉[3]　重安[4]　湘南[5]　湘西[6]　烝陽[7]　衡山[8]　連道[9]　新康[10]　益陽[11]

[1]衡陽郡：治所在湘南縣（今湖南省湘潭市西南）。清洪亮吉《東晋疆域志》："衡陽郡，吴置。東晋領縣九。《沈志》去京都三千七百。湘鄉，漢舊縣。重安，漢舊縣。湘南，漢舊縣。《元和郡縣志》自吴至陳並屬衡陽郡。湘西，《沈志》吴立。《水經注》吴郡治湘南。晋太守何承天徙治湘西矣。案承天爲衡陽内在宋元嘉中，道元云晋，蓋誤。烝陽，漢舊縣。衡山，《元和郡縣志》吴立衡陽縣，晋惠帝改今名。連道，漢舊縣。新康，《水經注》本名新陽，晋太康元年改今名。益陽，漢舊縣。"

清方愷《新校晋書地理志》："《州郡志》衡山，吴立曰衡陽，晋惠帝更名。本《志》列中篇，即曰衡山，似誤。"

孔祥軍《晋書地理志校注》："衡陽郡治湘南，在今湖南湘潭市。太康元年武帝平吴時來屬。《續漢志》無此郡，今檢《吴志》卷三《孫亮傳》：'（太平二年）分長沙東部爲湘東郡，西部爲衡陽郡。'又《宋志》：'衡陽内史，吴孫亮太平二年，分長沙西部都尉立。'則孫亮太平二年分長沙西部都尉立衡陽郡。吴領縣六，太康元年武帝平吴時臨烝縣移屬湘東郡，所領其餘五縣來屬，又重安、烝陽、湘西、連道四縣來屬，領縣九。永嘉元年移屬湘州。"

[2]户二萬三千：三，殿本作“一”。

[3]湘鄉：縣名，治所在今湖南省湘鄉市。

[4]重安：縣名，治所在今湖南省衡陽市北。孔祥軍《晋書地理志校注》：“吴屬零陵郡，今檢《輿地廣記》卷二十六荆湖南路上衡州望衡陽縣條：‘漢鍾武縣地，屬零陵郡，東漢改爲重安，晋、宋以後屬衡陽郡。’則重安縣似於太康元年移屬衡陽郡。”

[5]湘南：縣名，治所在今湖南省湘潭市西南。

[6]湘西：縣名，治所在今湖南省株洲市南。

[7]烝陽：縣名，治所在今湖南省邵東市東南。

[8]衡山：縣名，治所在今湖南省衡山縣南。清畢沅《晋書地理志新補正》：“沅案吴名衡陽，晋惠帝改今名。”孔祥軍《晋書地理志校注》：“今檢《宋志》：‘衡山男相，吴立曰衡陽，晋惠帝更名。’則惠帝時改衡陽爲衡山，《晋志》誤，當作‘衡陽’。”

[9]連道：縣名，治所在今湖南省雙峰縣西北。

[10]新康：縣名，治所在今湖南省寧鄉市西南。清畢沅《晋書地理志新補正》：“沅案《水經注》吴名新陽，晋太康元年改今名。”孔祥軍《晋書地理志校注》：“吴作‘新陽’，今檢《宋志》：‘新康男相，吴曰新陽，晋太康元年更名。’則太康元年更名新康縣。”新康，宋本作“新康令”。

[11]益陽：縣名，治所在今湖南省益陽市東。

湘東郡[1]吴置，故屬長沙。統縣七，户一萬九千五百。

酃[2]　茶陵[3]　臨烝[4]　利陽[5]　陰山[6]　新平[7]　新寧[8]

[1]湘東郡：治所在酃縣（今湖南省衡陽市東）。清洪亮吉《東晋疆域志》：“湘東郡，吴置。《沈志》晋世七縣。孝武太元二十年省酃、利陽、新平三縣。據此則東晋領縣四也。去州水陸七百，

去京都水三千六百。臨烝，《沈志》吴屬衡陽。《晋太康地志》屬湘東。劉昫《舊唐書·地理志》隋改臨烝爲衡陽。《水經注》臨烝即故酃縣也。案《晋書·地理志》湘東郡兼有酃、臨烝兩縣。《沈志》乃僅有臨烝，則東晋省酃縣入臨烝可知。有黑石山、酃水湖。茶陵，漢舊縣。陰山，《沈志》陰山乃是漢舊縣，而屬桂陽。吴湘東郡有此陰山縣，疑是吴所立。新寧，《沈志》吴立。”

清方愷《新校晋書地理志》：“《水經注·湘水》篇臨烝作臨承。又云臨承，即故酃縣也。《州郡志》僅有臨烝，無酃縣，疑祇一縣，前後更名，本《志》不應並立。（寅案《州郡志》云，湘東，吴太平二年分長沙東部立，晋世七縣。孝武太元二十年省酃、利陽、新平三縣。本《志》領縣七，與沈説合。又《州郡志》臨烝，吴屬衡陽，《晋太康地志》屬湘東。是臨烝與酃，太康時二縣並存，酈注誤，不可從。）”

孔祥軍《晋書地理志校注》：“湘東郡治酃，在今湖南衡陽市，太康元年武帝平吴時來屬。《續漢志》無此郡，今檢《吴志》卷三《孫亮傳》：‘（太平二年）分長沙東部爲湘東郡，西部爲衡陽郡。’又《宋志》：‘湘東太守，吴孫亮太平二年，分長沙東部都尉立。’則孫亮太平二年分長沙東部都尉立湘東郡。吴領縣四，太康元年武帝平吴，其所領四縣來屬，又茶陵、臨烝、新寧三縣來屬，領縣七。永嘉元年移屬湘州。”

［2］酃：縣名，治所在今湖南省衡陽市東。

［3］茶陵：縣名，治所在今湖南省茶陵縣東。

［4］臨烝：縣名，治所在今湖南省衡陽市。孔祥軍《晋書地理志校注》：“吴屬衡陽郡，今檢《宋志》：‘臨烝伯相，吴屬衡陽，晋《太康地記》屬湘東。’太康三年湘東郡有臨烝縣，其似於太康元年移屬焉。”

［5］利陽：縣名，治所在今湖南省石門縣一帶。清畢沅《晋書地理志新補正》：“沅案張勃《吴録》有利陽、新平二縣。《續漢·郡國志》無，蓋吴所立。”孔祥軍《晋書地理志校注》：“利陽縣治

乏考。吴作‘梨陽’，今檢《宋志》：‘湘東太守……晉世七縣，孝武太元二十年，省酃、利陽、新平。’沈約自注：‘張勃《吴録》有此二縣，利作梨，晉作利音。’則似入晉後改爲利陽。據《湖南郴州蘇仙橋遺址發掘簡報》（《湖南考古輯刊》第八輯，岳麓書社2009年版）披露簡文所見，惠帝太安年間湘東郡領利陽縣（J101-27），可證確作利陽。”

[6]陰山：縣名，治所在今湖南省攸縣西南。

[7]新平：縣名，治所在今湖南省長寧縣東北。

[8]新寧：縣名，治所在今湖南省長寧縣西南。孔祥軍《晉書地理志校注》：“吴屬桂陽郡，《輿地廣記》卷二十六荆湖南路上衡州中下常寧縣：‘吴分涞陽（當作耒陽）置新寧縣，晉屬湘東郡。’則其似於太康元年來屬。”

零陵郡[1]漢置。[2]統縣十一，户二萬五千一百。[3]

泉陵[4]有香茅，云古貢之以縮酒　祁陽[5]　零陵[6]　營浦[7]　洮陽[8]　永昌[9]　觀陽[10]　營道[11]　舂陵[12]　泠道[13]　應陽[14]東界有鼻墟，云象所封。

[1]零陵郡：治所在泉陵縣（今湖南省永州市）。清洪亮吉《東晉疆域志》：“零陵郡，漢置。東晉分出營陽郡。凡領縣七。《沈志》去州一千四百，去京都水四千八百。泉陵，漢舊縣。郭璞《山海經注》今零陵泉陵縣永正鄉，有鳴石二所，其一狀如鼓，俗因名爲石鼓。《水經注》稱《晉書地道記》泉陵縣有香茅，氣甚芬香，言貢之以縮酒也。祁陽，《沈志》吴立。零陵，漢舊縣。洮陽，漢舊縣。永昌，漢舊縣。觀陽，《沈志》吴立。應陽，《水經注》晉分觀陽立，蓋即應水爲名也。又稱王隱曰，縣本泉陵之北部，東五里有鼻墟，言象所封也。”

清方愷《新校晉書地理志》：“漢舂陵侯徙國南陽，故《州郡志》營陽郡下有春陵，云吴立。本書《忠義·易雄傳》爲春陵令，本《志》作舂陽，誤。又案《隸釋》綏民校尉熊君碑作灌陽長，即本《志》觀陽，古字通。（寅案《州郡志》應陽，晋武帝分觀陽立，本《志》應陽列中篇，似與衡山同一舛誤。）”

孔祥軍《晋書地理志校注》：“據《輿地廣記》卷二十六荆湖南路中永州望零陵縣條：‘本漢泉陵縣，屬零陵郡，東漢爲郡治，晋、宋、齊、梁、陳因之。’則零陵郡治泉陵，在今湖南永州市南。太康元年武帝平吴時來屬。吴末領縣十二，太康元年平吴，其重安、烝陽二縣移屬衡陽郡，所領其他十縣來屬，領縣十。《晋志》又列應陽縣，誤。惠帝時增置應陽縣，領縣十一。永嘉元年移屬湘州。”

［2］漢置：漢，原本作“漢”，宋本、殿本作“吴”，據中華本校勘記從原本。

［3］户二萬五千一百：二，宋本作“三”。

［4］泉陵：縣名，治所在今湖南省永州市。孔祥軍《晋書地理志校注》：“《宋書》卷二十八《符瑞中》：‘晋太康元年三月，白鹿見零陵泉陵。’則太康元年零陵郡有泉陵縣。”

［5］祁陽：縣名，治所在今湖南省祁東縣東南。清畢沅《晋書地理志新補正》：“沅案《沈志》吴立。”

［6］零陵：縣名，治所在今廣西壯族自治區全州縣西南。

［7］營浦：縣名，治所在今湖南省道縣東。

［8］洮陽：縣名，治所在今廣西壯族自治區全州縣北湘江西。

［9］永昌：縣名，治所在今湖南省祁東縣西北。清畢沅《晋書地理志新補正》：“沅案《沈志》吴立。”

［10］觀陽：縣名，治所在今廣西壯族自治區灌陽縣東灌江東岸。清畢沅《晋書地理志新補正》：“沅案《沈志》吴立。”

［11］營道：縣名，治所在今湖南省寧遠縣東。

［12］舂陵：縣名，治所在今湖南省寧遠縣西。原本、宋本作“春陽”，殿本作“舂陽”，據中華本校勘記改。孔祥軍《晋書地理

志校注》："檢《宋志》：'舂陵令，前漢舊縣，舂陵侯徙國南陽，省。吴復立，屬零陵。'"

［13］泠道：縣名，治所在今湖南省寧遠縣東南。

［14］應陽：縣名，治所在今湖南省東安縣蘆洪市鎮。清畢沅《晉書地理志新補正》："沅案《水經注》晉惠帝分觀陽立，蓋即應水爲名也。"孔祥軍《晉書地理志校注》："《宋志》：'應陽男相，晉惠帝分觀陽立。'則惠帝時分觀陽置應陽縣，《晉志》政區斷代爲太康四年，此時不當列應陽縣，誤。"

邵陵郡［1］吴置。統縣六，户一萬二千。

邵陵［2］　都梁［3］　夫夷［4］　建興［5］　邵陽［6］　高平［7］

［1］邵陵郡：治所在邵陵縣（今湖南省邵陽市）。清洪亮吉《東晉疆域志》："邵陵郡，吴置。東晉領縣七。《沈志》去州水七百，陸一千三百，去京都水四千五百。邵陵，《沈志》二漢無。《吴録》屬邵陵。案即兩漢昭陵縣。《沈志》云無，誤。《水經注》縣治郡下。都梁，漢舊縣。武剛，《沈志》晉武帝分都梁立武剛縣。《水經注》作'岡'。夫夷，漢舊縣。郭璞《山海經注》晉太康七年，邵陵扶芎縣檻得一獸，狀如豹文，有二脚，無前兩脚。時人謂之狡。《圖經》夫夷，東晉改曰扶縣。建興，《沈志》晉武帝分邵陵立。邵陽，《元和郡縣志》後漢昭陽縣，晉武帝改爲邵陽。高平，《沈志》吴立。晉武帝太康元年改曰南高平，後更曰高平。"

清方愷《新校晉書地理志》："《州郡志》邵陽吴立，曰昭陽，晉武改。又云邵陵，二漢無。《吴録》屬邵陵。今考《郡國志》漢有昭陽。屬零陵郡。又有昭陵，屬長沙郡，吴因之。至晉武帝避景帝諱，改爲邵陽。邵陵本《志》於凉州張掖郡臨澤下言，漢昭武避景帝諱，改此郡。何獨無注。又《州郡志》高平，吴立，晉太康元年改曰南高平，後更曰高平。又《州郡志》邵陵太守下，武剛令，晋武分都梁立。《水經注·資水》篇武剛縣左右二岡，舊傳後漢五溪蠻保此岡，故曰武岡縣即其稱焉。（寅案零陵列應陽而邵陵不列武岡，此可見《晋志》之疏。）”

孔祥軍《晋書地理志校注》：“邵陵郡治乏考，太康元年武帝平吴時來屬。《續漢志》無此郡，據《吴志》卷三《孫皓傳》：‘（寶鼎元年）以零陵北部爲邵陵郡。’又《宋志》：‘邵陵太守，吴孫皓寶鼎元年分零陵北部都尉立。’又宋本《寰宇記》卷一百一十五江南西道邵州條：‘《吴志》云：“寶鼎元年分零陵北部立爲邵陵郡”。’則孫皓寶鼎元年分零陵郡北部都尉置邵陵郡，吴氏《考證》卷八以爲司馬氏避‘昭’諱，孫皓所立當作‘昭陵郡’。晋初平吴後，方改爲‘邵陵郡’。陳壽由後言之，故曰‘邵陵’。今遍檢文獻均作‘邵陵郡’。又《吴志》卷十《蔣欽傳》：‘以經拘、昭陽爲（蔣欽）奉邑。’昭陽縣入晋後改名邵陽縣，不知陳壽此處爲何没有由後言之作‘以經拘、邵陽爲（蔣欽）奉邑。’故吴所立確當作‘邵陵郡’。吴領縣六，太康元年武帝平吴所領六縣來屬，又置建興縣，領縣七，《晋志》領縣六，誤，闕載新縣。新縣吴屬邵陵郡，今檢宋本《寰宇記》卷一百一十五江南西道邵州邵陽縣條：‘古新縣，城在縣東九十里，吴置，晋永嘉中併入邵陽縣，其城廢。’則晋時邵陵郡有新縣，當補。新縣治所在今湖南邵東縣東。永嘉元年移屬湘州。”

[2]邵陵：縣名，治所在今湖南省邵陽市。孔祥軍《晋書地理志校注》：“吴作‘昭陵’，今檢《記纂淵海》卷十三荆湖南路寶慶府邵陽縣沿革條：‘晋改昭陵爲邵陵。’則似太康元年改昭陵縣爲邵陵縣。”

[3]都梁：縣名，治所在今湖南省武岡市東北。清畢沅《晋書地理志新補正》：“沅案晋武帝分立武岡縣，今此《志》不載，蓋後省，至宋時復立也。”

[4]夫夷：縣名，治所在今湖南省邵陽縣西。孔祥軍《晋書地

理志校注》："《宋志》：'扶縣令，漢舊縣，至晋曰夫夷。漢屬零陵。'晋屬邵陵，則太康元年後邵陵郡有夫夷縣。"夫，殿本作"天"。

[5]建興：縣名，治所在今湖南省武岡市東北。清畢沅《晋書地理志新補正》："沅案晋武帝分邵陵立。"孔祥軍《晋書地理志校注》："吴無此縣，今檢《宋志》：'建興男相，晋武帝分邵陵立。'則似太康元年分邵陵立建興縣，當屬邵陵郡。"

[6]邵陽：縣名，治所在今湖南省邵東市東。清畢沅《晋書地理志新補正》："沅案吴曰昭陽，晋武帝改今名。"孔祥軍《晋書地理志校注》："吴作'昭陽'，今檢《宋志》：'邵陽男子，吴立曰昭陽（《續漢志》零陵郡有昭陽縣，此"吴立曰昭陽"，顯誤，中華書局標點本《宋書》失校），晋武改。'又《記纂淵海》卷十三荆湖南路寶慶府邵陽縣沿革條：'晋改昭陵爲邵陵，又改昭陽爲邵陽。'則似太康元年改昭陽爲邵陽。"

[7]高平：縣名，治所在今湖南省隆回縣東北。清畢沅《晋書地理志新補正》："沅案《沈志》吴立，晋武帝太康元年改曰南高平，後更曰高平。"孔祥軍《晋書地理志校注》："《宋志》：'高平男相，吴立，晋太康元年，改曰南高平，後更曰高平。'則太康元年改高平爲南高平，後又改爲高平。"

桂陽郡[1]漢置。統縣六，户一萬一千三百。[2]

郴[3]項羽封義帝之邑。　耒陽[4]　便[5]　臨武[6]　晋寧[7]　南平[8]

[1]桂陽郡：治所在郴縣（今湖南省郴州市）。清洪亮吉《東晋疆域志》："桂陽郡，漢置。東晋領縣八。《沈志》去州水一千四百，去京都水四千九百四十。郴，漢舊縣。《元和郡縣志》晋省便入郴縣。汝城，《元和郡縣志》東晋分郴縣立。平陽，《元和郡縣

志》陶侃分郴縣立。耒陽，漢舊縣。臨武，漢舊縣。晋寧，《水經注》魏寧故陽安也，晋太康元年改爲晋寧縣。南平，漢舊縣。陽山，《元和郡縣志》後漢省，晋重立。"

清畢沅《晋書地理志新補正》："沅案《沈志》江左復立汝成縣。"

清方愷《新校晋書地理志》："《元和志》晋省，便入郴縣。"

孔祥軍《晋書地理志校注》："桂陽郡治郴，在今湖南郴州市。太康元年來屬。吴末領縣七，太康元年武帝平吴後其新寧縣移屬湘東郡，領縣六。元康元年移屬江州。據《湖南郴州蘇仙橋遺址發掘簡報》（《湖南考古輯刊》第八輯）披露簡文所見，惠帝太安年間江州桂陽郡領縣有：便（J10 1-1）、晋寧（J10 1-2）、臨武（J10 1-9）、耒陽（J10 1-37）、郴（J10 1-40）、南平（J10 2-68），與此合。"

[2]户一萬一千三百：三，原本、宋本作"二"，殿本作"三"，據殿本改。

[3]郴：縣名，治所在今湖南省郴州市。

[4]耒陽：縣名，治所在今湖南省耒陽市。

[5]便：縣名，治所在今湖南省永興縣。清畢沅《晋書地理志新補正》："沅案《元和郡縣志》晋省入郴縣。"

[6]臨武：縣名，治所在今湖南省臨武縣東。

[7]晋寧：縣名，治所在今湖南省資興市南。清畢沅《晋書地理志新補正》："沅案漢順帝永和元年立，曰漢寧，吴改陽安。晋武帝太康元年復改今名。"孔祥軍《晋書地理志校注》："吴作'陽安'，今檢《宋志》：'晋寧令，漢順帝永和元年立，曰漢寧，吴改曰陽安，晋太康元年改曰晋寧。'則太康元年改陽安縣爲晋寧縣。"

[8]南平：縣名，治所在今湖南省藍山縣東北。

武昌郡[1]吴置。統縣七，户一萬四千八百。[2]

武昌[3]故東鄂也。楚子熊渠封中子紅於此。[4] 柴桑[5]有湓口關。[6] 陽新[7] 沙羡[8]有夏口，對沔口，有津。 沙陽[9] 鄂[10]有新興、馬頭鐵官。 官陵[11]

[1]武昌郡：治所在武昌縣（今湖北省鄂州市鄂城區）。清洪亮吉《東晋疆域志》："武昌郡，吴置。東晋領縣六。《沈志》《晋起居注》太康元年改江夏爲武昌郡，去京都水一千一百。武昌，《沈志》魏文帝黄初三年，孫權改鄂爲武昌。《晋書・穆帝紀》永和七年，桓温率衆北伐，師次於武昌。《水經注》惠帝永平中始置江州。傅綜爲刺史治此城，後太尉庾亮之所鎮也。《通典》東晋時謝尚、庾翼並屯守於此。有吴大帝城、西塞磯、樊溪、峥嶸洲、五丈湖、釣臺、夷市。陽新，《沈志》吴立。《圖經》稱《武昌記》下雉縣，晋義熙中併入陽新。沙羡，案此繫武帝太康元年别立，非漢舊縣。有夏口、魯山城、偃月壘。沙陽，《水經注》沙陽縣本江夏之沙羡，晋太康中曰沙陽縣。《通典》亦云晋武改沙羡爲沙陽。今考《沈志》二漢舊縣，本名沙羡，屬武昌。晋武帝太康元年更名，又立沙縣，而沙陽徙今所治。故《晋書・地理志》亦並列沙縣、沙陽二縣，今從之。鄂，漢舊縣。《沈志》吴改鄂爲武昌。晋武帝太康元年復立鄂縣，而武昌如故。《水經注》稱《晋太康地志》曰此爲東鄂也。官陵，《晋書・地理志》有。"

清畢沅《晋書地理志新補正》："沅案《晋起居注》太康元年，改江夏爲武昌郡。今考《吴志》權分江夏立武昌郡，晋平吴後江夏、武昌二郡亦並立，安得云改江夏爲武昌乎？《起居注》蓋誤。"

清方愷《新校晋書地理志》："案《州郡志》太康元年省蕲春郡，以尋陽屬武昌，改蕲春之安豐爲高陵，及邾縣皆屬武昌。二年以武昌之尋陽復屬廬江郡。本《志》尋陽既隸廬江，當斷自太康二年以後，何以邾縣、高陵不列此郡？（互見豫州安豐郡下。）"

孔祥軍《晋書地理志校注》："武昌郡治武昌，在今湖北鄂城市西。吴末無武昌郡，今檢《宋志》：‘武昌太守，《晋起居注》：太康元年，改江夏爲武昌郡。’則太康元年平吴後，改吴之江夏郡部分領縣爲武昌郡。《晋志》所謂‘吴置’，誤。尋陽縣吴屬蘄春郡，《晋志》屬揚州廬江郡。今檢《宋志》：‘尋陽太守，尋陽本縣名……吴立蘄春郡，尋陽縣屬焉。晋太康元年，省蘄春郡，以尋陽屬武昌……二年以武昌之尋陽復屬廬江郡。’則其太康元年屬武昌郡，二年移屬廬江郡。故武昌郡初置時當領武昌、柴桑、陽新、沙羡、沙陽五縣，邾、高陵、尋陽三縣來屬，領縣八，太康二年尋陽縣移屬廬江郡，領縣七。元康元年移屬江州。”

[2]户一萬四千八百：八，原本、宋本作“三”，殿本作“八”，據殿本改。

[3]武昌：縣名，治所在今湖北省鄂州市鄂城區。

[4]熊渠：西周時楚國國君，芈姓，熊氏，名渠。熊繹四世孫，時值周夷王在位，王室衰微，乃擴土稱王。周厲王時，懼王室征伐，去王號。

[5]柴桑：縣名，治所在今江西省九江市西南。

[6]湓口關：湓，原本、宋本作“盆”，殿本作“湓”，據殿本改

[7]陽新：縣名，治所在今湖北省陽新縣西南。

[8]沙羡：縣名，治所在今湖北省武漢市江夏區金口街道。清畢沅《晋書地理志新補正》：“沅案《太平寰宇記》晋太康元年，改沙羡爲沙陽縣。案沈約《宋志》後復立沙羡縣，而沙陽徙今所置。《通典》東晋汝南郡流人寓於夏口，因僑立汝南郡，此又爲汝南縣焉。晋末改爲江夏縣。”孔祥軍《晋書地理志校注》：“吴末無此縣，今檢《宋志》：‘沙陽男相，二漢舊縣，本名沙羡，屬武昌，晋太康元年更名，又立沙羡。’則太康元年增置沙羡縣。”

[9]沙陽：縣名，治所在今湖北省嘉魚縣東北。孔祥軍《晋書地理志校注》：“吴末作‘沙羡’，今檢《宋志》：‘沙陽男相，二漢舊縣，本名沙羡，屬武昌，晋太康元年更名，又立沙羡。’則太康

元年改沙羡爲沙陽。"

[10]鄂：縣名，治所在今湖北省鄂州市鄂城區。孔祥軍《晋書地理志校注》："今檢《宋志》：'吴立蘄春郡，尋陽縣屬焉。晋太康元年，省蘄春郡，以尋陽屬武昌，改蘄春之安豐爲高陵，及邾縣，皆屬武昌。'則太康元年來屬者爲邾縣。又據《吴志》卷二《孫權傳》：'（黄初）二年四月，劉備稱帝於蜀，（孫）權自公安都鄂，改名武昌。'則吴時鄂縣已改爲武昌縣，《晋志》作'鄂'誤，明爲'邾'之訛。"

[11]官陵：縣名，治所在今湖北省鄂州市鄂城區一帶。孔祥軍《晋書地理志校注》："今檢《宋志》：'吴立蘄春郡，尋陽縣屬焉。晋太康元年，省蘄春郡，以尋陽屬武昌，改蘄春之安豐爲高陵，及邾縣，皆屬武昌。'則太康元年高陵縣來屬，《晋志》作'官陵'誤，當作'高陵'。"

安成郡[1]吴置。統縣七，户三千。

平都[2]　宜春[3]　新諭[4]　永新[5]　安復[6]　萍鄉[7]　廣興[8]

[1]安成郡：治所在平都縣（今江西省安福縣東南）。清洪亮吉《東晋疆域志》："安成郡，吴置。東晋領縣七。《沈志》去州水三千三百，陸三千六百，去京都水三千七百，無陸。《太平寰宇記》稱《晋書》曰元康元年，朱居爲太守，築郡城。郭内有雙闕，高數丈。又稱《輿地志》凡闊八里，置八門，即此城。又稱《安成記》，殷仲堪爲安成太守，於郡西大池上築室讀書，今遺地尚存，頗存勝境。平都，漢舊縣。有司馬道子墓。宜陽，漢宜春縣。《元和郡縣志》漢屬豫章郡。晋平吴後屬荆州。東晋以來屬江州。《太平寰宇記》東晋避鄭太后諱改今名。又稱《晋書地道記》曰縣出美酒，隨歲舉上供，刺史親付計吏。有鐘山、昌山。新喻，《沈志》

吴立。永新，《沈志》吴立。安復，漢安成縣。《沈志》晉武帝太康元年更名，屬長沙。《太平寰宇記》稱王烈之《安成記》縣本有兩鄉，漢縣理西鄉，吴移東鄉，至晉武改曰安福城。案《沈志》漢安成縣，晉武帝太康元年更名安復。《舊唐書·地理志》安復後改爲安福，據此則安復又改安福未知何時。王烈之記云，晉武改爲安福疑誤。《水經注》攸水出安城郡安復縣。萍鄉，《沈志》吴立。有石姥山。廣興，《沈志》稱《晉太康地志》有此縣，何云江左立？非也。”

清方愷《新校晉書地理志》：“新諭，《州郡志》作新喻。又《州郡志》安復本名安成，晉武帝太康元年更名，屬長沙。據此則太康初安復不應屬此郡。（寅案《郡國志》長沙下有安城，吴立，安成郡當治安成縣。晉太康初改安復，無由復屬長沙。疑《沈志》當云本名安城，屬長沙，晉武帝太康元年更名也。今文似有倒誤。）”

孔祥軍《晉書地理志校注》：“安成郡治乏考。安成郡吴時屬揚州，今檢《晉志》：‘及武帝平吴……以揚州之安成郡來屬（荆州）。’則太康元年後安成郡移屬荆州。《續漢志》無此郡，今檢《吴志》卷三《孫皓傳》：‘（寶鼎二年）分豫章、廬陵、長沙爲安成郡。’又據《寰宇記》卷一百零九江南西道吉州條引《地志》：‘吴分豫章之新喻、宜春，廬陵之平都、永新，長沙之安成、萍鄉，六縣爲安成郡。’則孫皓寶鼎二年置安成郡，吴領縣六，太康元年增置廣興縣，領縣七。元康元年移屬江州。”

［2］平都：縣名，治所在今江西省安福縣東南。清畢沅《晉書地理志新補正》：“沅案王烈之《安城記》云，縣本有兩鄉，漢縣理西鄉，吴移至東鄉，至晉武改曰安福城。”

［3］宜春：縣名，治所在今江西省宜春市。清畢沅《晉書地理志新補正》：“沅案《晉書》後避鄭太后諱，改名宜陽。”

［4］新諭：縣名，治所在今江西省新余市南。

［5］永新：縣名，治所在今江西省永新縣西。

[6]安復：縣名，治所在今江西省安福縣西。孔祥軍《晋書地理志校注》："吴作'安成'，今檢《宋志》：'安復侯相，漢舊縣，本名安成，晋太康元年更名。'則太康元年安成縣改名安復縣。"

[7]萍鄉：縣名，治所在今江西省蘆溪縣。

[8]廣興：縣名，治所在今江西省蓮花縣南。孔祥軍《晋書地理志校注》："吴無此縣，今檢《宋志》：'廣興侯相，《晋太康地志》有。'則太康三年已置廣興縣，疑太康元年武帝平吴時置。"

惠帝分桂陽、武昌、安成三郡立江州，[1]以新城、魏興、上庸三郡屬梁州，[2]又分義陽立隨郡，[3]分南陽立新野郡，[4]分江夏立竟陵郡。[5]懷帝又分長沙、衡陽、湘東、零陵、邵陵、桂陽及廣州之始安、始興、臨賀九郡置湘州。[6]時蜀亂，又割南郡之華容、州陵、監利三縣，别立豐都，合四縣置成都郡，[7]爲成都王穎國，居華容縣。愍帝建興中，併還南郡，亦併豐都於監利。元帝渡江，又僑立新興、[8]南河東二郡。[9]穆帝時，又分零陵立營陽郡，[10]以義陽流人在南郡者立爲義陽郡。又以廣州之臨賀、始興、始安三郡及江州之桂陽，[11]益州之巴東，合五郡來屬，以長沙、衡陽、湘東、零陵、邵陵、營陽六郡屬湘州。桓温又分南郡立武寧郡。[12]安帝又僑立南義陽、東義陽、長寧三郡。義熙十三年，省湘州，[13]長沙、衡陽、湘東、零陵、邵陵、營陽還入荆州。[14]

[1]江州：治所在南昌縣（今江西省南昌市）。清洪亮吉《東晋疆域志》："江州，《晋書·地理志》惠帝元和元年，有司奏荆、揚二州疆土廣遠，統理尤難。於是割揚州之豫章、鄱陽、廬陵、臨

川、南康、建安、晋安荆州之武昌、桂陽、安成合十郡，因江水之名而置江州。案《水經注》惠帝永平中始置江州。《元和郡縣志》有司奏分江州在元康元年，定立江州則在二年也。永興元年又分廬江之尋陽、武昌之柴桑二縣置尋陽郡，屬江州。凡領舊郡十、增置郡一、縣八十八。案《太平寰宇記》云元帝過江始置江州，誤。《衛恒傳》族弟展永嘉中已爲江州刺史矣。州治，《沈志》初治豫章，成帝咸康六年移治尋陽。庾悦又治豫章，尋還尋陽。《元和郡縣志》晋惠帝元康二年，于豫章郡理立江州。東晋元帝時，江州自豫章移理武昌郡。自後或理湓城，或理潯陽，或理半州，並在盤城側近。《太平寰宇記》晋成帝咸康元年，移江州理湓城，即今尋陽郡是也。晋初理在江北岸，地名蘭城，温嶠爲守之日移於此。”

[2]以新城、魏興、上庸三郡屬梁州：孔祥軍《晋書地理志校注》：“《宋志》：‘江州刺史，晋惠帝元康元年，分揚州之豫章、鄱陽、廬陵、臨川、南康、建安、晋安，荆州之武昌、桂陽、安成十郡爲江州。’則惠帝元康元年安昌、桂陽、安成三郡移屬江州。據《晋志》：‘懷帝又分長沙、衡陽、湘東、零陵、邵陵、桂陽及廣州之始安、始興、臨賀九郡置湘州。’其時桂陽已移屬湘州，則《晋志》似誤。吴氏《斠注》據《華陽國志》以爲三郡移屬梁州當在元康六年。”

[3]分義陽立隨郡：清畢沅《晋書地理志新補正》：“沅案《陶稱傳》庾亮以稱監江夏隋義陽三郡軍事。”孔祥軍《晋書地理志校注》：“錢氏《考異》卷十九據《晋書・隨穆王傳》、《宋志》以爲晋武帝時分義陽立隨郡，吴氏《斠注》引《元和志》以爲晋武帝太康九年分義陽立隨郡。”

[4]新野郡：治所在新野縣（今河南省新野縣）。清畢沅《晋書地理志新補正》：“沅案盛弘之《荆州記》在元康九年。新野郡，《水經注》咸寧三年封大司馬扶風武王少子歆爲新野郡公，割南陽五屬棘陽、蔡陽、穰、鄧、山都封焉。今考《晋書・地理志》棘陽等五縣皆屬義陽郡，而酈注云分南陽置，知泰始中立義陽郡止有安

昌、平林、平氏、義陽四縣。闞駰《十三州志》所記爲得其實也。《沈志》無棘陽、蔡陽、鄧縣。領縣五。去京都水四千五百八十。郭璞《山海經注》朝陽縣今屬新野。新野，漢舊縣。《地形志》晋屬義陽，後屬。有涅水。棘陽，漢舊縣。《沈志》稱《晋太康地志》屬義陽。蔡陽，漢舊縣。穰，漢舊縣。《地形志》晋屬義陽，後屬。有六門堨。鄧，漢舊縣。《史記正義》稱《晋太康地理志》周宣王舅所封，故鄧城在襄州安養縣北二十里，春秋之鄧國。莊公六十年，楚文王滅之。服虔曰，鄧，曼姓。案《晋書·地理志》義陽郡有鄧縣，襄陽郡復有鄧城，縣疑誤。山都，漢舊縣《沈志》稱《太康地志》屬襄陽，案蓋惠帝時移屬。有交湖、漆灘。"

［5］分江夏立竟陵郡：清洪亮吉《東晋疆域志》："竟陵郡，《水經注》晋惠帝元康九年，分江夏西部置竟陵郡，治石城。東晋領縣四。《沈志》去京都水三千四百。案《晋志》舊江州督荆州之竟陵郡，及何無忌爲刺史，表以竟陵去州遼遠，去江陵三百里。荆州所立綏安郡，人户入境，欲資此郡助江濱戍防，以竟陵郡還荆州。據此則竟陵曾屬江州也。《晋書》太和二年，慕容暐將慕容塵寇竟陵，太守羅崇擊破之。太元六年苻堅遣其襄陽太守閻震寇竟陵，襄陽太守桓石虔討擒之。竟陵，漢舊縣。案《太平寰宇記》云晋武帝改竟陵爲長壽縣，屬竟陵郡。《通典》晋宋以來爲長壽縣。今考《沈志》長壽令，宋明帝泰始六年分立。李吉甫亦云，宋分竟陵縣置，則云晋置長壽者誤也。且宋分置長壽與竟陵縣並立，亦非改竟陵爲長壽，樂史誤明甚，今不取。有石城、沔陽城、管城、甑山、激水、巾水戍、楊口壘。南新市，漢舊縣。雲杜，漢舊縣。有鄖城、豬口、横桑口。宵城，《水經注》溾水又東南流，注宵城縣南太湖。新陽，《水經注》竟陵郡有新陽縣，縣治雲杜故城，分雲杜立。案上二縣《沈志》並云《永初郡國》有，疑晋末所置也。"孔祥軍《晋書地理志校注》："畢氏《新補正》引盛弘之《荆州記》以爲元康九年復置新野郡，今遍檢文獻，未見引文，不知畢氏所據何書。今檢《寰宇記》卷一百四十四山南東道復州景陵縣條：'盛

弘之《荆州記》云：晋元康九年分江夏郡置竟陵郡，而縣屬焉。'則畢氏或誤據此條，亦未可知。又據《宋志》：'竟陵太守，晋惠帝元康九年分江夏西界立。'元康九年增置竟陵郡。據《水經注》卷二十八：'沔水又南逕石城西，城因山爲固，晋太傅羊祜鎮荆州立。晋惠帝元康九年分江夏西部置竟陵郡，治此。'《輿地廣記》卷二十七荆州北路上復州下沔陽縣條：'漢雲杜縣地……雲杜城，在縣西北。又有石城，在西南……晋惠帝始置竟陵郡，治此。'則竟陵郡治雲杜石城，領雲杜、竟陵二縣。又據《宋志》：'建昌郡，晋惠帝元康九年，分長沙東北下雋諸縣立，成帝咸康元年省。'則元康九年增置建昌郡。領下雋、巴陵二縣。"　竟陵郡：治所在石城縣（今湖北省鍾祥市）。

［6］湘州：治所在臨湘縣（今湖南省長沙市）。清勞格《晋書校勘記》："《州郡志》云，湘州，晋懷帝分荆州之長沙、衡陽、湘東、邵陵、零陵、營陽、建昌江州之桂陽立，無始安等三郡，與此異。按《宋志》是也。《譙閔王承傳》有建昌太守長沙王循（《陶瞻傳》'歷廬江建昌二郡太守'）。又云，零陵太守尹奉出軍營陽，是湘州有建昌、營陽二郡之證。然二郡置廢本末《晋志》。考《州郡志》，建昌郡，晋惠帝元康九年，分長沙東北下雋諸縣立。成帝咸康元年省。《晋志》殆以其不久即省，故略而不載乎！《懷帝紀》永嘉元年八月，分荆州江州八郡爲湘州，與《州郡志》合。清周家禄《晋書校勘記》：按《成帝紀》咸和四年，有'以湘州并荆州'文。《安帝紀》義熙八年，有'分荆州十一郡置湘州'文，《志》皆不載，疑誤脱。中間既無湘州，何有屬郡？又疑有誤文也。"清洪亮吉《東晋疆域志》："湘州，《晋書·地理志》懷帝分長沙、衡陽、湘東、零陵、邵陵、桂陽及廣川之始安、始興、臨賀九郡置湘州。《元和郡縣志》懷帝分荆州、湘中諸郡置湘州，南以五嶺爲界，北以洞庭爲界。穆帝時又分零陵立營陽，而臨賀、始興、始安、桂陽四郡移屬荆州。以長沙、衡陽、湘東、零陵、邵陵、營陽六郡屬湘州。案《沈志》云晋懷帝永嘉元年，分荆州之長沙、衡陽、湘

東、邵陵、零陵、營陽、建昌江州之桂陽八郡立，治臨湘。成帝咸和四年省。安帝義熙八年復立。十二年又省。今考營陽郡，《晋書·地理志》穆帝分零陵置。《沈志》營陽太守下亦云江左分零陵立。而湘州下乃云懷帝時已有營陽郡，失其實矣。今以穆帝時所分六郡爲準。《沈志》又云建昌郡，晋惠帝元康九年，分長沙東北下雋諸縣立。成帝咸康元年省。今亦不録。凡統舊郡五、增置郡一、縣四十二。州治，《水經注》晋懷帝以永嘉元年分荆州、湘中諸郡立湘州，治長沙城内。"孔祥軍《晋書地理志校注》："《宋志》：'湘州刺史，晋懷帝永嘉元年，分荆州之長沙、衡陽、湘東、邵陵、零陵、營陽、建昌，江州之桂陽八郡立，治臨湘。'《晋書》卷五《孝懷帝紀》：'（永嘉元年八月）分荆州、江州八郡爲湘州。'《宋志》、《晋書·懷帝紀》同。錢氏《考异》卷二十三以爲營陽郡《晋志》載穆帝立，此《（宋）志》亦云江左分零陵立，懷帝時不應有營陽矣。則永嘉元年六郡移屬湘州。"

[7]又割南郡之華容、州陵、監利三縣，别立豐都，合四縣置成都郡：按，此句中華本標點爲："又割南郡之華容、州陵、監利三縣别立豐都，合四縣置成都郡。"這樣標點意爲：割華容、州陵、監利三縣合併爲豐都縣，而據"合四縣置成都郡"意，此處應該標點爲"又割南郡之華容、州陵、監利三縣，别立豐都"，即以華容、州陵、監利、豐都四縣置成都郡。成都郡，東晋僑置郡，治所在華容縣（今湖北省監利市西北）。

[8]新興：東晋僑置郡，治所在廣牧縣（今湖北省江陵縣東）。

[9]南河東：東晋僑置郡，治所在松滋縣（今湖北省松滋市西北）。清畢沅《晋書地理志新補正》："沅案《沈志》南河東太守，晋成帝咸康三年，征西將軍庾亮以司州僑立。據此，則南河東成帝時始立。此云元帝似誤。"

[10]又分零陵立營陽郡：清洪亮吉《東晋疆域志》："營陽郡，《晋書·地理志》穆帝分零陵立營陽郡。領縣四。《沈志》去州水一千七百一，去京都水五千五百五十。營浦，漢舊縣。營道，漢舊

縣。郭璞《山海經注》今湘水出零陵營道縣陽朔山入江。又云嶷山今在零陵營道縣南。春陵，漢舊縣。《沈志》春陵侯徙國南陽，省，吴復立，屬零陵。泠道，漢舊縣。”清畢沅《晋書地理志新補正》：“沅案《沈志》營陽，江左分零陵立。《桓玄傳》封十郡爲楚王，亦有營陽郡。”

［11］廣州之臨賀、始興、始安三郡：清周家禄《晋書校勘記》：“按三郡自懷帝以來屬湘州，不當仍繫廣州。”

［12］武寧郡：治所在樂鄉縣（今湖北省鍾祥市西北樂鄉關）。中華本校勘記：“據《桓玄傳》及《宋志》三，立武寧郡乃桓玄。”清畢沅《晋書地理志新補正》：“沅案《桓玄傳》移沮漳蠻三千户於江南，立武寧郡。《沈志》同。《太平寰宇記》晋安帝隆安五年荆州刺史桓玄立武寧郡于故編縣城。《沈志》武寧郡有樂鄉令長林男相，俱晋安帝立。按此志言桓温置武寧，誤。當以《玄傳》及《沈志》爲正。《玄傳》又云召集流人立綏安郡。”清洪亮吉《東晋疆域志》：“武寧郡，《晋書·地理志》桓温又分南郡立武寧郡。《桓玄傳》玄移沮漳蠻二千户於江南，立武寧郡。《沈志》同。《太平寰宇記》晋安帝隆安五年，刺史桓玄立武寧郡于故編縣城。其屬有長林縣，與郡俱立。分編縣所置也。《元和郡縣志》亦云晋安帝置武寧郡，則《地理志》桓温宜作桓玄爲是。領縣二。長林，《太平寰宇記》晋安帝隆安五年分編縣立。又稱盛弘之《荆州記》云當陽縣東有櫟林、長坂。昔時武寧至樂鄉八十里中，拱樹修竹，隱天蔽日，長林蓋取名于此。有章山。樂鄉，《元和郡縣志》晋安帝於都縣地置樂鄉縣，屬武寧郡。《太平寰宇記》又云晋隆安五年分宜城置樂鄉縣，屬武寧郡。案《庾翼傳》咸康八年春，翼上表請據樂鄉，蓋是時雖未立縣，而吴時樂鄉城尚在，實爲要地也。《水經注》江水又逕南平郡孱陵縣之樂鄉城北，吴陸抗所築，後王濬攻之，獲吴水軍督陸景于此渚也。據數説，則樂鄉一縣，當得都、孱陵、宜城此三縣地可知。有巴山。”

［13］省湘州：孔祥軍《晋書地理志校注》：“此句叙述湘州沿革

脱落甚多。錢氏《考異》卷十九據《宋志》以爲湘州晋成帝咸和三年廢。安帝義熙八年復立，十二年又廢。”

[14]長沙：原本、宋本、殿本“長沙”前有“置”字，王鳴盛《十七史商榷》卷四十六“晋地理辯證”以爲“置長沙”之“置”字爲衍文。

揚州。案《禹貢》淮海之地，舜置十二牧，則其一也。《周禮》：“東南曰揚州。”《春秋元命包》云：“牽牛流爲揚州，[1]分爲越國。”[2]以爲江南之氣躁勁，厥性輕揚。亦曰，州界多水，水波揚也。於古則荒服之國，[3]戰國時其地爲楚分。秦始皇并天下，以置鄣、會稽、九江三郡。項羽封英布爲九江王，盡有其地。漢改九江曰淮南，即封布爲淮南王。六年，分淮南置豫章郡。十一年，布誅，立皇子長爲淮南王，封劉濞爲吴王，二國盡得揚州之地。文帝十六年，分淮南立廬江、衡山二郡。景帝四年，封皇子非爲江都王，并得鄣、會稽郡，而不得豫章。武帝改江都曰廣陵，封皇子胥爲王而以屬徐州。[4]元封二年，改鄣曰丹楊，改淮南復爲九江。後漢順帝分會稽立吴郡，揚州統會稽、丹楊、吴、豫章、九江、廬江六郡，省六安并廬江郡。獻帝興平中，孫策分豫章立廬陵郡。[5]孫權又分豫章立鄱陽郡，分丹楊立新都郡。孫亮又分豫章立臨川郡，分會稽立臨海郡。孫休又分會稽立建安郡。孫皓分會稽立東陽郡，[6]分吴立吴興郡，分豫章、廬陵、長沙立安成郡，分廬陵立廬陵南部都尉，[7]揚州統丹楊、吴、會稽、吴興、新都、東陽、臨海、建安、豫章、鄱陽、臨川、安成、廬陵、南部十四郡。江西廬江、九江之地，自合肥之北至壽春悉屬魏。及晋平吴，以安成屬荆州，分丹楊之宣城、[8]宛陵、[9]陵陽、[10]安吴、[11]涇、[12]廣德、[13]寧國、[14]懷安、[15]石城、[16]臨城、[17]春穀十一縣立宣城郡，[18]理宛陵，改新都曰新安郡，改廬陵南部爲南康郡，分建安立晋安郡，[19]又分丹楊立毗陵郡。[20]揚州合統郡十八，[21]縣一百七十三，户三十一萬一千四百。

[1]牽牛：星宿名。二十八宿之一，玄武七宿的第二宿。有星六顆。

[2]分爲越國：爲，宋本作“以”。

[3]於古則荒服之國：宋本作“於古服荒服之國”。

[4]皇子胥：劉胥，漢武帝之子，封廣陵王。好游樂，無法度，曾使女巫咒昭帝，圖謀帝位。宣帝即位後故伎重演，謀泄，被賜死。

[5]廬陵郡：孔祥軍《晋書地理志校注》：“《續漢志》無此郡，據《吴志》卷一《孫策傳》：‘（孫策）渡江轉鬥，所向皆破，莫敢當其鋒，而軍令整肅，百姓懷之……（孫策）遂引兵渡浙江，乃攻破（嚴白）虎等，盡更置長吏……分豫章爲廬陵郡，以（孫）賁弟（孫）輔爲廬陵太守’，其中‘（孫策）渡江轉鬥，所向皆破，莫敢當其鋒，而軍令整肅，百姓懷之’條裴注引《江表傳》：‘（孫）策渡江，攻擊（劉）繇牛渚營，盡得邸閣、糧穀、戰具，是歲興平二年也。’則廬陵郡似置于興平二年，楊氏《補正》、李曉杰《東漢政區地理》第十一章第五節據此以爲廬陵郡置於漢末興平二年。今檢涵芬樓校本《説郛》卷五十一引雷次宗《豫章古今記》：‘漢靈帝末，揚州刺史東萊劉遵行部以豫章地廣遠，奏請分置廬陵、鄱陽二郡，至獻帝初平二年始分廬陵、石陽、平都、贛縣、南野、雩都等六縣爲廬陵郡。’又《輿地紀勝》卷三十一江南西路

吉州州沿革‘獻帝時置廬陵郡’條王象之引《元和志》：‘獻帝初平二年分豫章，於此置廬陵郡。’今本《元和志》：‘初平二年’作‘興平二年’，中華書局標點本校勘記引清人張駒賢《考證》以爲此乃後人所改，甚是。王象之又言：‘《通鑑》興平元年孫策方見袁術請父兵，時年十七，不應孫策方請父兵便能分建州郡也，而雷次宗《豫章記》以爲靈帝末揚州刺史劉遵上書請置廬陵、鄱陽二郡，至獻帝初平二年分豫章立廬陵郡，未幾丹陽僮芝擅郡，自稱被詔爲太守，故《通鑑》建安三年書云：僮芝擅廬陵，又《通鑑》：建安五年（今本《通鑑》作建安四年），孫策分豫章爲廬陵郡，以孫輔爲廬陵太守，會僮芝病，（孫）輔遂進取廬陵，《通鑑》所書與雷次宗《豫章記》年月雖不相應，然僮芝擅命之初，已有廬陵郡，則郡非置于孫策矣，當從《元和志》在初平二年。’王象之此段之分析極爲清晰，惜乎他始終未能明白爲何《通鑑》與《豫章記》年月不應的真正原因，實際上廬陵郡曾有兩次建置，第一次當據《豫章記》在‘初平二年’，據《後漢書》卷九《獻帝紀》是年二月董卓自稱太師，正是其權傾朝野、不可一世之時，則此次分置廬陵郡，似出其意。而第二次分置當據《通鑑》：‘（建安四年）策分豫章爲廬陵郡，以孫賁爲豫章太守，孫輔爲廬陵太守，會僮芝病，（孫）輔遂進取廬陵’，在‘建安四年’，此時孫策已據江東，漸次削平未服諸地，此次分置乃吴據有廬陵郡之始。郭黎安《讀史札記二則》之‘廬陵郡始置於何年’條略云：據《三國志》等史籍所載孫策生平事迹，建安四年孫策攻劉勛，破皖城，劉勛求助于黄祖，策乃西進夏口攻打黄祖，從夏口東還經過豫章，豫章太守華歆幅巾奉迎，不久，又遣孫賁襲取割據廬陵的僮芝，遂分豫章立廬陵郡，是。則獻帝初平二年已置廬陵郡，其時領廬陵、石陽、南野、贛縣、平都、雩都六縣，後建安四年孫策再置廬陵郡，領縣似當仍原制，亦爲六縣。前引楊氏《補正》、李曉杰《東漢政區地理》致誤之由在于將‘（孫策）渡江轉鬥，所向皆破’條之裴注‘（孫）策渡江……是歲興平二年也’誤系於‘（孫策）遂引兵渡浙江，乃攻破（嚴白）虎等，盡更置長吏……分豫章爲廬陵郡，以（孫）賁弟（孫）輔爲廬陵太守’後，其時當爲‘建安四年’。而《寰宇記》卷一百零九江南西道吉州：‘雷次宗《豫章記》云：靈帝末，揚州刺史劉遵上書請置廬陵、鄱陽二郡，獻帝興平元年始立郡。’則知‘興平元年’當爲‘初平二年’之訛，又《水經注》卷三十九：‘漢獻帝初平二年，吴長沙桓王立廬陵郡。’此條實混淆廬陵郡二次分置，當爲‘漢獻帝初平二年初置廬陵郡，建安五年吴長沙桓王復置’。《宋志》：‘廬陵太守，廬陵本縣名，屬豫章，漢獻帝興平元年，孫策分豫章置’。《續漢志》豫章郡廬陵縣條劉昭注曰：‘興平元年，孫策分立廬陵郡。’吴氏《考證》卷七以爲廬陵郡置于建安元年，三説均誤。”

[6]孫皓：皓，殿本作“恪”。

[7]分廬陵：廬陵，原本、宋本作“廬江”，殿本作“廬陵”，據殿本、中華本校勘記改。　南部都尉：官名，部都尉之一。兩漢魏晋時期常於邊郡置都尉，主治少數民族地區，以軍事職能爲主，有時亦“比郡治民”。都尉分部别置，常見如東、南、西、北、中五部。

[8]宣城：縣名，治所在今安徽省南陵縣弋江鎮。

[9]宛陵：縣名，治所在今安徽省宣城市。

[10]陵陽：縣名，治所在今安徽省石臺縣。

[11]安吴：縣名，治所在今安徽省涇縣西南。

[12]涇：縣名，治所在今安徽省涇縣西。

[13]廣德：縣名，治所在今安徽省廣德市西南。

[14]寧國：縣名，治所在今安徽省寧國市。

[15]懷安：縣名，治所在今安徽省寧國市東南。

[16]石城：縣名，治所在今安徽省池州市貴池區。

[17]臨城：縣名，治所在今安徽省青陽縣南。

[18]春穀：縣名，治所在今安徽省蕪湖市繁昌區。

[19]晋安郡：治所在侯官縣（今福建省福州市）。

[20]分丹楊立毗陵郡：清畢沅《晋書地理志新補正》："沅案應云分吴郡立毗陵郡，此云丹陽，誤。"孔祥軍《晋書地理志校注》："據《宋志》晋陵太守條：'吴時分吴郡無錫以西爲毗陵典農校尉，晋武帝太康二年省校尉，立以爲毗陵郡，治丹徒，後復還毗陵。'又《晋志》毗陵郡條：'吴分會稽（當作吴分吴郡）無錫以西爲屯田，置典農校尉，太康二年，校尉省爲毗陵郡。'則太康二年改其吴之毗陵典農校尉爲毗陵郡。《晋志》所謂'及晋平吴……又分丹楊立毗陵郡'，誤甚。"　毗陵郡：治所在丹徒縣（今江蘇省鎮江市丹徒鎮）。

[21]揚州合統郡十八：清畢沅《晋書地理志新補正》："沅案《通典》揚州，魏晋理壽春。晋平吴，理建業。元帝渡江，揚州遂爲王畿。"

丹楊郡[1]漢置。統縣十一，户五萬一千五百。

建鄴[2]本秣陵，孫氏改爲建業。武帝平吴，以爲秣陵。太康三年，分秣陵北爲建鄴，改"業"爲"鄴"。[3]　江寧[4]太康二年，分建鄴置。　丹楊[5]丹楊山多赤柳，在西也。　于湖[6]　蕪湖　永世[7]　溧陽[8]溧水所出。　江乘[9]　句容[10]有茅山。　湖熟[11]　秣陵[12]

[1]丹楊郡：治所在建鄴縣（今江蘇省南京市）。清畢沅《晋書地理志新補正》："沅案元帝太興元年改爲尹。又《晋書帝紀》太興三年以瑯琊國人在江左者立懷德縣，統丹陽郡。"

清方愷《新校晋書地理志》："蕪湖，《州郡志》作無湖。蕪無古通。（寅案見《州郡志》淮南襄垣令下云：漢舊縣。）"

孔祥軍《晋書地理志校注》："據《宋志》丹楊尹條：'晋武帝太康二年（當作太康元年），分丹楊爲宣城郡，治宛陵，而丹楊移治建業。'太康元年建業改爲秣陵，則丹楊郡治秣陵，在今江蘇南京市南。吴末領縣十七，太康元年分丹楊郡置宣城郡，《晉志》：‘及武帝平吴，以安成屬荆州，分丹楊之宣城、宛陵、陵陽、安吴、涇、廣德、寧國、懷安、石城、臨城、春穀十一縣立宣城郡，理宛陵。’其中寧國、懷安二縣其時屬故鄣郡，非屬丹楊郡，則丹楊郡九縣移屬宣城郡，丹楊郡領縣八。太康元年增置臨江縣，太康二年增置于湖縣，三年增置建鄴，則領縣十一。‘丹楊’‘丹陽’之辨由來已久，今據古物殘卷可知確作‘丹楊’。《考古》（1959年第四期）刊有《武昌蓮溪寺東吴墓清理簡報》，文中提到1956年十二月於武昌蓮溪寺出土兩枚吴鉛券，其一釋文曰：‘永安五年七月辛丑□十二月王（按：當作壬）子丹楊石城者……校尉彭盧五十九居沙羨縣界以……今歲吉安。’又《安徽馬鞍山東吴朱然墓發掘簡報》（《文物》1986年第三期）所公布朱然墓出土名刺，文曰：‘丹楊朱然再拜　問起居　故鄣字義封’和‘謁’：‘□節右軍師左大司馬當陽侯丹楊朱然再拜。’則東吴時確作‘丹楊’。今人姚遷、古兵編《六朝藝術》（文物出版社，1981年）所收《西晋志磚》文曰：‘居丹楊江寧賴鄉齊平里。’則西晋時作‘丹楊’。又所收《東晋王興之夫婦墓志》（一九六五年一月出土于南京燕子磯人臺山）有文曰：‘咸康六年十月十八日’卒，‘以七年七月廿六日葬于丹楊建康之白石。’又《南京象山8號、9號、10號墓發掘報告》（《文物》2000年第七期）所收《王企之墓志》志文曰：‘晋故丹楊令……王企之……葬于丹楊建康之白石。’則東晋時作‘丹楊’。又今人饒宗頤所編《敦煌吐魯番本文選》所收寫本卷子《任彦生王文憲集序》（法藏p2542）有文曰：‘永明元年進號（王儉）衛將軍，二年以本官領丹楊尹……三年解丹楊尹。’則唐以前仍作‘丹楊’。宋紹熙刊本《三國志》均作‘丹楊郡’。則東吴鉛券、西晋磚志、東晋墓志、唐前寫本、宋刊本皆作‘丹楊’，故六朝時似當作‘丹楊’。王念孫《讀書雜志》‘揚州’之‘揚’古寫從木，至唐以後，乃多從手。是也。”

[2]建鄴：縣名，治所在今江蘇省南京市。清畢沅《晉書地理

志新補正》："沅案《沈志》太康元年分秣陵立臨江縣，二年更名。今考《太平寰宇記》云，元帝過江始置江寧，未知何據。"清洪亮吉《東晉疆域志》："漢秣陵縣，《沈志》孫權改秣陵爲建業。晉武帝平吴，還爲秣陵。太康三年分秣陵之水北爲建業。愍帝即位，避帝諱改名建康。《太平寰宇記》縣初置，在宣陽門内，晉咸和三年蘇峻作亂，燒盡，遂移入苑城。咸和六年以苑城爲宫，乃徙出宣陽門外御街西。今建初寺門路東，是時有七尉部。江尉在三生渚，西尉在延興寺後巷北，東尉在吴大帝陵口今蔣山西門，南尉在艸寺北湖宫寺前，北尉在朝溝村，左尉在清流溪孤首橋，右尉在沙市。有蔣山、覆舟山、牛頭山、嚴山、四望山、盧龍山、幕府山、三山、土山、梅嶺岡、南岡、蔡洲、闔閭洲、馬昂洲、洌洲、白洲、南洲、淮水、迎擔湖、蘇峻湖、太子湖、北湖、青溪、覆杯池、曲水、相浦、沙門浦、茄子浦、板橋浦、牧馬浦、直瀆、竹格渚、安樂渚、汝南灣、方山埭、白木陂、白石壘、藥園壘、廷尉壘、東陵、西陵、北陵、南塘、倪塘、横塘、苑城、臺城、揚州刺史城、東府城、丹楊郡城、石頭城、冶城、太初宫、咸和新宫、崇德宫、崇訓宫、永安宫、太元新宫、東宫、太極殿、含章殿、清暑殿、式乾殿、顯陽殿、徽音殿、太廟、宣太后廟、閶闔門、廣莫門、神虎門、朱雀門、宣陽門、雲龍門、建陽門、南掖門、西明門、大航門、中堂、南皇堂、東堂、西堂、樂賢堂、延賢堂、螽斯則百堂、國子學堂、廣室、秘閣、積弩堂、建平園、華林園、聽訟觀、北郊壇、社稷壇、征虜亭、新亭、延賢里、太清里、中黄里、三井里、烏衣巷、長干巷、運巷、七戰巷、朱雀航、榻航、五馬渡、揮扇渡、張侯橋、板橋、蔣侯廟、吴大帝西陵、元帝建平陵、明帝武平陵、成帝興平陵、康帝崇平陵、哀帝安平陵、簡文帝高平陵、孝武帝隆平陵、安帝休平陵、恭帝沖平陵。"孔祥軍《晉書地理志校注》："吴無此縣，今《晉志》曰：'建鄴，本秣陵，孫氏改爲建業，武帝平吴，以爲秣陵。太康三年，分秣陵北爲建鄴，改"業"爲"鄴"。'則太康三年，又分置'建鄴'。又《宋志》：'建康令，本秣陵縣。漢獻帝建安十六年置縣，孫權改秣陵爲建業，晋武帝平吴，還爲秣陵，太康三年，分秣陵之水北爲建業。愍帝即位，避帝諱，改爲建康。'沈約謂'太康三年，分秣陵之水北爲建業。愍帝即位，避帝諱，改爲建康。'晋愍帝名諱爲鄴，則'分秣陵之水北爲建業'當爲'分秣陵之水北爲建鄴'之訛，此正與《晋志》合，胡阿祥《宋書州郡志彙釋》卷一以爲'建業有僭越色彩，故改建鄴，《宋志》此處作建業，疑誤。'是。"

[3]太康三年，分秣陵北爲建鄴，改"業"爲"鄴"：三年，殿本作"二年"。清畢沅《晋書地理志新補正》："沅案《建康圖經》西晋太康元年，平吴，分地爲二邑。自淮水南爲秣陵，淮水北爲建業。其後因愍帝繼位，避諱改爲建康。"

[4]江寧：縣名，治所在今江蘇省南京市江寧區。清洪亮吉《東晋疆域志》："《沈志》晋武帝太康元年，分秣陵立臨江縣，二年更名。樂史稱《輿地志》又云，晋永嘉中帝初通江南，以江外無事，寧静於此，因置江寧縣南門臨浦水，至今名江寧。今考《晋書・地理志》亦云太康二年分建業置，與《沈志》同。則《輿地志》之説誤也。有建興里。"孔祥軍《晋書地理志校注》："據本郡注釋②考證，太康三年方分秣陵置建鄴縣，太康二年何得分建鄴置江寧縣？今檢《宋志》：'江寧令，晋太康元年，分秣陵立臨江縣。二年，更名。'則太康元年分秣陵縣置臨江縣，二年改名江寧。"

[5]丹楊：縣名，治所在今安徽省馬鞍山市小丹陽鎮。清洪亮吉《東晋疆域志》："丹陽，漢舊縣，有姑熟、牛渚山、蘇屯山、龍山、青山、九井山、慈湖、竹格桁、陵口。"

[6]于湖：縣名，治所在今安徽省當塗縣。清畢沅《晋書地理志新補正》："沅案《沈志》晋帝太康二年分丹陽立。《太平寰宇記》成帝時以江北之當塗縣流人過江在于湖者僑立當塗縣，屬淮南郡。"清洪亮吉《東晋疆域志》："《沈志》武帝太康二年分丹陽縣立。本吴督農校尉治，有王敦城（《圖經》王敦鎮于湖時所築）。"孔祥軍《晋書地理志校注》："吴無此縣，今檢《宋志》：'于湖令，

晋武帝太康二年，分丹楊立。’則太康二年立于湖縣。”

[7]永世：縣名，治所在今江蘇省溧陽市天目湖鎮。清畢沅《晋書地理志新補正》：“沅案《沈志》吴分溧陽爲永平縣。太康元年改今名。又稱董覽《吴地志》晋分永世立平陵縣。考今志無此縣。沈約云疑江左所立。”清洪亮吉《東晋疆域志》：“《沈志》吴分溧陽爲永平縣。晋武帝太康元年更名，惠帝世度屬義興，尋復舊。”孔祥軍《晋書地理志校注》：“吴末作‘永平’。今檢《宋志》：‘永世令，吴分溧陽爲永平縣，晋太康元年更名。’晋太康元年更名永世。據《宋志》：‘義興太守，晋惠帝永興元年，分吴興之陽羨、丹陽之永世立。永世尋還丹陽。’則永世永興元年移屬義興郡，尋還丹楊郡。”

[8]溧陽：縣名，治所在今江蘇省溧陽市西北。清畢沅《晋書地理志新補正》：“沅案吴省。太康元年復立。”清洪亮吉《東晋疆域志》：“溧陽，漢舊縣。《沈志》吴省爲典農都尉，晋武帝太康元年復立。”孔祥軍《晋書地理志校注》：“吴有溧陽屯田都尉，今檢《宋志》：‘溧陽令，漢舊縣。吴省爲屯田，晋太康元年復立。’據胡阿祥《宋書州郡志彙釋》卷一考證‘吴省爲屯田’當爲‘吴省爲屯田都尉’之訛，是，則太康元年復立溧陽縣。”

[9]江乘：縣名，治所在今江蘇省句容市北。清畢沅《晋書地理志新補正》：“沅案吴省爲典農校尉，晋武帝太康元年復立。”清洪亮吉《東晋疆域志》：“江乘，漢舊縣。《沈志》吴省爲典農都尉，晋武帝太康元年復立，咸康元年改屬南琅邪郡，今以實縣復置此下。有金城、竹里山、羅落橋、穆帝永平陵。”孔祥軍《晋書地理志校注》：“吴有江乘典農都尉，《宋志》：‘江乘令，漢舊縣，本屬丹楊，吴省爲典農都尉，晋太康元年復立。’則太康元年復立爲江乘縣。”

[10]句容：縣名，治所在今江蘇省句容市。清洪亮吉《東晋疆域志》：“句容，漢舊縣。《元和郡縣志》晋元帝興於江左，爲畿内第二品縣。”

[11]湖熟：縣名，治所在今江蘇省南京市江寧區湖熟街道。清畢沅《晋書地理志新補正》："沅案吴省，太康元年復立。"清洪亮吉《東晋疆域志》："湖熟，漢舊縣。《沈志》吴省爲典農都尉，晋武帝太康元年復立。有方山、夏架湖。"孔祥軍《晋書地理志校注》："吴有湖熟典農都尉，《宋志》：'湖熟令，漢舊縣。吴省爲典農都尉，晋太康元年後立。'則太康元年復立湖熟縣。"

[12]秣陵：縣名，治所在今江蘇省南京市江寧區秣陵鎮。清畢沅《晋書地理志新補正》："沅案《沈志》本治去京邑六十里。今故治邨是也。晋安帝義熙九年，移治京邑在鬥場。恭帝元熙元年，省揚州府禁防參軍，縣移治其處。"清洪亮吉《東晋疆域志》："秣陵，秦舊縣。《沈志》本治去京邑六十里。晋安帝義熙九年移治京邑，在鬥場。恭帝元熙元年省揚州禁防參軍縣，移治其處。樂史稱《建康圖經》云，晋太康元年平吴，分地爲二邑，自淮水南爲秣陵，淮水北爲建業。有故治邨。（《沈志》秦秣陵縣治，今故治邨是也。《元和郡縣志》故縣在上元縣東南四里，本金陵地也，秦改爲秣陵。）"孔祥軍《晋書地理志校注》："吴作'建業'，今檢《宋志》：'建康令，本秣陵縣。漢獻帝建安十六年置縣，孫權改秣陵爲建業，晋武帝平吴，還爲秣陵。'又《晋志》：'建鄴，本秣陵，孫氏改爲建業。武帝平吴，以爲秣陵'，則太康元年後，改'建業'爲'秣陵'。"

宣城郡[1]太康二年置。統縣十一，户二萬三千五百。

宛陵[2]侯相。彭澤聚在西南。　宣城[3]　陵陽[4]淮水出東北入江。仙人陵陽子明所居。　安吴[5]　臨城[6]　石城[7]　涇[8]　春穀[9]孝武改春爲陽。　廣德[10]　寧國[11]　懷安[12]

[1]宣城郡：治所在宛陵縣（今安徽省宣城市）。清畢沅《晋

書地理志新補正》："沅案當從《沈志》作太康元年。《元和郡縣志》東晋或理蕪湖，或理姑熟，或理赭圻。"

清方愷《新校晋書地理志》："《寰宇記》石城縣，晋太康三年廢入宣城縣。今考《州郡志》石城令下無既廢復立之文。《寰宇記》當别有據。又按《州郡志》廣陽令漢舊縣曰，陵陽，晋成帝杜皇后諱陵，咸康四年更名。考東晋縣邑以陵名者不可殫述，何獨改陵陽一縣？恐非實録。後篇但言改陵陽爲廣陽，不載避諱事，是也。又《州郡志》宣城太守下云，晋武帝太康元年分丹陽立。《水經注・沔水》篇石城縣，晋太康元年隸宣城郡，本志作二年置，誤。"

清洪亮吉《東晋疆域志》："宣城郡，晋武帝太康元年分丹陽立。《晋書・地理志》晋平吴，分丹陽之宣城、宛陵、陵陽、安吴、涇、廣德、寧國、懷安、石城、臨城、春穀十一縣立宣城郡，理宛陵。而《元和郡縣志》云，漢順帝立宣城郡。《太平寰宇記》又云，武帝元狩元年改鄣郡爲丹陽郡，至順帝又改爲宣城郡，恐皆誤也。李吉甫云，宣城郡東晋或理蕪湖，或理姑熟，或理赭圻。樂史稱《吴書》云，孫皓以何植爲牛渚都督，以禦晋。晋平吴，武帝復移郡於此。案此，則東晋宣城郡治蓋無常居。其云在姑熟，在蕪湖與牛渚，皆寄治丹陽郡地矣。郡城俗傳桓彝所築，則當在宛陵。故《彝傳》云自郡城退據廣德也。《桓玄傳》云，玄居南州，大築齋第，以郡在國南，故曰南州。《沈志》去京都水五百八十，陸五百。"

孔祥軍《晋書地理志校注》："據《宋志》丹楊尹條：'晋武帝太康二年，分丹楊爲宣城郡，治宛陵，而丹楊移治建業。'則宣城郡治宛陵，在今安徽宣城市。《晋志》：'宣城郡，太康二年置。'而《宋志》宣城太守條：'晋太康元年，分丹楊立。'今檢宋本《春秋經傳集解・哀公十五年》傳文'夏，楚子西、子期伐吴及桐汭'杜預注：'宣城廣德縣西南有桐水。'杜預《集解》所存郡縣斷代爲太康元年，則太康元年時已有宣城郡，又《寰宇記》卷一百零三江南道宣州寧國縣條：'本漢宛陵縣，《地志》云漢末分宛陵南鄉置焉，初屬丹楊郡，吴景帝時改屬故鄣郡，晋太康元年屬宣城郡。'則太康元年確已置宣城郡，《宋志》丹陽尹條、《晋志》均誤。"

［2］宛陵：縣名，西漢置，治所即今安徽省宣城市，王莽改名無宛，東漢復爲宛陵縣。清洪亮吉《東晋疆域志》："宛陵，漢舊縣，有青弋水（《鍾雅傳》錢鳳作逆，雅蟀衆屯青弋水。《元和郡縣志》，青弋水，在宣州西九十九里）、須里。（《宋書·符瑞志》，咸和八年四月癸卯，甘露降宣城宛陵縣之須里。）"

［3］宣城：縣名，西漢置，治所在今安徽省南陵縣弋江鎮。東漢廢，後復置。隋廢。清洪亮吉《東晋疆域志》："宣城，漢舊縣，有文脊山。（《瞿硎先生傳》：隱此山，山有瞿硎，因以名焉。樂史稱何法盛《中興書》：有瞿硎先生，居文脊山。）"

［4］陵陽：縣名，西漢置，治所在今安徽省石臺縣東北。東晋咸康四年改爲廣陽縣。清畢沅《晋書地理志新補正》："沅案《晋書》成帝杜皇后諱陵，咸康四年改名廣陽。"清洪亮吉《東晋疆域志》："廣陽，漢陵陽縣，《水經注》晋咸康四年改曰廣陽縣。"

［5］安吴：縣名，三國吴置，治所在今安徽省涇縣西南。隋廢。唐武德三年復置，移至今安徽省旌德縣北。八年廢。清畢沅《晋書地理志新補正》："沅案《水經注》晋太康元年分竟陵立。"清洪亮吉《東晋疆域志》："安吴，《沈志》吴立，《水經注》晋太康元年分宛陵立。按安吴，吴桓王渡江時所立，安得云晋？《水經注》蓋誤。"

［6］臨城：縣名，三國吴赤烏中置，治所在今安徽省青陽縣南。清畢沅《晋書地理志新補正》："沅案《沈志》吴立。"

［7］石城：縣名，西漢置，治所在今安徽省當塗縣東北。三國末廢。西晋復置，移治今安徽省池州市貴池區。清畢沅《晋書地理志新補正》："沅案《水經注》晋太康元年隸宣城郡。"清洪亮吉《東晋疆域志》："石城，漢舊縣。《水經注》晋太康元年立，隸宣城郡。《太平寰宇記》晋太康三年，廢入宣城縣。案此則元年復漢舊

縣，三年復廢也。”

［8］涇：縣名，西漢置，治所在今安徽省涇縣西。清洪亮吉《東晋疆域志》：“涇，漢舊縣。有蘭石（《桓彝傳》彝遣將軍俞縱守蘭石。《圖經》在今縣東七十里）、桓公城（《圖經》晋咸和中桓伊所築，在今縣東四十里。）”

［9］春穀：縣名，西漢置，治所在今安徽省蕪湖市繁昌區西北。東晋孝武帝時改爲陽穀縣，尋廢。清畢沅《晋書地理志新補正》：“沅案《太平寰宇記》春穀縣，晋屬宣城郡，後省併于湖，後又屬繁昌。”清洪亮吉《東晋疆域志》：“陽穀，漢舊縣。本名春穀，晋寧康中改。《太平寰宇記》春穀縣，晋屬宣城郡，後省併于湖，後又屬繁昌。案《宋書·符瑞志》晋成帝咸康八年，廬江春穀縣得玉鼎。又永和元年廬江太守路永上言，于春穀城北得金狀如印。今考《符瑞志》云晋成帝咸和元年，宣城春穀縣獲石鼎是咸和以前。春穀縣本屬宣城，後蓋因蘇峻之亂，淮南民流入江左，或於春穀縣僑立廬江郡，故志云廬江春穀縣也。有春穀山、戰鳥山、梅根山、赭圻城、南陵。”

［10］廣德：縣名，東漢中平二年（185）置，治所在今安徽省廣德市西南。清畢沅《晋書地理志新補正》：“沅案《何承天志》漢舊縣。《沈志》二漢志並無，疑是吴所立。《水經注》又云晋太康中立。”清洪亮吉《東晋疆域志》：“廣德，漢舊縣。《水經注》晋太康中以爲廣德縣，分隸宣城郡。案説見《三國疆域志》。”

［11］寧國：縣名，三國吴置，治所在今安徽省寧國市西南。清畢沅《晋書地理志新補正》：“沅案《元和郡縣志》後漢末分宛陵南鄉置，而《沈志》以爲吴立。《水經注》又云晋太康元年分宛陵立，未知誰是。”清洪亮吉《東晋疆域志》：“寧國，漢舊縣。案《水經注》云，晋太康元年分宛陵立，誤。”

［12］懷安：縣名，三國吴分宛陵縣置，治所在今安徽省寧國市東南。南朝陳天嘉五年（564）廢。清畢沅《晋書地理志新補正》：“沅案《沈志》吴立。”清洪亮吉《東晋疆域志》：“懷安，《沈志》

吴立。《太平寰宇記》吴大帝分宛陵置，屬丹陽郡。及景帝時屬故鄣郡。晋太康二年移屬宣城。”

淮南郡[1]秦置九江郡。漢以爲淮南國，漢武帝置爲九江郡。武帝改爲淮南郡。統縣十六，户三萬三千四百。

壽春[2]　成德[3]　下蔡[4]　義城[5]　西曲陽[6]　平阿[7]有塗山。[8]　歷陽[9]　全椒[10]　阜陵[11]漢明帝時淪爲麻湖。[12]　鍾離[13]故州來邑。　合肥[14]　逡遒[15]　陰陵[16]　當塗[17]古塗山國。　東城[18]　烏江[19]

[1]淮南郡：治所在壽春縣（今安徽省壽縣東南）。清畢沅《晋書地理志新補正》："沅案《太平寰宇記》東晋改爲歷陽郡。又云東晋豫州亦鎮於此。"

清洪亮吉《東晋疆域志》："淮南郡，秦九江郡，漢改今名。東晋時又分立歷陽、馬頭、鍾離等郡。凡領縣可考者四。案壽春爲東晋重鎮，而《沈志》於移鎮南郡並不詳，壽春一縣有無，及所屬何郡，《晋志》亦同，殊爲疏略。今考《晋書》成帝咸和元年，石勒將石聰攻壽陽不克，遂侵逡遒、阜陵。穆帝永和元年，石虎將路永屯於壽春。五年，石遵揚州刺史王浹以壽春來降。是年褚裒敗還，西中郎將陳逵焚壽春遁。廢帝大和四年，桓温爲慕容垂所敗，豫州刺史袁真以壽陽叛。五年，桓温擊真子瑾於壽陽，敗之。六年，温克壽陽。孝武太元八年，苻堅弟融陷壽春征討都督謝石等與苻堅戰於肥水，大破之。《通典》明帝時，祖約守壽春，後陷。石勒、季龍死後復理之。今郡西十五里即謝玄破苻融之處。晋伏滔云彼壽春者，南引汝潁之利，東達三吴之富。北接梁宋，平塗不過七百；西接陳許，水陸不出千里。外有淮淝之固，龍泉之陂，良田萬頃，舒、吴之貢，利盡蠻越也。《太平寰宇記》壽陽自晋至宋並屬南朝。又案錢少詹大昕云，據《宋志》南梁之睢陽縣即漢、晋之壽春縣。

疑太元收復以後即僑立南梁郡於此，不更立淮南郡。又避鄭太后名，不立壽春縣，即以睢陽當之云云。然考《沈志》義熙十三年劉裕以子義慶爲豫州刺史，鎮壽陽。元熙元年，義康督豫、司、幽、并四州諸軍事，亦鎮壽陽。《劉敬宣傳》遣使持節督馬頭、淮西諸郡軍事，鎮蠻護軍、淮南、安豐二郡太守，梁國内史，事在義熙五年。又考《宋書·劉湛傳》高祖以義康爲豫州刺史，留鎮壽陽，以湛爲長史，梁郡太守。此梁郡即南梁郡，是晋末淮南、南梁二郡太守並立。舊圖云，合肥縣，古滁陽。此東晋於此置南梁郡，是南梁郡又在滁陽不在壽春。案滁陽此在合肥縣東北，壽州在其西，相距不遠，以其近，故豫州刺史常兼領梁郡耳。又杜佑、李吉甫等並云，東晋以鄭皇后諱改壽春爲壽陽，又晋末有壽陽縣之一證。蓋是時南梁僑郡，與淮南郡治所相去不遠，至宋永初後始合爲一也。壽陽，漢壽春縣。《通典》東晋以鄭皇后諱，改壽春爲壽陽。有相國城、八公山、大雷山、青岡、巨靈口、洛澗、淮水、肥水。合肥，漢舊縣。《元帝紀》太興四年以戴淵都督司、兖、豫、并、冀、雍六州諸軍事，司州刺史，鎮合肥。永昌元年郗鑒自鄒山退守合肥。穆帝永和六年，廬江太守袁真攻合肥克之。哀帝興寧三年，桓温帥舟師次於合肥。《毛寶傳》寶進攻祖約，軍次東關，破合肥。《袁真傳》真攻魏合肥，虜其居民而還。義成，漢舊郡，考淮南郡舊縣。又有成德、西曲陽、平阿、全椒、阜陵、逡遒、陰陵、東城諸縣。《沈志》稱《晋太康地志》下蔡、平阿並屬淮南。樂史稱《太康地志》東海復有曲陽，故此爲西曲陽。全椒有瑯琊山。下蔡，漢舊縣。晋書穆帝升平三年，詔謝萬軍下蔡。有硤石城、渦水、潁水。”

清方愷《新校晋書地理志》：“案杜佑李吉甫皆云，晋孝武避鄭太后諱改壽春爲壽陽。然考本書《帝紀》，孝武之前，成帝咸和元年稱壽陽，後至穆帝永和元年又稱壽春，或據此疑東晋之初已改。竊謂本書於地理考證，本屬疏舛，作史者追叙其事，偶失檢正，不足據也。又案《州郡志》淮南太守，秦立爲九江郡，兼得廬江、豫章，漢高帝四年更名淮南國，分立豫章郡。文帝又分爲廬江郡，武帝元狩元年復爲九江郡，治壽春。後漢徙治陰陵。魏復曰淮南徙治壽春。晋武帝太康元年復立尋陽、當塗、逡道諸縣。二年復立鍾離縣，並二漢舊縣也。三國時江淮爲戰争之地，其間不居者各數百里。此諸縣並在江北淮南，虚其地無復民户。吴平，民各還本，故復立焉云云。按沈氏説則晋太康初淮南郡縣名雖仍舊，實則新立。本《志》不載，似闕晋典。又《州郡志》逡道令，漢作逡遒。（寅案《地理》《郡國志》皆作浚遒，屬九江郡。）”

孔祥軍《晋書地理志校注》：“淮南郡治壽春，在今安徽壽縣。今檢《宋志》：‘淮南太守，秦立爲九江郡……漢高帝四年，更名淮南國……（漢）武帝元狩元年，後爲九江郡……魏復曰淮南，徙治壽春。晋太康元年，復立歷陽、當塗、逡道諸縣，二年復立鍾離縣，並二漢舊縣。’又《魏志》卷二十《曹邕傳》：‘黄初二年，封（曹邕）淮南公，以九江郡爲國，三年進爲淮南王，四年改封陳。’又《魏志》卷二十《曹彪傳》：‘（太和）六年改封楚……嘉平元年……（楚王曹）彪乃自殺……國除爲淮南郡。’則黄初二年魏文帝改九江郡爲淮南郡，翌年爲國，旋廢，又後似於太和六年前改名爲楚國，嘉平元年復爲郡。則《晋志》所謂‘武帝改爲淮南郡’，誤甚。魏末領縣十，太康元年增置鍾離等四縣，領縣十四，其後又增置東城、烏江二縣，領縣十六。惠帝永興元年歷陽、烏江二縣移屬歷陽郡，領縣十四。”

［2］壽春：縣名，治所在今安徽省壽縣東南。

［3］成德：縣名，治所在今安徽省壽縣東南。

［4］下蔡：縣名，治所在今安徽省鳳臺縣。孔祥軍《晋書地理志校注》：“《左傳·成公七年》經文杜注有淮南下蔡縣，則太康元年淮南郡有下蔡縣。”

［5］義城：縣名，治所在今安徽省懷遠縣東北。清畢沅《晋書地理志新補正》：“沅案《桓宣傳》陶侃以宣、淮南部曲立義城郡。《桓冲傳》督揚州之義城、新野二郡太守，及庾翼等傳皆云義城太

守，則義城後常作郡，《地理志》失載耳。”

[6]西曲陽：縣名，治所在今安徽省長豐縣北。清畢沅《晋書地理志新補正》：“沅案晋《太康地記》東海復有曲陽，故此爲西曲陽縣。”

[7]平阿：縣名，治所在今安徽省壽縣東南。

[8]有塗山：孔祥軍《晋書地理志校注》：“《續漢志》九江郡平阿縣條劉昭注：‘故屬沛。有塗山。’《晋志》似本此。”

[9]歷陽：縣名，治所在今安徽省和縣。清畢沅《晋書地理志新補正》：“沅案《郡國志》歷陽刺史治。《沈志》晋武帝太康元年復立。據此則三國時省，至晋復立也。下當塗、逡遒二縣亦同。”孔祥軍《晋書地理志校注》：“魏無此縣，太康元年復置，惠帝永興元年移屬歷陽郡。”

[10]全椒：縣名，治所在今安徽省全椒縣。

[11]阜陵：縣名，治所在今安徽省和縣西。

[12]漢明帝時淪爲麻湖：舒嶠先生認爲，此説源於《淮南鴻烈》及高誘注。《淮南子》是西漢淮南王劉安招致賓客集體編寫而成，於漢武帝建元元年（140）獻上的，他們在編書的時候是不可能預測到200年後歷陽會淪爲麻湖的。歷陽之淪爲麻湖，如果確有其事，也一定是西漢以前的事情，絶不可能發生在漢明帝時。（參見舒嶠《〈晋書·地理志〉阜陵淪爲麻湖説辨誤》，《中國歷史地理論叢》1995年第2期）

[13]鍾離：縣名，治所在今安徽省鳳陽縣東北臨淮關鎮。清畢沅《晋書地理志新補正》：“沅案《元和郡縣志》晋安帝時因東郡燕縣流人入鍾離者於此置燕縣。《太平寰宇記》晋立鍾離郡。又云晋太元二年，謝玄爲兗州刺史，以爲馬頭城。至義熙元年，立爲馬頭郡。”孔祥軍《晋書地理志校注》：“魏末無此縣，《左傳·成公十四年》經文杜注有淮南鍾離縣，則太康元年淮南郡有鍾離縣。又《宋志》：‘晋太康元年，復立歷陽、當塗、逡道諸縣，二年復立鍾離縣，並二漢舊縣。’此所謂‘二年復置’，誤，當作‘元年復

置’。今檢《漢志》沛郡：‘下蔡，故州來國’，《晋志》所謂‘故州來邑’似本此。又《續漢志》九江郡下蔡條劉昭注曰：‘《左傳》成七年吴入州來，杜預曰下蔡縣。’則‘故州來邑’當系於下蔡條，明矣，係於鍾離縣條下誤，似爲錯簡。”

[14]合肥：縣名，治所在今安徽省合肥市西。

[15]逡遒：縣名，治所在今安徽省肥東縣東。清畢沅《晋書地理志新補正》：“沅案《沈志》晋作逡遒。樂史又云晋改置慎縣，因縣西北古慎城爲名。”孔祥軍《晋書地理志校注》：“魏無此縣，《左傳・哀公十二年》杜注有淮南逡道縣，則太康元年淮南郡有逡遒縣。而《宋志》：‘晋太康元年，復立歷陽、當塗、逡道諸縣，二年復立鍾離縣，並二漢舊縣。’此‘逡道’當爲‘逡遒’之訛。”

[16]陰陵：縣名，治所在今安徽省定遠縣西北。

[17]當塗：縣名，治所在今安徽省懷遠縣南淮河南岸馬頭城。清畢沅《晋書地理志新補正》：“沅案《太平寰宇記》三國時荒廢。《晋書》太康九年復立，屬淮南郡。”孔祥軍《晋書地理志校注》：“魏無此縣，太康元年復置。”

[18]東城：縣名，治所在今安徽省定遠縣東南。孔祥軍《晋書地理志校注》：“魏無此縣，其似晋初置。”

[19]烏江：縣名，治所在今安徽省和縣烏江鎮。清畢沅《晋書地理志新補正》：“沅案《太平寰宇記》晋太康六年，於歷陽東城界立烏江縣。又云晋太興二年，元帝置龍亢縣，今含山縣南有龍亢郜。”孔祥軍《晋書地理志校注》：“魏無此縣，《寰宇記》卷一百二十四淮南道和州烏江縣條：‘晋太康六年始于東城界置烏江縣。’然《晋志》政區斷代標準年代爲太康四年，則烏江縣當早於太康四年置，《寰宇記》所謂‘太康六年置’誤。惠帝永興元年移屬歷陽郡。”

廬江郡[1]漢置。統縣十，户四千二百。

陽泉[2]　舒[3]故國，有桐鄉。　灊[4]天柱山在南，有祠。　皖[5]　尋陽[6]　居巢[7]桀死於此。　臨湖[8]　襄安[9]　龍舒[10]　六[11]故六國。

[1]廬江郡：治所在舒縣（今安徽省廬江縣西南）。清畢沅《晋書地理志新補正》："沅案《太平寰宇記》稱晋《太康地記》廬江郡徙皖，更移居於舒。又稱《宋書·州郡志》曰晋安帝後於舊皖縣城置懷安郡，仍分廬江郡置晋熙郡。"

清洪亮吉《東晋疆域志》："廬江郡，漢置。東晋分出堂邑、晋熙二郡。凡領縣二。案晋成帝咸和以後，廬江亦曾立僑郡，詳見前宣城郡春穀縣下。《沈志》去州水二千七百二十，陸四百七十，去京都水一千一百，陸六百二十一。灊，漢舊縣。郭璞《山海經注》今廬江灊縣。有霍山、灊山。舒縣，漢舊縣。樂史稱《太康地記》廬江郡治皖，更移居於舒。《水經注》廬江郡治舒。今考《陶侃傳》廬江太守張夔以侃領樅陽令。案《晋志》無此縣，故附見於此。廬江郡舊縣又有陽泉、皖、居巢、臨湖、襄安、龍舒、六諸縣。《韓友傳》龍舒長鄧林。《符瑞志》咸和八年甘露降廬江襄安縣蔣曾家。《水經注·沘水下》六，晋太康三年，廬江郡治。"

清方愷《新校晋書地理志》："樂史稱《太康地志》廬江郡治皖，更移居於舒。《水經·沘水》篇，東北過六縣東注云，漢書所謂以舒屠六，晋太康三年廬江郡治云云。本《志》治陽泉，未詳。又本書《陶侃傳》廬江太守張夔以侃領樅陽令，疑西晋即有此縣。本志不載，後篇亦闕，疑誤。"

孔祥軍《晋書地理志校注》："廬江郡治乏考。魏領縣三，太康元年武帝平吴增置舒等五縣，陽泉縣來屬，領縣九，太康二年尋陽縣來屬，領縣十。惠帝永興元年尋陽縣移屬尋陽郡，領縣九。"

[2]陽泉：縣名，治所在今安徽省霍邱縣西北。孔祥軍《晋書地理志校注》："魏屬安豐郡，其似於太康元年武帝平吴後來屬。"

［3］舒：縣名，治所在今安徽省廬江縣西南。孔祥軍《晋書地理志校注》："三國無此縣，《左傳·文公十二年》《左傳·昭公五年》《左傳·定公二年》杜注有廬江舒縣，則太康元年廬江郡有舒縣，三國時其地爲魏、吴間棄地，故似於太康元年武帝平吴後增置。故國，《漢志》廬江郡：'舒，故國。'《晋志》似本此。"

［4］灊：縣名，治所在今安徽省霍山縣東北。

［5］皖：縣名，治所在今安徽省潜山市。清畢沅《晋書地理志新補正》："沅案《太平寰宇記》永嘉亂後遂廢。晋安帝復於舊縣改置懷寧縣。又云晋安帝於此立新冶縣，屬晋熙郡，亦爲大雷戍。"孔祥軍《晋書地理志校注》："吴末無此縣，吴赤烏前有皖縣，則似於太康元年武帝平吴後增置皖縣。"

［6］尋陽：縣名，治所在今江西省九江市西南。孔祥軍《晋書地理志校注》："吴屬蘄春郡，今檢《宋志》：'尋陽太守，尋陽本縣名……吴立蘄春郡，尋陽縣屬焉。晋太康元年，省蘄春郡，以尋陽屬武昌……二年以武昌之尋陽復屬盧江郡。'則尋陽縣太康二年來屬。又據《晋志》：'永興元年，分廬江之尋陽、武昌之柴桑二縣置尋陽郡'，則尋陽縣惠帝永興元年移屬尋陽郡。"

［7］居巢：縣名，治所在今安徽省巢湖市東北。清畢沅《晋書地理志新補正》："沅案《太平寰宇記》吴魏戰争，地遂荒廢。晋平吴後復立。"孔祥軍《晋書地理志校注》："三國無此縣，三國時其地爲魏、吴間棄地，似於太康元年武帝平吴後增置居巢縣。"

［8］臨湖：縣名，治所在今安徽省無爲市西南。孔祥軍《晋書地理志校注》："三國無此縣，三國時其地爲魏、吴間棄地，似於太康元年武帝平吴後增置臨湖縣。"

［9］襄安：縣名，治所在今安徽省無爲市襄安鎮。孔祥軍《晋書地理志校注》："三國無此縣，三國時其地爲魏、吴間棄地，似於太康元年武帝平吴後增置襄安縣。"

［10］龍舒：縣名，治所在今安徽省舒城縣西南。

［11］六：縣名，治所在今安徽省六安市東北。孔祥軍《晋書

地理志校注》："《續漢志》作'六安'，《左傳·文公五年》經文、《左傳·文公十二年》經文、《左傳·昭公十二年》杜注有廬江六安縣，則似當作'六安'。"



毗陵郡[1]吴分會稽無錫已西爲屯田，置典農校尉。太康二年，省校尉爲毗陵郡。統縣七，户一萬二千。

丹徒[2]故朱方。　曲阿[3]故雲陽。　武進[4]　延陵[5]　毗陵[6]　既陽[7]　無錫[8]有磨山、春申君祠。[9]

[1]毗陵郡：治所在丹徒縣（今江蘇省鎮江市丹徒區）。清畢沅《晋書地理志新補正》："沅案《元和郡縣志》晋東海王越謫於毗陵。元帝以避諱改爲晋陵郡。《沈志》郡治丹徒，後復還毗陵。永嘉五年後徙治丹徒。義熙九年復還晋陵。《太平寰宇記》晋成帝又置南沙縣。"

清方愷《新校晋書地理志》："既陽，《州郡志》作暨陽，古字通。（寅案《元和郡縣志》云，本漢毗陵縣之溉陽鄉，晋太康二年置溉陽縣。既作暨，又作溉，不詳孰是。）"

清洪亮吉《東晋疆域志》："晋陵郡，《晋書·地理志》吴分會稽無錫以西爲屯田，置典農校尉，太康二年省校尉爲昆陵郡。東晋領縣八。《沈志》毗陵郡治丹徒，後復還毗陵。東海王越世子名毗，而東海國故食毗陵，永嘉五年帝改爲晋陵，始自毗陵徙治丹徒。大興初郡及丹徒縣悉治京口。郗鑒復徙還丹徒。安帝義熙九年，復還晋陵。案郡亦曾屬徐州《王恭傳》都督兖、青、冀、幽、并、徐州之晋陵諸軍事。《沈志》云去京都水四百，陸同。"

孔祥軍《晋書地理志校注》："據《宋志》晋陵太守條：'吴時分吴郡無錫以西爲典農校尉，晋武帝太康二年省校尉，立以爲毗陵郡，治丹徒，後復還毗陵。'則毗陵郡治丹徒，在今江蘇鎮江市東。吴末毗陵典農校尉領縣三，太康元年增置無錫縣，太康二年增置暨陽、武進、延陵三縣，領縣七。”

［2］丹徒：縣名，治所在今江蘇省鎮江市丹徒區。清畢沅《晉書地理志新補正》：“沅案《太平寰宇記》吴嘉禾三年，改丹徒爲武進。晉太康三年復曰丹徒。”清洪亮吉《東晉疆域志》：“丹徒，漢舊縣。《沈志》孫權嘉禾三年改曰武進。晉武帝太康三年復曰丹徒。《史記正義》稱《晉太康地志》吴王濞反，走丹徒，越人殺之於此城。有北固山、蒜山、互父山、猴山、土山、雩山、新洲、下鼻浦、西浦、班瀆、京口城、新城、萬歲樓、京口里、練壁里、竹林寺。”孔祥軍《晉書地理志校注》：“吴末作‘武進’，今檢《宋志》‘丹徒令……秦改曰丹徒縣名，孫權嘉禾三年，改曰武進，晉武帝太康三年（當作太康二年），今檢《宋志》：‘武進令，晉武帝太康二年，分丹徒、曲阿立。’則太康二年已有丹徒縣，又雲陽縣太康二年改爲曲阿縣，故此當作太康二年，中華書局標點本《宋書》失校），復曰丹徒，則太康二年改武進縣爲丹徒縣。”

［3］曲阿：縣名，治所在今江蘇省丹陽市。清畢沅《晉書地理志新補正》：“沅案《沈志》吴雲陽，晉太康二年復名曲阿。《吴録》截直道使曲，故曰曲阿。”清洪亮吉《東晉疆域志》：“曲阿，漢舊縣。《沈志》吴嘉禾三年復曰雲陽。晉武帝太康二年復曰曲阿。有大業壘、曲阿壘、庱亭壘、練湖、新豐湖。”孔祥軍《晉書地理志校注》：“吴末作‘雲陽’，今檢《宋志》：‘曲阿令，本名雲陽，秦始皇改曰曲阿。吴嘉禾三年，復曰雲陽。晉武帝太康二年復曰曲阿。’則太康二年改雲陽縣爲曲阿縣。”

［4］武進：縣名，治所在今江蘇省丹陽市東。清畢沅《晉書地理志新補正》：“沅案《輿地志》太康二年分丹徒、曲阿二邑地立。《元和郡縣志》吴大帝改丹徒爲武進，晉武帝復改武進曰丹徒，别置武進縣於丹陽東五十里。”清洪亮吉《東晉疆域志》：“武進，樂史稱《輿地記》云，吴大帝改丹陽爲武進，屬毗陵郡，吴末併入晉陵縣。晉太康二年分丹曲阿二邑地立武進縣。有東城里。”孔祥軍《晉書地理志校注》：“吴無此縣，今檢《宋志》：‘武進令，晉武帝

太康二年，分丹徒、曲阿立。’則太康二年分丹徒、曲阿置武進縣。”

[5]延陵：縣名，治所在今江蘇省丹陽市延陵鎮。清畢沅《晋書地理志新補正》：“沅案《元和郡縣志》晋太康二年分曲阿之延陵鄉置。”清洪亮吉《東晋疆域志》：“延陵《元和郡縣志》晋太康二年，分曲阿之延陵鄉，置延陵縣，蓋因季子以立名。樂史稱《太康地記》吴封季札州來而居延陵，故曰延州來。有茅山、延陵湖、長塘湖。”孔祥軍《晋書地理志校注》：“吴無此縣，今檢《宋志》：‘延陵令，晋武帝太康二年，分曲阿之延陵鄉立。’則太康二年分曲阿置延陵縣。”

[6]毗陵：縣名，治所在今江蘇省常州市。清畢沅《晋書地理志新補正》：“沅案《元和郡縣志》與郡俱改爲晋陵。”

[7]既陽：縣名，治所在今江蘇省江陰市長壽鎮南。清畢沅《晋書地理志新補正》：“沅案《沈志》太康二年分無錫、毗陵立。《元和郡縣志》本漢毗陵縣之溉陽鄉，晋太康二年置溉陽縣。”清洪亮吉《東晋疆域志》：“既陽，漢舊縣。《沈志》本毗陵縣之溉陽鄉，晋太康二年置溉陽縣，《宋書》作暨陽。”孔祥軍《晋書地理志校注》：“吴無此縣，今檢《宋志》：‘暨陽令，晋武帝太康二年分無錫、毗陵立。’又《宋志》：‘南沙令，本吴縣，司鹽都尉署，吴時名沙中，吴平後，立暨陽縣，割屬之。’則太康二年增置暨陽縣，《晋志》所謂‘既陽’誤，當爲‘暨陽’。”

[8]無錫：縣名，治所在今江蘇省無錫市。清畢沅《晋書地理志新補正》：“沅案《沈志》吴省，太康元年復立。”清洪亮吉《東晋疆域志》：“無錫，漢舊縣。《沈志》吴省，晋武帝太康元年復立。有御亭。”孔祥軍《晋書地理志校注》：“吴無此縣，今檢《宋志》：‘無錫令，漢舊縣，吴省，晋太康元年復立。’則太康元年復立無錫縣，其時當屬毗陵典農校尉，後屬毗陵郡。”

[9]磨山：中華本校勘記：“《斠注》：《漢志》作‘歷山’，‘歷’‘磨’形近致訛。按：當從《漢志》上作‘歷’。今無錫之惠

山與舜山皆亦名歷山。”　春申君：戰國時楚國人，名黄歇。曾幫助在秦國爲質的太子完離開秦國返楚。太子完即位，以之爲令尹。戰國四公子之一。

吴郡[1]漢置。統縣十一，户二萬五千。[2]

吴[3]故國。具區在西。　嘉興[4]　海鹽[5]　鹽官[6]　錢唐[7]武林山，武林水所出。　富陽[8]　桐廬[9]　建德[10]　壽昌[11]　海虞[12]　婁[13]

[1]吴郡：治所在吴縣（今江蘇省蘇州市吴中區）。清方愷《新校晋書地理志》：“《州郡志》富陽令，本名富春，晋孝武避鄭太后諱更名。本《志》列西晋縣名，作富陽，誤。又《州郡志》海虞令，晋太康四年分吴縣之虞鄉立，考本志中篇年份斷立，不應列此縣（見荆州南郡下）。”

清洪亮吉《東晋疆域志》：“吴郡，漢置。東晋領縣十二。《沈志》云，去京都水六百七，陸五百二十。郭璞《山海經注》晋永嘉四年吴司鹽都尉戴逢。《王允之傳》允之爲錢塘令，領司鹽都尉。案此，則郡有司鹽都尉也。”

孔祥軍《晋書地理志校注》：“吴郡治乏考。吴末領縣十一，太康元年武帝平吴後諸縣來屬。其中沙中縣，檢《宋志》：‘南沙令，本吴縣，司隸都尉署，吴時名沙中，吴平後，立暨陽縣，割屬之。’又《宋志》：‘暨陽令，晋武帝太康二年分無錫、毗陵立。’則太康二年並沙中入暨陽縣。太康四年增置海虞縣，領縣十一。據《宋志》：‘新城令，浙江西南名桐溪，吴立爲新城縣，後併桐廬。《晋太康地志》無。張勃云：“晋末立”，疑是太康末立，尋復省也。’則太康末或有新城縣，旋廢。”

[2]户二萬五千：清畢沅《晋書地理志新補正》：“沅案一本作二萬四千。”

[3]吴：縣名，治所在今江蘇省蘇州市吴中區。清洪亮吉《東晋疆域志》："南沙，《沈志》本吴縣司鹽都尉署，吴時名沙中，吴平後立暨陽縣割屬之。晋成帝咸康七年罷鹽署立以爲南沙縣。《宋書·五行志》晋太康七年，毗陵雷電，南沙司鹽都尉戴亮以聞。案《成帝紀》，咸和五年石勒將劉徵寇南沙，都尉許儒遇害。七年三月，勒將韓雍復寇南沙。《沈志》云咸康四年始立，蓋前此皆都尉治也。"孔祥軍《晋書地理志校注》："《左傳·哀公元年》杜注有吴郡吴縣，則太康元年吴郡有吴縣。"清洪亮吉《東晋疆域志》："吴，漢舊縣。有包山、鳳凰山、虎丘山、松江、柴里、沙里、高莋、路丘、章埭、烏苞亭、平望亭、虎疁、烏夜邨。"

[4]嘉興：縣名，治所在今浙江省嘉興市南。清畢沅《晋書地理志新補正》："沅案《吴志》黄龍四年，由拳縣嘉禾生改曰禾興。孫皓父名和，又改今名。"清洪亮吉《東晋疆域志》："嘉興，秦由拳縣，吴改今名。"孔祥軍《晋書地理志校注》："《左傳·定公十四年》經文杜注有吴郡嘉興縣，則太康元年吴郡有嘉興縣。"

[5]海鹽：縣名，治所在今上海市松江區。清畢沅《晋書地理志新補正》："沅案《五行志》載元帝大興三年，海鹽郡雨雹，則海鹽又嘗作郡，否則，'郡'字係'縣'字之誤也。"清洪亮吉《東晋疆域志》："海鹽，漢舊縣。《晋書·五行志》元帝大興三年，海鹽郡雨雹，則海鹽又嘗作郡，或旋廢耳。有故治城、鮑郎市。"

[6]鹽官：縣名，治所在今浙江省海寧市鹽官鎮南。清洪亮吉《東晋疆域志》："鹽官，漢舊縣。《水經注》稱鹽官縣吴海昌都尉治，晋太康中分嘉興立。又稱《晋太康地記》《地道記》云，吴有鹽官縣。樂史稱《太康地記》曰，漢鹽官也。有臨平湖。"

[7]錢唐：縣名，治所在今浙江省杭州市西靈隱山下。清洪亮吉《東晋疆域志》："錢塘，漢舊縣。有浙江（《通鑑》，吴國内史庾冰，棄郡奔會稽，至浙江，蔽峻購之其甚急。會稽内史王舒以冰行奮武將軍，將兵一萬，西渡浙江）、柴壁（《王舒傳》舒使顧衆守柴壁）、康巷（《宋書·符瑞志》咸和九年四月甲寅，甘露降吴

國錢塘縣右鄉康巷之柳樹）。”

［8］富陽：縣名，治所在今浙江省杭州市富陽區。清畢沅《晋書地理志新補正》：“沅案《吴録》地理，本名富春。康迪太元中避鄭太后諱改。”清洪亮吉《東晋疆域志》：“富陽，漢富春縣。《沈志》晋簡文鄭太后諱春，孝武改曰富陽。”孔祥軍《晋書地理志校注》：“今檢《宋志》：‘富陽令，漢舊縣，本曰富春，孫權黄武四年（當作五年），以爲東安郡，七年，省。晋簡文帝鄭太后諱春，孝武改曰富陽。’則至東晋孝武帝方改富春爲富陽，《晋志》誤。”

［9］桐廬：縣名，治所在今浙江省桐廬縣西分水江西岸。清畢沅《晋書地理志新補正》：“沅案《沈志》吴又立新城縣，後併桐廬。《晋太康地志》無，張勃云晋末立，疑是太康末立，尋復省也。晋成帝咸和九年又立。”清洪亮吉《東晋疆域志》：“桐盧，《沈志》吴分富春立，有桓山。”

［10］建德：縣名，治所在今浙江省建德市梅城鎮。清洪亮吉《東晋疆域志》：“建德，《沈志》吴分富春立。”

［11］壽昌：縣名，治所在今浙江省建德市大同鎮西。清畢沅《晋書地理志新補正》：“沅案名新昌，太康元年更名。又案三縣，《沈志》俱吴分富春立。”清洪亮吉《東晋疆域志》：“壽昌，吴新昌縣。《沈志》晋武帝太康元年更名。案《沈志》合新昌、壽昌爲一縣，疑誤。”孔祥軍《晋書地理志校注》：“吴作‘新昌’，今檢《宋志》：‘壽昌令，吴分富春立新昌縣，晋太康元年更名。’則太康元年新昌縣改名壽昌縣。”

［12］海虞：縣名，治所在今江蘇省常熟市。清畢沅《晋書地理志新補正》：“沅案康四年，分吴縣之虞鄉立。”清洪亮吉《東晋疆域志》：“海虞，《沈志》晋武帝太康四年分吴縣虞鄉立。《後趙録》石勒將劉徵帥衆數千浮海抄東南諸縣，殺南沙都尉許儒，進攻海虞，石堪又寇南沙及海虞。”孔祥軍《晋書地理志校注》：“吴無此縣，今檢《宋志》：‘海虞令，晋武帝太康四年，分吴縣之虞鄉立。’則太康四年分吴縣置海虞縣。”

[13]婁：縣名，治所在今江蘇省昆山市東北。清洪亮吉《東晋疆域志》："婁，漢舊縣。《後趙録》劉徵復寇婁縣，掠武進。有華亭谷、滬瀆城、築耶城、東倉、蒲濤口。"

吴興郡[1]吴置。統縣十，[2]户二萬四千。

烏程[3]　臨安[4]　餘杭[5]　武康[6]故防風氏國。　東遷[7]　於潜[8]有潜水。　故鄣[9]　安吉[10]　原鄉[11]　長城[12]

[1]吴興郡：治所在烏程縣（今浙江省湖州市南下菰城遺址）。清方愷《新校晋書地理志》："後篇言割吴興之陽縣立義興郡。郭璞《山海經注》今吴興陽羨縣有君山，《爾雅注》同。《史記》索隱引《太康地理志》，陽羨縣本名荆溪，《州郡志》陽羨令，漢舊縣，不言晋廢復置，是陽羨自漢歷西晋至宋皆有此縣，不應與義鄉等縣並列後篇。本《志》誤。本書《周處傳》處爲義興陽羨人。又《武帝紀》太康八年十二月，吴興人蔣迪聚黨反，圍陽羨縣。又《賀循傳》吴平後嵇喜舉循秀才，除陽羨令。"

清洪亮吉《東晋疆域志》："吴興郡，吴置，東晋領縣十。《沈志》去京都水九百五十，陸五百七十。"

孔祥軍《晋書地理志校注》："吴興郡治乏考。吴末領縣九，太康元年武帝平吴後諸縣來屬，太康三年增置東遷、長城二縣，領縣十一，《晋志》無陽羨縣，吴末有陽羨縣，據《晋書》卷三《武帝紀》：'（太康八年）十二月吴興人蔣迪聚黨反，面陽羨縣，州郡捕討，皆伏誅。'則太康八年有陽羨縣。又《宋志》：'義興太守，晋惠帝永興元年，分吴興之陽羨、丹楊之永世立。'又《晋書》：'（永興元年）割吴興之陽羨并長城縣之北鄉置義鄉、國山、臨津并陽羨四縣，分丹楊之永世置平陵，及永世凡六縣，立義興郡……并屬揚州。'則至惠帝時有陽羨縣，永興元年移屬義興郡，《晋志》闕載。"

［2］統縣十：清周家禄《晋書校勘記》："吴興郡，屬縣有陽羡，誤脱。統縣當云十一。按丹陽、永世、吴興、陽羡後皆割隸義興。今丹陽屬縣有永世而吴興無陽羡，故知誤脱。又《周處傳》云義興陽羡人。按義興置郡始於其子玘，處時不得云義興，蓋吴興之之誤也。"籍大陽先生認爲，吴興郡統縣中没有陽羡縣爲記載之疏。陽羡爲兩漢時舊縣，見《漢書·地理志》及《續漢書·郡國志》。《三國志》卷四八《吴書·三嗣主傳》亦有陽羡縣。《晋書·地理志》於吴興郡僅載十縣，不及陽羡，乃疏漏。（參見籍大陽《〈晋書·地理志〉關於陽羡縣記載的疏略》，《中國歷史地理論叢》1992年第3期）

［3］烏程：縣名，治所在今浙江省湖州市南下菰城遺址。清洪亮吉《東晋疆域志》："烏程，漢舊縣。《太平寰宇記》稱《吴興記》云縣舊在郡界，晋安帝義熙元年始移今處。有卞山、昇山、千秋里、狄塘、謝塘。"孔祥軍《晋書地理志校注》："《左傳·襄公三年》杜注有吴興烏程縣，則太康元年吴興郡有烏程縣。"

［4］臨安：縣名，治所在今浙江省杭州市臨安區。清畢沅《晋書地理志新補正》："沅案《太平寰宇記》吴析富春置新城縣，晋太康元年改臨安縣。又云晋太康中改臨水爲臨安。"清洪亮吉《東晋疆域志》："臨安，《通典》吴置臨水縣，晋武帝改今名。有西山。"

［5］餘杭：縣名，治所在今浙江省杭州市餘杭區西南南苕溪南岸。吴作"臨水"，《宋志》："臨安令，吴分餘杭爲臨水縣，晋太康元年更名。"則太康元年改臨水爲臨安。清洪亮吉《東晋疆域志》："餘杭，漢舊縣。有由拳山、大辟山、懸霤山。"

［6］武康：縣名，治所在今浙江省德清縣千秋村。清畢沅《晋書地理志新補正》："沅案《沈志》吴分烏程、餘杭立永安縣。太康元年改今名。《南史·沈約傳》又云靈帝初平五年，分烏程、餘杭爲永安縣。"清洪亮吉《東晋疆域志》："吴永安縣。裴駰《史記集解》太康元年改永安爲武康。《通典》晋以平陽已有永安縣，故改此永安爲武康。有餘不溪、馬頭塢、廢頭里、博陸里、餘烏村。"

孔祥軍《晋書地理志校注》:“吴作‘永安’，今檢《宋志》‘武康令，吴分烏程、餘杭立永安縣，晋太康元年更名。’則太康元年改永安爲武康。”

［7］東遷：縣名，治所在今浙江省湖州市東。清畢沅《晋書地理志新補正》:“沅案太康三年分烏程立。”清洪亮吉《東晋疆域志》:“東遷，《沈志》晋太康三年，分烏程立。《王舒傳》張健等復掠東遷、餘杭、武康諸縣。”孔祥軍《晋書地理志校注》:“吴無此縣，今檢《宋志》:‘東遷令，晋武帝太康三年，分烏程立。’則太康三年分烏程縣立東遷縣。”

［8］於潛：縣名，治所在今浙江省杭州市臨安區於潛鎮。清洪亮吉《東晋疆域志》:“於潛，漢舊縣。《吴録》舊‘潛’字無水，至隋始加。”

［9］故鄣：縣名，治所在今浙江省安吉縣北。清洪亮吉《東晋疆域志》:“故鄣，漢舊縣。有昆山。”

［10］安吉：縣名，治所在今浙江省安吉縣西南。清洪亮吉《東晋疆域志》:“安吉，漢舊縣。”

［11］原鄉：縣名，治所在今浙江省安吉縣。清洪亮吉《東晋疆域志》:“原鄉，漢舊縣，有原鄉山。”

［12］長城：縣名，治所在今浙江省長興縣東。清畢沅《晋書地理志新補正》:“沅案《沈志》太康三年分烏程立。又《元和郡縣志》割吴興之陽羡，并長城縣之北鄉爲義興郡，則晋初有陽羨縣，并屬吴郡，而此《志》不載，未知何故。”清洪亮吉《東晋疆域志》:“長城，《沈志》晋武帝太康二年分烏程立。《通典》吴王闔閭使弟夫概居此，築城狹而長，晋武帝置縣，因以爲名。有夏架山。”孔祥軍《晋書地理志校注》:“吴無此縣，今檢《宋志》:‘長城令，晋武帝太康三年，分烏程立。’則太康三年分烏程縣立長城縣。”

會稽郡[1]秦置。統縣十，户三萬。

山陰[2]會稽山在南，上有禹冢。　上虞[3]有仇亭，舜避丹朱於此地。[4]　餘姚[5]有句餘山在南。　句章[6]　鄞[7]有鲒䱥亭。　鄮[8]　始寧[9]　剡[10]　永興[11]　諸暨[12]

[1]會稽郡：治所在山陰縣（今浙江省紹興市）。清畢沅《晋書地理志新補正》："沅案晋於此置東揚州。"

清方愷《新校晋書地理志》："郭璞《山海經注》句餘山，今在會稽餘姚縣南，句餘縣北，故此二縣因此爲名焉，見張氏地理志云云。今案會稽有句章縣無句餘縣，疑餘乃章字之誤，蓋二縣各分一字爲名，非《晋志》誤也。又案《水經注・沔水》篇，南江又東北爲長瀆歷河口，注引謝康樂云，《山海經》浮玉之山在句餘東五里，便是句餘縣之東山云云。據此，句餘縣名非特見《山海經注》，他書皆有之，恐晋時曾置句餘縣，而《晋志》缺載也。（寅案漢舊縣有句章無句餘，本《志》餘姚縣有句餘山在南，與郭璞注同，不當復有句餘縣。《水經注》句餘山在餘姚之南，句章之北，可證《山海經》郭注之訛。）"

清洪亮吉《東晋疆域志》："會稽國，秦置郡。《通典》晋爲會稽國，東晋領縣十。《沈志》去京都水一千三百五十五，陸同。《元和郡縣志》晋於此置東揚州。"

孔祥軍《晋書地理志校注》："會稽郡治乏考。吴末領縣十六，太康元年武帝平吴後其所領新安、平昌、吴寧、定陽、豐安、永康六縣移屬東陽郡，則領縣十。"

[2]山陰：縣名，治所在今浙江省紹興市。清洪亮吉《東晋疆域志》："山陰，漢舊縣。郭璞《山海經注》會稽郡山陰縣。有西江、邢浦、闞澤、南湖、千秋亭、楊亭、蘭亭、柯亭、回踵埭。"孔祥軍《晋書地理志校注》："《左傳・宣公八年》《左傳・哀公元年》杜注有會稽山陰縣。則太康元年會稽有山陰縣。"

[3]上虞：縣名，治所在今浙江省紹興市上虞區。清洪亮吉《東晉疆域志》："上虞，漢舊縣。《水經注》稱《晉太康地記》曰舜避丹朱於此，故以名縣。百官從之，故縣北有百官橋。亦云禹與諸侯會事訖，因相虞樂，故曰上虞。"

[4]丹朱：相傳爲堯之子，因其不肖，堯禪位於舜。舜使其居丹淵爲諸侯，故號丹朱。

[5]餘姚：縣名，治所在今浙江省餘姚市。清洪亮吉《東晉疆域志》："餘姚，漢舊縣。郭璞《山海經注》句餘山，今在會稽餘姚縣南、句餘縣北。故此二縣因此爲名。見張氏《地理志》。今案會稽有句章縣無句餘縣。有太平山、阿浦。"

[6]句章：縣名，治所在今浙江省餘姚市東南。清洪亮吉《東晉疆域志》："句章，漢舊縣。有漢舊陂。"孔祥軍《晉書地理志校注》："《左傳·哀公二十二年》杜注有會稽句章縣條，則太康元年會稽有句章縣。"

[7]鄞：縣名，治所在今浙江省寧波市奉化區白杜村。清畢沅《晉書地理志新補正》："沅案《元和郡縣志》晉穆帝永和三年，分會稽之鄞縣置寧海縣，屬臨海郡。"

[8]鄮：縣名，治所在今浙江省寧波市東鄮山北麓。清洪亮吉《東晉疆域志》："鄮，漢舊縣。有浹口、吴村。"

[9]始寧：縣名，治所在今浙江省紹興市上虞區西南曹娥江西岸。清畢沅《晉書地理志新補正》："沅案賀續《會稽記》順帝永建四年，分上虞南鄉立。《何承天志》漢末分上虞立。《續漢志》無。"清洪亮吉《東晉疆域志》："始寧，漢舊縣。《沈志》晉太康三年地志有。《水經注》舊治水西，常有波潮之患。晉中興之初移治今處。有故城、太康湖。"孔祥軍《晉書地理志校注》："《宋志》：'始寧令……晉《太康三年地志》有。'則太康三年會稽郡有始寧縣。"

[10]剡：縣名，治所在今浙江省嵊州市西南曹娥江北岸。清洪亮吉《東晉疆域志》："剡，漢舊縣。《晉書·地理志》作郯，今從

兩漢志及《沈志》。有暴布山、東山、坂怡村。”

[11]永興：縣名，治所在今浙江省杭州市蕭山區。清畢沅《晉書地理志新補正》：“沅案漢餘暨縣，吴更名。”清洪亮吉《東晋疆域志》：“永興，漢餘暨縣，郭璞《山海經注》餘暨縣屬會稽，今爲永興縣。《沈志》吴更名。有江唐山、西陵。”

[12]諸暨：縣名，治所在今浙江省諸暨市。清洪亮吉《東晋疆域志》：“諸暨，漢舊縣。有大部鄉、古越城。”

東陽郡[1]吴置。統縣九，户一萬二千。

長山[2]有赤松子廟。[3]　永康[4]　烏傷[5]　吴寧[6]　太末[7]　信安[8]　豐安[9]　定陽[10]　遂昌[11]

[1]東陽郡：治所在長山縣（今浙江省金華市）。清洪亮吉《東晋疆域志》：“東陽郡，吴置。東晋領縣九。《沈志》去京都水一千七百，陸同。有黄蘗嶠。”

孔祥軍《晋書地理志校注》：“據《輿地廣記》卷二十二兩浙路上婺州金華縣條：‘本漢烏傷縣地，屬會稽郡。初平三年分縣南鄉置長山縣，吴爲東陽郡治，晋以後因之。’則東陽郡治長山，在今浙江金華市。《續漢志》無此郡，今檢《吴志》卷五《孫皓傳》：‘（寶鼎元年）分會稽爲東陽郡。’又《宋志》：‘東陽太守，本會稽西部都尉，吴孫皓寶鼎元年立。’又宋本《太平御覽》卷一百七十一引劉宋鄭緝之《東陽記》：‘吴寶鼎元年，始分會稽置東陽郡。’則東陽郡孫皓寶鼎元年分會稽西部都尉立。統縣九：吴領縣三，太康元年武帝平吴所領三縣來屬，又新安等六縣來屬，領縣九。”

[2]長山：縣名，治所在今浙江省金華市。清洪亮吉《東晋疆域志》：“長山，《沈志》漢獻帝興平二年，孫氏分諸暨立，有岑山。”

[3]赤松子：相傳爲帝嚳臣子，後世神仙家依托爲上古仙人。

[4]永康：縣名，治所在今浙江省永康市。清畢沅《晉書地理志新補正》："沅案《東陽記》赤烏八年，分烏傷之上浦置。"清洪亮吉《東晉疆域志》："永康，樂史稱《東陽記》赤烏八年，分烏傷之上浦置永康縣。郭璞《山海經注》稱張氏《土地記》曰東陽永康縣南四里有石城。"孔祥軍《晉書地理志校注》："吴屬會稽郡，今檢《輿地廣記》卷二十二兩浙路上上婺州緊永康縣條：'吴赤烏中分烏傷之上浦置，自晋至隋，皆屬東陽郡。'則永康縣似於太康元年來屬。"

[5]烏傷：縣名，治所在今浙江省義烏市。

[6]吴寧：縣名，治所在今浙江省東陽市東。清畢沅《晉書地理志新補正》："沅案《沈志》吴分諸暨立。"清洪亮吉《東晉疆域志》："《沈志》漢獻帝興平二年，孫氏分諸暨立。有東山。"孔祥軍《晉書地理志校注》："吴屬會稽郡，則吴寧縣似於太康元年來屬。"

[7]太末：縣名，治所在今浙江省龍游縣。清畢沅《晉書地理志新補正》："沅案《太平寰宇記》晉於此立龍邱縣。"清洪亮吉《東晉疆域志》："太末，漢舊縣。"孔祥軍《晉書地理志校注》："《左傳·哀公十三年》杜注有東陽太末縣，太康元年東陽郡有太末縣。"

[8]信安：縣名，治所在今浙江省衢州市。清畢沅《晉書地理志新補正》："沅案《水經注》本新安縣，晉武帝太康三年改曰信安。《元和郡縣志》作太康元年。云以弘農有新安縣，遂改此爲信安。"清洪亮吉《東晉疆域志》："信安，《水經注》：本新安縣，晋武帝太康三年改曰信安。《沈志》作太康元年。有石橋山。"孔祥軍《晉書地理志校注》："吴作'新安'屬會稽郡，今檢《宋志》：'信安令，漢獻帝初平三年，分太末立曰新安。晉大康元年更名。'又《元和志》卷二十六江南道衢州信安縣條：'漢太末縣也，獻帝初平三年，分太末立新安縣，屬會稽郡。晉太康元年，以弘農有新安，故改名信安。'則太康元年改新安爲信安，亦似於此時來屬。"

[9]豐安：縣名，治所在今浙江省浦江縣西南。清畢沅《晉書

地理志新補正》："沅案《沈志》吴分諸暨立。"清洪亮吉《東晋疆域志》："《沈志》漢獻帝興平二年孫氏分諸暨立。"孔祥軍《晋書地理志校注》："吴屬會稽郡，則豐安縣似於太康元年移屬焉。"

[10]定陽：縣名，治所在今浙江省常山縣東南。清畢沅《晋書地理志新補正》："沅案《沈志》吴分信安立。"清洪亮吉《東晋疆域志》："定陽，《沈志》漢獻帝建安二十三年，孫氏分信安立。"孔祥軍《晋書地理志校注》："吴屬會稽郡，今檢《輿地廣記》卷二十三兩浙路下上衢州望西安縣條：'故定陽縣，漢末孫氏分新安置，晋屬東陽郡。'則定陽縣似於太康元年來屬。"

[11]遂昌：縣名，治所在今浙江省遂昌縣。清畢沅《晋書地理志新補正》："沅案《元和郡縣志》吴分太末立，曰平昌。太康元年更名。"清洪亮吉《東晋疆域志》："遂昌，吴平昌縣，晋武帝太康元年更名。"孔祥軍《晋書地理志校注》："吴作'平昌'屬會稽郡，《宋志》：'遂昌令，孫權赤烏二年，分太末立曰平昌。晋太康元年更名。'又《輿地廣記》卷二十三兩浙路下上處州上遂昌縣條：'本漢太末縣地，吴赤烏二年置平昌縣，晋太康元年改爲遂昌，屬東陽郡。'則太康元年改平昌爲遂昌，且移屬東陽郡。"

新安郡[1]吴置。統縣六，户五千。

始新[2]　遂安[3]　黝[4]　歙[5]　海寧[6]　黎陽[7]

[1]新安郡：治所在始新縣（今浙江省淳安縣西北新安江北岸）。清畢沅《晋書地理志新補正》："沅案《沈志》漢建安十三年，孫權分丹陽立，曰新都。晋武帝太康元年更名。"

清方愷《新校晋書地理志》："郭璞注《山海經》云，案《地理志》，浙江出新安黟縣南蠻夷中，東入海，今錢塘浙江是也。黟即歙也云云。案據郭説東晋時已無黟縣。（寅案《州郡志》云，黟，漢舊縣，不言晋省，疑西晋時尚有此縣也。）又案《水經注·

浙江水》篇，浙江又北，歷黟山縣，居山之陽，故縣氏之。漢成帝以爲廣德國，封孫雲客王於此。晉太康中雖爲廣德縣，分隸宣城郡。再據酈説，則在西晋時黟即宣城郡之廣德縣。本志兩縣並存，亦誤。（寅案《水經注》未盡可信。《郡國志》有黟縣，吴書同。本志兩縣並存，當必有據。）”

清洪亮吉《東晋疆域志》：“新安郡，吴新都郡。《沈志》晋武帝太康元年更名。東晋領縣九。《沈志》去京都水一千八百六十，陸一千八百。”

孔祥軍《晋書地理志校注》：“新安郡治始新，在今浙江淳安縣西北。《續漢志》無此郡，今檢宋本《吴志》卷二《孫權傳》：‘（建安十六年〉，是歲使賀齊討黟、歙，分歙爲始新、新定，以六縣爲新都郡。’又宋本《吴志》卷十五《賀齊傳》：‘（建安十三年）（賀）齊復表分欲爲新定、黎陽、休陽、并黟、歙凡六縣，（孫）權遂割爲新都郡，（賀）齊爲太守，立府於始新，加偏將軍。’則建安十三年置新都郡領縣六，且治於始新。又《淳熙嚴州圖經》卷一歷代沿革條：‘建安十三年孫權遣威武中郎將賀齊擊定山越，始分丹楊郡之數縣立始新、新定、犁陽、休陽四縣合黟與歙，爲縣六，爲新都郡，治始新。’其所謂‘犁陽’當爲‘黎陽’之訛。又《宋志》：‘新安太守，漢獻帝建安十三年，孫權分丹楊立曰新都，晋太康元年更名。”又《晋志》：“及晋平吴郡……改新都曰新安郡。’則直至太康元年方改名‘新安郡’，《晋志》作‘吴置’誤。”

［2］始新：縣名，治所在今浙江省淳安縣西北新安江北岸。清畢沅《晋書地理志新補正》：“沅案《沈志》吴分歙立。《元和郡縣志》晋改爲雉山縣，以縣南有雉山。”清洪亮吉《東晋疆域志》：“始新，《沈志》吴分歙立。《元和郡縣志》晋改爲雉山，以縣南雉山爲名。今考晋宋二《志》並作始新，未知吉甫何據。今仍從沈志不改。”

［3］遂安：縣名，治所在今浙江省淳安縣西南。清畢沅《晋書地理志新補正》：“沅案吴分歙爲新定縣，太康元年改今名。”清洪

亮吉《東晋疆域志》:“遂安,《水經注》故名新定,晋太康中又改從今名。”孔祥軍《晋書地理志校注》:“吴作‘新定’,今檢《吴志》卷二《孫權傳》:‘(建安十六年),是歲使賀齊討黟、歙,分歙爲始新、新定、犁陽、休陽縣,以六縣爲新都郡。’此條志文‘新定’下裴注引《吴録》:‘晋改新定爲遂安。’又《宋志》:‘遂安令,孫權分歙爲新定縣,晋太康元年更名。’則晋太康元年改新定縣爲遂安縣。”

[4]黝:中華本校勘記:“《漢志》上作‘黝’,顔師古注‘字本作“黟”’。《水經·漸江水》注、《宋志》一、《南齊書·州郡志》上、《吴志·賀齊傳》、《輿地廣記》二四字並作‘黟’。王念孫《漢書雜志》謂當作‘黟’,‘黝’乃形近誤。”黟縣,治所在今安徽省黟縣東。

[5]歙:縣名,治所在今安徽省歙縣。清洪亮吉《東晋疆域志》:“歙,漢舊縣。郭璞《山海經注》三天子鄣山,今在新安歙縣東。”

[6]海寧:縣名,治所在今安徽省休寧縣萬安鎮。清畢沅《晋書地理志新補正》:“沅案《邑圖》吴割歙縣西川分置休陽,後避孫休名改爲海陽,晋平吴後復改今名。”清洪亮吉《東晋疆域志》:“海寧,吴海寧縣。《沈志》晋武帝太康元年更名。”孔祥軍《晋書地理志校注》:“吴作‘海陽’,今檢《宋志》:‘海寧令,孫權分歙爲休陽縣,晋太康元年更名。’則似晋太康元年休陽縣始改名海寧縣,又檢《寰宇記》卷一百零四江南西道歙州休寧縣條:‘按《吴圖》云:吴割歙縣西川分置休陽縣……吴避孫休之名改爲海陽縣。’則休陽縣于永安元年改名海陽,太康元年平吴後則一國有南北兩海陽,則又改海陽縣爲海寧縣,《宋志》微誤。”

[7]黎陽:縣名,治所在今安徽省休寧縣東南。清畢沅《晋書地理志新補正》:“沅案《沈志》吴分歙立。”清洪亮吉《東晋疆域志》:“黎陽,《沈志》分歙置諸縣之始,又分置黎陽縣。”

臨海郡[1]吴置。統縣八，户一萬八千。

章安[2]　臨海[3]　始豐[4]　永寧[5]　寧海[6]　松陽[7]　安固[8]　横陽[9]

[1]臨海郡：三國吴置，治所在臨海縣（今浙江省臨海市），尋移治章安縣（今浙江省臨海市東南）。清方愷《新校晋書地理志》："《州郡志》寧海令，《何志》漢舊縣。案二漢志，《晋太康地》。（下闕）考《沈志》雖闕，意蓋言《太康地志》無此縣，以駁《何志》也。《東晋疆域志》言樂史稱《臨海記》云，晋永和三年分會稽郡八百户於臨海郡章安地，立寧海縣。據此知寧海實立於東晋穆帝時，不應闌入中篇。又《州郡志》横陽令，晋武帝太康四年，以横藇船屯爲始陽，仍復更名。考横陽既更名於太康四年之後，本志載入與秦寧二州不一例，説見荆州南郡下。"

清洪亮吉《東晋疆域志》："臨海郡，吴置，東晋領縣五。《沈志》去京都水二千一十九，陸同。"

孔祥軍《晋書地理志校注》："臨海郡治乏考。《續漢志》無此郡，今檢《吴志》卷三《孫亮傳》：'（太平二年）會稽東部爲臨海郡。'又《宋志》：'臨海太守……孫亮太平二年立。'則臨海郡孫亮太平二年分會稽東部置。吴時領縣八，太康元年初寧縣廢，又增置寧海縣；太康三年，羅江縣移屬晋安郡；太康四年增置始陽縣，領縣八。"

[2]章安：縣名，治所在今浙江省臨海市東南。清畢沅《晋書地理志新補正》："沅案《元和郡縣志》晋立爲永嘉郡。"清洪亮吉《東晋疆域志》："章安，漢舊縣。《續漢郡國志》注稱《晋元康志》曰本鄞縣南之回浦鄉，章帝章和元年立。《沈志》稱《晋太康地志》同。"

[3]臨海：縣名，治所在今浙江省臨海市。清畢沅《晋書地理志新補正》："沅案《沈志》吴分歙立。"清洪亮吉《東晋疆域志》：

“臨海，樂史稱《太康地志》云吴分章安置臨海縣，屬會稽郡。少帝時置臨海郡，縣又屬焉。有靈石山、石步固。”

［4］始豐：縣名，治所在今浙江省天臺縣。清畢沅《晋書地理志新補正》：“沅案《輿地記》吴初置爲南始平縣，太康元年改今名。”清洪亮吉《東晋疆域志》：“始豐，吴始平縣，《沈志》晋太康元年更名。樂安，《沈志》晋康帝分始豐立。樂史稱顧野王《輿地志》云：晋穆帝永和三年，分始豐南鄉置樂安縣。”孔祥軍《晋書地理志校注》：“吴作‘南始平’，今檢《宋志》：‘始豐令，吴立曰始平（當作南始平，《吴志》卷二《孫權傳》：“（黄龍三年）會稽南始平言嘉禾生。”又《元和志》卷二十六江南道吉州唐興縣條：“三國時吴分章安置南始平縣。”則《宋志》所謂“吴立曰始平”當爲“吴立曰南始平”之訛，中華書局標點本《宋書》失校），晋太康元年更名。’又《寰宇記》卷九十八江南東道台州天臺縣條引《輿地志》：‘吴初置，爲南始平縣，晋太康元年更名始豐。’則太康元年改南始平爲始豐縣。”

［5］永寧：縣名，治所在今浙江省温州市。清畢沅《晋書地理志新補正》：“沅案《沈志》晋孝武康寧三年，分永寧縣置樂城縣。《太平寰宇記》作元康二年。《沈志》晋康帝分始豐置安樂縣。今考此二縣志俱不載，未知何故。樂安，《輿地志》作安樂，云晋穆帝永和三年，分始豐南鄉置安樂縣，與《宋志》不同，未知誰誤。”清洪亮吉《東晋疆域志》：“永寧，漢舊縣。郭璞《山海經注》今臨海永寧縣即東甌在岐海中也。案郭注在明帝以前，故尚云臨海永寧。有千江。”

［6］寧海：縣名，治所在今浙江省寧海市東。清畢沅《晋書地理志新補正》：“沅案《臨海記》晋永和三年，分會稽郡八百户，於臨海郡章安地立寧海縣。”清洪亮吉《東晋疆域志》：“寧海，樂史稱《臨海記》云，晋永和三年分會稽郡八百户於臨海郡章安地，立寧海縣。《通典》亦云，寧海，晋置。”孔祥軍《晋書地理志校注》：“吴無此縣，今檢《宋志》：‘寧海令，《何志》漢舊縣。按二

漢志晋太康地。’中華書局標點本《宋書》校勘記據《寰宇記》以爲西晋時無寧海縣，遂補爲‘按二漢志，晋太康地志無’。而宋《嘉定赤城志》卷一：‘晋太康元年改始平爲始豐，羅陽爲安固，析臨海之北置寧海縣。’又宋《寶慶四明志》卷二十象山縣沿革條：‘《赤城志》云：太康元年析臨海之北置寧海縣。’則寧海縣當於太康元年析臨海縣置，中華書局標點本《宋書》誤補，成孺《宋書州郡志校勘記》：‘《考證》：地字下當有闕文。考《二漢志》俱無寧海，未知其所闕者果系何字，案據志例，二漢志下當是無字；《晋志》屬寧海，知晋太康地下，當是志有二字。’楊守敬《補校宋書州郡志劄記》：‘寧海令，二漢志無，《晋太康地志》有，脱無字，又脱志有二字。’是。”

[7]松陽：縣名，治所在今浙江省松陽縣古市鎮。清畢沅《晋書地理志新補正》：“沅案《沈志》吴立。”

[8]安固：縣名，治所在今浙江省瑞安市。清畢沅《晋書地理志新補正》：“沅案《沈志》吴立曰羅陽，孫皓改曰安陽。晋武帝太康元年更名。《太平寰宇記》以界内安固山爲名。”清洪亮吉《東晋疆域志》：“安固，吴安陽縣。《沈志》晋武帝太康元年更名。樂史稱《輿地志》因界内安固山爲名。”孔祥軍《晋書地理志校注》：“吴作‘羅陽’，今檢《宋志》：‘安固令，吴立曰羅陽，孫皓改曰安陽。晋太康元年更名。’則太康元年改羅陽爲安固縣。”

[9]横陽：縣名，治所在今浙江省平陽縣。清畢沅《晋書地理志新補正》：“沅案《沈志》晋武帝太康四年，以横萸船屯爲始陽縣，仍更今名。”清洪亮吉《東晋疆域志》：“横陽，《沈志》晋武帝太康四年以横薁船屯爲始陽，仍復更名。”孔祥軍《晋書地理志校注》：“吴無此縣，今檢《宋志》：‘横陽令，晋武帝太康四年，以横萸船屯爲始陽，仍復更名。’《輿地廣記》卷二十三兩浙路下上温州望平勝縣條：‘本横陽縣，晋太康四年置，曰始陽，後改名。’則太康四年置始陽縣，旋改名横陽。”

建安郡[1]故秦閩中郡，漢高帝五年以立閩越王。及武帝滅之，徙其人，名爲東冶，[2]又更名東城。後漢改爲候官都尉，[3]及吴置建安郡。統縣七，户四千三百。

建安[4]　吴興[5]　東平[6]　建陽[7]　將樂[8]　邵武[9]　延平[10]

[1]建安郡：治所在建安縣（今福建省建甌市南松溪南岸）。清洪亮吉《東晉疆域志》："建安郡，吴置。《太平寰宇記》晉廢建安郡，以舊屬邑隸晉安郡。東晉又立。凡領縣八。《沈志》去州水二千三百八十，去京都水三千四十，並無陸。建安，《通典》漢冶縣，吴置建安縣。吴興，《沈志》漢末立曰漢興，吴更名。《太平御覽》稱《圖經》云晉尚書陸邁、梁尚書郎江淹皆爲吴興令。淹自序吴興地在東南嶠外閩越之舊境是也。東平，《晉書・地理志》有。建陽，吴建平縣。《沈志》稱《晉太康地志》有。《太平寰宇記》晉太元四年改建平爲建陽，因山之陽爲名。將樂，《沈志》稱晉太康地志有。《太平寰宇記》稱《後漢書》云吴永安三年，析建安之校鄉立。邵陽，《太平寰宇記》吴昭武縣。晉太康三年改爲邵武縣，太寧元年又改爲邵陽縣。延年，祝穆《方輿勝覽》吴南平，晉武平吴改爲延平。綏安，《太平寰宇記》稱《建安記》云晉隆安三年又改將樂西鄉置綏安縣。"

清畢沅《晉書地理志新補正》："沅案《太平寰宇記》晉廢建安郡，以舊屬邑隸晉安郡，東晉又立。"

清方愷《新校晉書地理志》："本志張掖郡下，例書避諱更名，此郡邵武亦以昭武改，應補載。"

孔祥軍《晉書地理志校注》："《續漢志》無此郡，今檢《吴志》卷三《孫休傳》：'（永安三年）以會稽南部爲建安郡。'又《宋志》：'吴孫休永安三年，分（會稽）南部立爲建安郡。'則孫休永安五年分會稽南部置建安郡吴末領縣八，其中候官、東安二縣太康三年移屬晋安郡，晋初增置東平縣，領縣七。”

［2］東冶：冶，原本、宋本作“治”，殿本作“冶”，據殿本改。

［3］候官都尉：候，殿本作“侯”。下文“候官”同。

［4］建安：縣名，治所在今福建省建甌市南松溪南岸。

［5］吴興：縣名，治所在今福建省浦城縣。

［6］東平：縣名，治所在今福建省建甌市一帶，确址不詳。孔祥軍《晋書地理志校注》：“東平縣治乏考。吴無此縣。似於太康元年武帝平吴後置。”

［7］建陽：縣名，治所在今福建省南平市建陽區。清畢沅《晋書地理志新補正》：“沅案《太平寰宇記》漢本名建平，晋太元四年改今名。”孔祥軍《晋書地理志校注》：“吴作‘建平’，今檢《元和志》卷二十九江南道建州建陽縣條：‘本上饒縣地，吴分置建平縣，晋太元四年改爲建陽。’《寰宇記》卷一百一江南東道建州建陽縣條：‘吴志云：建安十年，（孫）權使賀齊討上饒、建平縣是也，晋太元四年改建平爲建陽，因山之陽爲名。’而《宋志》：‘建陽男相，《晋太康地志》有。’則太康三年前已改建平爲建陽，《元和志》誤，《寰宇記》承之。”

［8］將樂：縣名，治所在今福建省將樂縣。清畢沅《晋書地理志新補正》：“沅案《太平寰宇記》稱《建安記》云，晋隆安三年又改，將樂西鄉置綏安縣。”

［9］邵武：縣名，治所在今福建省邵武市。清畢沅《晋書地理志新補正》：“沅案《元和郡縣志》吴昭武縣，晋改爲邵武。《太平寰宇記》太寧元年，改爲邵陽縣。”孔祥軍《晋書地理志校注》：“吴作‘昭武’，今檢《宋志》：‘邵武子相，《晋太康地志》有。’又《寰宇記》卷一百零一江南東道邵武軍邵武縣條：‘本後漢侯官縣之北鄉也，建安元年孫策稱會稽守，置南平縣，吴景帝三年改爲昭武縣，晋太康三年改爲邵武縣。’則太康三年改昭武爲邵武。”

［10］延平：縣名，治所在今福建省南平市。清畢沅《晋書地

理志新補正》："沅案祝穆《方輿勝覽》吴南平縣，晋武平吴改爲延平。"孔祥軍《晋書地理志校注》："吴作'南平'，今檢《寰宇記》卷一百江南東道南劍州沙縣條：'古之南平縣餘迹也，自晋武帝時爲延平縣。'則似太康元年平吴時改南平爲延平。"

晋安郡[1]太康三年置。統縣八，户四千三百。

原豐[2]　新羅[3]　宛平[4]　同安[5]　候官[6]　羅江[7]　晋安[8]　温麻[9]

[1]晋安郡：治所在候官縣（今福建省福州市）。清洪亮吉《東晋疆域志》："晋安郡，《文選注》稱王隱《晋書》太康三年置。統縣八。東晋領縣同。《沈志》去州水三千九百九十，去京都水三千五百八十。案《太平寰宇記》云東晋南渡，衣冠士族多萃其地，以求安堵，因立晋安郡。今考《沈志》及《晋書·地理志》皆云晋武帝太康三年，分建安立晋安郡，則郡不至東晋始立也。樂史蓋誤。原豐，《沈志》晋武帝太康三年省建安典船校尉立。新羅，《晋書·地理志》有。宛平，《晋書·地理志》有。同安，《晋書·地理志》有。侯官，《沈志》前漢無。後漢曰東侯官。《後漢書注》稱《晋太康地志》云漢武帝名爲東冶，後改爲東侯官。羅江，《沈志》吴立，屬臨海，晋武帝立晋安郡度屬，郭璞《山海經注》今晋安羅江縣。晋安，《沈志》吴立，曰東安。晋武帝更名。《通典》云吴置晋安縣，誤。温麻，《沈志》晋武帝太康四年，以温麻船屯立。《元和郡縣志》本漢冶縣地，晋分立温麻縣。"

清畢沅《晋書地理志新補正》："沅案《元和郡縣志》晋置，領縣八。南朝以封子弟爲王。《太平寰宇記》東晋南渡，衣冠士族多萃其地，以求安堵，因立晋安郡。今考《沈志》及《晋地理志》皆云晋武帝太康三年分建安立晋安郡，則郡非東晋始立可知。樂史蓋誤。"

清方愷《新校晉書地理志》:“《州郡志》温麻令，太康四年立，例説見荆州監利縣。”

孔祥軍《晉書地理志校注》:“晉安郡治乏考。今檢《宋志》:‘晉安太守，晉武帝太康三年，分建安立。’則晉安郡太康三年置，領羅江、晉安、候官三縣，又增置原豐、新羅、宛平、同安四縣，太康四年增置温麻縣，領縣八。惠帝元康元年其移屬江州。”

[2]原豐：縣名，治所在今福建省福州市。清畢沅《晉書地理志新補正》:“沅案《沈志》太康三年省建安典船校尉立。”孔祥軍《晉書地理志校注》:“吴無此縣，今檢《宋志》:‘原豐令，晉武帝太康三年，省建安典船校尉立。’則原豐縣太康三年立。”

[3]新羅：縣名，治所在今福建省長汀縣東南。孔祥軍《晉書地理志校注》:“吴無此縣，疑太康三年晉安郡初置時立。”

[4]宛平：縣名，治所在今福建省福州市一帶。孔祥軍《晉書地理志校注》:“吴無此縣，疑太康三年晉安郡初置時立。”

[5]同安：縣名，治所在今福建省同安縣。孔祥軍《晉書地理志校注》:“吴無此縣，疑太康三年晉安郡初置時立。”

[6]候官：縣名，治所在今福建省閩侯縣。孔祥軍《晉書地理志校注》:“吴屬建安郡，似於太康三年來屬。”

[7]羅江：縣名，治所在今福建省。孔祥軍《晉書地理志校注》:“《赤城志》卷四〇《辨誤門》:‘吴太平二年分章安立羅江。按《長樂志》改章安爲羅陽在建安二十三年，而吴太平二年亦但分羅陽等縣屬臨海郡。時則有羅陽，王表見於吴紀，非羅江也。’按，羅陽在今浙江省瑞安市。”孔祥軍《晉書地理志校注》:“吴屬臨海郡，今檢《宋志》:‘羅江男相，吴立，屬臨海。晉武帝立晉安郡，度屬。’則太康三年羅江縣來屬。”

[8]晉安：縣名，治所在今福建省南安市丰州鎮。清畢沅《晉書地理志新補正》:“沅案吴立，曰東安，晉武帝改今名。”孔祥軍《晉書地理志校注》:“吴作‘東安’屬建安郡，《宋志》:‘晉安男相，吴立曰東安，晉武帝更名。’則亦似於太康三年改東安爲晉安，

似於此時來屬。”

[9]温麻：縣名，治所在今福建省霞浦縣南。清畢沅《晋書地理志新補正》：“沅案《沈志》太康四年，以温麻船屯立。《元和郡縣志》本漢冶縣地，晋分立温麻縣。”孔祥軍《晋書地理志校注》：“吴無此縣，今檢《宋志》：‘温麻令，晋武帝太康四年，以温麻船屯立。’則太康四年置温麻縣。”

豫章郡[1]漢置。統縣十六，户三萬五千。

南昌[2]　海昏[3]　新淦[4]　建城[5]　望蔡[6]　永脩[7]　建昌[8]　吴平[9]　豫章[10]　彭澤[11]　艾[12]　康樂[13]　豐城[14]　新吴[15]　宜豐[16]　鍾陵[17]

[1]豫章郡：治所在南昌縣（今江西省南昌市）。清洪亮吉《東晋疆域志》：“豫章郡，漢置。東晋領縣十五。《沈志》去州水六百，陸三百五十，去京都水一千九百，陸二千一百。南昌，漢舊縣。有松陽門、石馬山、石頭渚、南塘、度支步、范寧學臺、釣圻邸閣。海昏，漢舊縣。新淦，漢舊縣。建成，漢舊縣，有建成山。望蔡，《太平寰宇記》稱《輿地志》云後漢靈帝析建底置上蔡縣，以汝南上蔡人分徙于此。晋武帝太康元年，以上蔡人思本土，改爲望蔡縣。永修，漢舊縣。建昌，漢舊縣。吴平，《水經注》舊漢平，晋太康元年改爲吴平矣。豫寧，《水經注》修水東北逕豫寧縣，故西安也。晋太康元年更從今名。今考《晋書・地理志》作豫章縣，誤。又《沈志》豫寧侯相，漢獻帝建安中立。吴曰要安，‘要’字亦‘西’字之訛。《通典》又云，吴置新安縣，晋更名豫寧，‘新安’亦‘西安’之誤也。艾，漢舊縣。康樂，《沈志》康樂侯相，吴孫權黄武中立，曰陽樂，晋武帝太康元年更名。《太平寰宇記》又稱《輿地記》晋改陽樂爲安樂。豐城，《通典》吴分南昌置富城縣，晋太康元年改爲豐城。《元和郡縣志》本漢南昌縣地，晋武帝

太康元年移于今豐城縣南四十一里，名豐城，即是雷孔章得寶劍處也。《太平寰宇記》縣在豐水之西，故名。新吳，漢舊縣。宜豐，《晋書·地理志》有。鍾陵，《太平寰宇記》漢建安十五年，吴大帝分鍾陵置鄱陽郡，則縣亦漢末所立。”

清方愷《新校晋書地理志》：“《州郡志》豫寧侯相，漢獻帝建安中立。吴曰西安。晋武帝太康元年更名。本志作豫章，與《沈志》不合。《水經注·贛水》篇，又北逕南昌縣城西，建安中更名西安。晋又名豫章。若從《水經注》則豫章即南昌之改名，又不應兩縣並存也。《水經注》又云，循水出艾縣東北，逕豫章寧縣，故西安也。晋太康元年更從今名，則又與前説稍異。然以西安推之，亦不當復有南昌，而《州郡志》則有南昌豫寧，未解孰是。（庠案豫寧即今南昌府屬之武寧縣。《水經注》循水出艾縣，東北逕豫章寧縣，故西安也。‘章’字衍，當作逕豫寧縣。《贛水篇》建安中更名西安，晋又名豫章，‘章’字當作‘寧’。循水即《漢志》之脩水。艾縣，今義寧州也。脩水，今謂之奉新江。翊寅按，《郡國志》注引《豫章記》曰，豫章縣，建安中立，是後漢舊有豫章縣也。《州郡志》豫章太守下豫寧侯相云，漢獻帝建安中立。吴曰西安，晋武帝太康元年更名是豫寧，即豫章之訛。今考豫章水名，在漢海昏縣地，《元和郡縣志》海昏故城在建昌縣東三里，昌邑王賀所封。《寰宇記》云，建安中分海昏縣立西安縣，晋太康元年改爲豫章，可證西晋以前無豫寧之稱。《水經注·贛水》篇北逕南昌縣城西，酈注云建安中更名西安，晋改名豫章。又云循水出艾縣東北，逕豫章寧縣，故西安也。晋太康元年更從今名。酈君於南方水道考訂本疏，此二注尤屬舛謬。案南昌縣爲豫章郡治，莽曰宜善，後漢復舊，不聞建安中以南昌爲西安，亦不聞晋改豫章，至豫章爲建安中分海昏所立，吴曰西安晋太康元年復改豫章，仍漢舊名，與南昌無涉。今酈注乃混南昌豫章二縣爲一致，使後人聚訟紛如。又循水所逕之豫章寧縣，酈注本衍一‘寧’字，近儒皆據《沈志》，謂當作‘豫寧’衍一‘章’字，亦屬附會。又案，酈注循水出艾縣東北，此即《漢志》修水之訛。《後漢書》注，艾縣故城在建昌縣，亦與南昌縣絶不相涉。晋太康中南昌豫章二縣並存，未聞有改，酈注牽混，殆不可從。劉氏庠説失考之甚。）”

孔祥軍《晋書地理志校注》：“豫章郡治乏考，吴末領縣十五，晋初增置鍾陵縣，領縣十六。元康元年移屬江州。”

［2］南昌：縣名，治所在今江西省南昌市。

［3］海昏：縣名，治所在今江西省永修縣艾城鎮。

［4］新淦：縣名，治所在今江西省樟樹市。

［5］建城：縣名，治所在今江西省高安市。

［6］望蔡：縣名，治所在今江西省上高市。清畢沅《晋書地理志新補正》：“沅按顧野王《輿地志》漢靈帝析建成置上蔡縣，以汝南上蔡人分徙於此。孫吴又置陽樂、宜豐二縣。太康元年，以上蔡人思本土爲改望蔡。又改陽樂爲康樂。”孔祥軍《晋書地理志校注》：“吴作‘上蔡’，今檢《宋志》：‘望蔡子相，漢靈帝中平中，汝南上蔡民分徙此地。立縣名曰上蔡，晋太康元年更名。’則太康元年改上蔡爲望蔡。”

［7］永脩：縣名，治所在今江西省永修縣艾城鎮西南。

［8］建昌：縣名，治所在今江西省奉新縣西。

［9］吴平：縣名，治所在今江西省樟樹市西南。清畢沅《晋書地理志新補正》：“沅案《沈志》漢靈帝中平中立，曰漢平，吴改今名。《水經注》又云，舊漢平，晋太康元年改爲吴平矣。”孔祥軍《晋書地理志校注》：“吴作‘漢平’，今檢《宋志》：‘吴平侯相，漢靈帝中平中立曰漢平，吴更名。’而《水經注》卷三十九：‘牽水又東逕吴平縣，舊漢平也，晋太康元年，改爲吴平矣。’則太康元年改名‘吴平’。《宋志》所謂‘吴更名’當爲‘晋太康元年更名’之訛，中華書局標點本校勘記已出校，是。”

［10］豫章：縣名，治所在今江西省都昌縣東南鄱陽湖中四望山。清畢沅《晋書地理志新補正》：“沅案《太平寰宇記》，後漢建安中分海昏縣立西安縣，晋太康元年改爲豫章。”孔祥軍《晋書地

理志校注》："吴作'西安'，今檢《寰宇記》卷一百零六江南西道洪州武寧縣條：'古西安縣也，後漢建安中分海昏縣立西安縣，至太康元年改爲豫寧。'又《宋志》：'豫寧侯相，漢獻帝建安中立，吴曰要安，晋武帝太元元年更名。'錢氏《考異》卷二十三以爲此'要安'當爲'西安'之訛，《晋志》作'豫章'誤，亦爲'豫寧'之訛，是。"

[11]彭澤：縣名，治所在今江西省湖口縣東。

[12]艾：縣名，治所在今江西省修水縣西。孔祥軍《晋書地理志校注》："《左傳·哀公十五年》杜注有豫章艾縣，則太康元年豫章郡有艾縣。"

[13]康樂：縣名，治所在今江西省萬載縣東。清畢沅《晋書地理志新補正》："沅案《太平寰宇記》稱《輿地記》，晋改陽樂爲康樂。"孔祥軍《晋書地理志校注》："吴作'陽樂'，今檢《宋志》：'康樂侯相，吴孫權黄武中立曰陽樂，晋太康元年更名。'則太康元年改陽樂爲康樂。"

[14]豐城：縣名，治所在今江西省豐城市南。清畢沅《晋書地理志新補正》："沅案吴立曰富城。太康元年改今名。《沈志》豫章郡又有豫章縣，曰西安。太康元年改爲豫寧。考今《晋書·地理志》作豫章，蓋太康後又改今名，故《水經注》尚云循水東北逕豫章縣也。"孔祥軍《晋書地理志校注》："吴作'富城'，今檢《宋志》：'豐城侯相，吴立曰富城，晋太康元年更名。'則太康元年改富城爲豐城。"

[15]新吴：縣名，治所在今江西省奉新縣西。

[16]宜豐：縣名，治所在今江西省宜豐縣北。

[17]鍾陵：縣名，治所在今江西省進賢縣西北。孔祥軍《晋書地理志校注》："吴無此縣，疑太康初年置。"

臨川郡[1]吴置。統縣十，户八千五百。

臨汝[2]　西豐[3]　南城[4]　東興[5]　南豐[6]　永成[7]　宜黄[8]　安浦[9]　西寧[10]　新建[11]

[1]臨川郡：治所在臨汝縣（今江西省撫州市臨川區西）。清畢沅《晋書地理志新補正》："沅案《太平寰宇記》吴太平二年，以南城、臨汝二縣置臨川郡，更增宜黄、安浦、新建、西平、西城、東興、南豐、永城八縣。至晋改西城爲西寧，西平爲西豐。"

清洪亮吉《東晋疆域志》："臨川郡，吴置。東晋領縣十。《沈志》去州水一千一百，陸一千二十，去京都水二千八百三十，陸三千。臨汝，漢舊縣。西豐，《沈志》吴立，曰西平。晋武帝太康元年更名。南城，漢舊縣。東興，《沈志》吴立。南豐，《沈志》吴立。永成，《沈志》吴立。宜黄，《沈志》吴立。安浦，《沈志》吴立。西寧，《太平寰宇記》吴西城縣，晋改今名。案樂史又云西寧吴太平二年置，以寧水爲名。今考西寧之名，至晋始改，或晋時以縣界有寧水，因改縣名從之。而云吴置縣，即以寧水爲名，誤矣。樂史所徵地理書極博，而不善持擇，故前後往往有牴牾。他如此類甚多，姑記於此。新建，《沈志》吴立。"

清方愷《新校晋書地理志》："《州郡志》南城男相，漢舊縣，晋武帝太康元年更曰南新城。江左復舊。此篇闕'新'字。"

孔祥軍《晋書地理志校注》："臨川郡治乏考。《續漢志》無此郡，今檢《吴志》卷三《孫亮傳》：'（太平二年以）豫章東部爲臨川郡。'又《宋志》：'臨川内史，吴孫亮太平二年，分豫章東部都尉立。'又《寰宇記》卷一百一十江南西道撫州條：'吴太平二年以南城、臨汝二縣置臨川郡，更增置宜黄、安浦、新建、西平、西城、東興、南豐、永城八縣，至晋改西平爲西豐、改西城爲西寧。'則臨川郡孫亮太平二年分豫章郡置東部都尉。元康元年移屬江州。"

[2]臨汝：縣名，治所在今江西省撫州市臨川區西。

[3]西豐：縣名，治所在今江西省撫州市臨川區南。清畢沅

《晉書地理志新補正》:“沅案《太平寰宇記》吴西平縣,晉改今名。”孔祥軍《晉書地理志校注》:“吴作‘西平’,今檢《宋志》:‘西豐侯相,吴立曰西平,晉太康元年更名。’則太康元年改西平爲西豐。”

[4]南城:縣名,治所在今江西省南城縣東南。清畢沅《晉書地理志新補正》:“沅案《沈志》太康元年更曰新南城,江左復舊。”清畢沅《晉書地理志新補正》:“沅案《沈志》太康元年更曰新南城,江左復舊。”孔祥軍《晉書地理志校注》:“吴作‘南城’,今檢《宋志》:‘南城男相,漢舊縣,晉太康元年,更曰新南城,江左復舊。’則太康元年時改新城爲新南城。《晉志》,誤,當作‘新南城’。”

[5]東興:縣名,治所在今江西省黎川縣東北。

[6]南豐:縣名,治所在今江西省廣昌縣東。

[7]永成:縣名,治所在今江西省黎川縣北。孔祥軍《晉書地理志校注》:“今檢《宋志》:‘永城男相,吴立。’又據《寰宇記》卷一百一十江南西道撫州條:‘吴太平二年以南城、臨汝二縣置臨川郡,更增置宜黄、安浦、新建、西平、西城、東興、南豐、永城八縣。’則《晉志》誤,當作‘永城’。”

[8]宜黄:縣名,治所在今江西省宜黄縣東。

[9]安浦:縣名,治所在今江西省樂安縣西南。

[10]西寧:縣名,治所在今江西省崇仁縣南。東晉時曾爲西平郡屬縣。清洪亮吉《東晉疆域志》:“西平郡,《沈志》晉懷帝永嘉五年,寧州刺史王遜分興古之東立。《何志》晉成帝非也。東晉有西寧縣。凡領縣六,《沈志》去京都水一萬五千三百。西平,《沈志》稱《何志》晉成帝立。温江,《沈志》稱《何志》晉成帝立。都陽,《沈志》稱《何志》晉成帝立。案《晉起居注》太康二年,置興古之都唐縣,疑是。晉綏,《沈志》稱《何志》晉成帝立。義成,《沈志》稱《何志》晉成帝立。又云上五縣並與郡俱立。西寧,《沈志》稱《何志》晉成帝立。”孔祥軍《晉書地理志校注》:

“吴作‘西城’，今檢《寰宇記》卷一百一十江南西道撫州條：‘至晋改西平爲西豐、改西城爲西寧。’則太康元年改西城爲西寧。”

[11]新建：縣名，治所在今江西省崇仁縣西南。

鄱陽郡[1]吴置。統縣八，户六千一百。

廣晋[2]　鄱陽[3]　樂安[4]　餘汗[5]　鄡陽[6]　歷陵[7]　葛陽[8]　晋興[9]

[1]鄱陽郡：治所在廣晋縣（今江西省鄱陽縣東北）。清洪亮吉《東晋疆域志》：“鄱陽郡，吴置。東晋領縣八。《沈志》去州水四百四十，去京都水一千八百四十，陸二千六十。《太平寰宇記》稱《鄱陽記》云晋永嘉七年分餘干置興安縣，尋省。今不録。廣晋，《沈志》吴立曰廣昌，晋武帝太康元年更名。鄱陽，漢舊縣，有五畝橋。樂安，《沈志》吴立。餘汗，漢舊縣。鄡陽，漢舊縣。歷陵，漢舊縣。葛陽，《沈志》吴立。《元和郡縣志》自吴至陳並屬鄱陽。晋興，《晋書・地理志》有。又《沈志》稱《晋太康地志》鄱陽郡有上饒縣，王隱《地道》無。案《宋書・虞丘進傳》盧循遣將英虬爲上饒令，千餘人守故城。蓋上饒縣江左已省，僅存故城。循又權時立令也。”

清畢沅《晋書地理志新補正》：“沅案《沈志》孫權分豫章立，治鄱陽縣。赤烏八年徙治吴芮故城。”

清方愷《新校晋書地理志》：“《州郡志》上饒男相，吴立，《太康地志》有，王隱《地道》無。”

孔祥軍《晋書地理志校注》：“鄱陽郡治乏考。《續漢志》無此郡，今檢《吴志》卷二《孫權傳》：‘（建安）十五年，分豫章爲鄱陽郡。’又據涵芬樓校本《説郛》卷六十七下引雷次宗《豫章古今記》：‘漢末建安十五年，漢祚已季，三分天下，孫氏又分鄱埸、歷陽、餘幹、鄒陽、樂安等五縣及廬江共爲鄱陽郡。’則建安十五年置鄱陽郡，吴領縣八，太康元年武帝平吴後諸縣來屬，據《宋志》：'上饒男相，吴立，《太康地志》有。《王隱地道》無。'則太康三年鄱陽郡有上饒縣。又《輿地廣記》卷二十四江南東路上信州望上饒縣條：'吴置，晋省之，宋復置。'則太康四年上饒縣省，又置晋興縣，領縣八。元康元年移屬江州。"清勞格《晋書校勘記》："《太康地志》鄱陽郡有上饒縣。"

[2]廣晋：縣名，治所在今江西省鄱陽縣東北。清畢沅《晋書地理志新補正》："沅案吴立曰廣昌，太康元年改今名。"孔祥軍《晋書地理志校注》："吴作'廣昌'，檢《宋志》：'廣晋令，吴立曰廣昌，晋太康元年更名。'則太康元年改爲廣晋。"

[3]鄱陽：縣名，治所在今江西省鄱陽縣東北。

[4]樂安：縣名，治所在今江西省德興市東北。

[5]餘汗：縣名，治所在今江西省餘干縣東北。清畢沅《晋書地理志新補正》："沅案《太平寰宇記》稱《鄱陽記》晋永嘉七年分餘干置興安縣，尋廢焉。"孔祥軍《晋書地理志校注》："今檢涵芬樓校本《説郛》卷六十七下引雷次宗《豫章古今記》：'孫權又分鄱陽、歷陽、餘干、鄡陽（當作鄡陽）、樂安等五縣及廬江共爲鄱陽郡。'又《宋志》、《南齊志》則'餘汗'誤，當作'餘干'。"

[6]鄡陽：縣名，治所在今江西省都昌縣東南。

[7]歷陵：縣名，治所在今江西省德安縣東。孔祥軍《晋書地理志校注》："吴作'歷陽'，似於太康元年武帝平吴後，改歷陽爲歷陵。"

[8]葛陽：縣名，治所在今江西省弋陽縣西。孔祥軍《晋書地理志校注》："據《中國磚銘》所收《永康元年買地券》：'永康元年……鄱陽葛陽李達年六十七。'可知永康元年鄱陽郡有葛陽縣。《元和志》卷二十八江南道信州弋陽縣條：'後漢分餘汗東界立葛陽縣，自吴至陳并屬鄱陽郡。'"

[9]晋興：縣名，治所在今江西省鷹潭市餘江區。孔祥軍《晋書地理志校注》："吴無此縣，似於晋初增置。"

廬陵郡[1]吴置。統縣十，户一萬二千二百。

西昌[2]　高昌[3]　石陽[4]　巴丘[5]　南野[6]　東昌[7]　遂興[8]　吉陽[9]　興平[10]　陽豐[11]

[1]廬陵郡：治所在石陽縣（今江西省吉水縣東北）。清洪亮吉《東晋疆域志》："廬陵郡，吴置。東晋統縣十。《沈志》去州水二千，陸一千六百。去京都水三千六百。石陽，漢舊縣。《元和郡縣志》晋太康中移郡于石陽縣。《太平寰宇記》稱《晋地記》曰太康中以雩都、贛、南野等縣割爲南康郡，而廬陵百姓去管遥遠，乃移郡於石陽縣，今舊州東北故城是也。案《水經注》又言漢和帝永平九年分廬陵立石陽縣。獻帝初平二年，吴長沙桓王立廬陵郡治此，疑誤。今從《太康地志》等。有廬陵城。西昌，《沈志》吴立。高昌，《沈志》吴立。巴丘，《沈志》吴立。南野，漢舊縣。郭璞《山海經注》今贛水出南康南野縣西北。《太平御覽》稱《晋太康地志》南野有大庾嶺，嶺峻阻螺轉，上嶮九磴，二里至頂。下七里，平行十里，至亭。一名横亭，一名塞上嶺。東昌，《沈志》吴立。遂興，《太平寰宇記》稱《興地記》云後漢獻帝立遂興縣，吴大帝改曰新興，晋武帝復爲遂興，以在遂水口，故爲名。吉陽，《沈志》吴立。興平，《沈志》吴立。陽豐，吴陽城縣。《沈志》晋武帝太康元年更名。"

清畢沅《晋書地理志新補正》："沅案晋《地記》太康中以雩都、贛南、野等縣割爲南康郡，而廬陵百姓去管遥遠，乃移郡於石陽縣。"

孔祥軍《晋書地理志校注》："廬陵郡治乏考，吴領縣十六，太康元年武帝平吴諸縣來屬，據《宋志》：'寧都子相，吴立曰楊都，晋太康元年更名。'又《寰宇記》卷一百零八江南西道虔州虔化縣條：'吴大帝時分贛縣立爲陽都縣，《吴録地志》屬廬陵郡之南部，晋武帝改爲寧都，《起居注》云：太康元年以廬陵郡都尉之陽都縣來入，是也。’則太康元年改楊都縣爲寧都縣。又《宋志》南康公相有寧都子相，則寧都縣似于太康三年移屬南康郡。揭陽等五縣亦於是年移屬南康郡，領縣十。元康元年移屬江州。”

[2]西昌：縣名，治所在今江西省泰和縣西。

[3]高昌：縣名，治所在今江西省吉安市西南。

[4]石陽：縣名，治所在今江西省吉水縣東北。

[5]巴丘：縣名，治所在今江西省峽江縣北。

[6]南野：縣名，治所在今江西省贛州市南康區西南章江南岸。

[7]東昌：縣名，治所在今江西省吉安市東南。

[8]遂興：縣名，治所在今江西省萬安縣西北。孔祥軍《晋書地理志校注》：“吴作‘新興’，今檢《宋志》：‘遂興男相，吴立曰新興，晋太康元年更名。’又檢《寰宇記》卷一百零九江南西道吉州太和縣條引《輿地志》云：‘後漢獻帝立遂興縣，吴大帝改曰新興，晋武帝復爲遂興。’則晋太康元年又復爲‘遂興’。”

[9]吉陽：縣名，治所在今江西省吉水縣東。

[10]興平：縣名，治所在今江西省永豐縣東北。清畢沅《晋書地理志新補正》：“沅案《沈志》西昌、高昌、東昌、遂興、吉陽、巴丘、興平七縣，《沈志》俱云吴立。遂興吴曰新興。”

[11]陽豐：縣名，治所在今江西省永豐縣西北。清畢沅《晋書地理志新補正》：“沅案吴曰陽城，太康元年改今名。考《續漢志》豫章無陽城縣，疑亦吴所立。”孔祥軍《晋書地理志校注》：“吴作‘陽城’，今檢《宋志》：‘陽豐男相，吴曰陽城，晋太康元年更名。’太康元年改陽城爲陽豐。”

南康郡[1]太康三年置。統縣五，户一千四百。

贛[2]　雩都[3]　平固[4]　南康[5]　揭陽[6]

[1]南康郡：西晋治所在雩都縣（今江西省于都縣東北），東

晋永和五年（349）移治贛縣（今江西省贛州市西南）。清洪亮吉《東晋疆域志》:“南康郡，《晋書·地理志》太康三年置。統縣五。《水經注》晋太康五年分廬陵立。《元和郡縣志》本吴廬陵南部都尉，晋太康三年罷都尉立爲南康郡。案此則《水經注》‘五’年當作三。或傳寫之誤。東晋領縣六。《沈志》去州水三千七百四十，去京都水三千八十。《元和郡縣志》郡先治雩都，永和五年移理贛。《太平寰宇記》永和五年，太守高琟置郡城於章、貢二水之間，義熙七年徙于贛水東。贛，漢舊縣。《太平寰宇記》稱《太康地志》贛縣屬南康郡，因水以爲名。又虔州，《圖經》章、貢二水合流爲贛，其間置邑，因名爲贛。晋太康末洪水横流，忽有大鼓隨波而下，入葛姥故城，衆力齊曳，蹲而不動。卜于其地置縣吉，遂徙以就焉。有儲潭君祠。雩都，漢舊縣，有嵩山。寧都，《沈志》吴立，曰揚都，晋武帝太康元年更名。平固，《沈志》吴立，曰平陽，晋武帝太康元年更名。南康，《沈志》吴立曰南安。晋武帝太康元年更名。《元和郡縣志》又云，太康五年改今名，疑誤。有南康山。陂陽，《沈志》吴曰揭陽。《太平寰宇記》晋太康五年改爲陂陽縣，以陂陽水爲名。”

清畢沅《晋書地理志新補正》:“沅案《元和郡縣志》本吴廬陵南部都尉，晋武帝太康三年，罷都尉立爲南康郡，至永和五年移理贛。”

清方愷《新校晋書地理志》:“《州郡志》南康郡下云，南野伯相，漢舊縣，屬豫章。郭璞《山海經·贛水》注，今贛水出南康南野縣西北，是晋南野縣當屬南康也。（庠案《郡國志》無南野縣。南野縣在今南安府南康縣西南，爲大庾縣境。庾仲初謂之大庾嶠水。太康元年更名，本《志》無寧都，誤。）（寅案畢校亦云此《志》疑脱南野寧都二縣。）”孔祥軍《晋書地理志校注》:“南康郡治乏考。今檢《宋志》:‘南康公相，晋武帝太康三年，以廬陵南部都尉立。’則武帝太康三年分廬陵郡置南康郡。元康元年移屬江州。據廬陵郡考證，太康三年寧都縣來屬，似旋廢。”

[2]贛：縣名，治所在今江西省贛州市西南。清畢沅《晉書地理志新補正》："沅案《元和郡縣志》南康郡先治雩都，永和五年，移理贛。《太平寰宇記》稱《虔州圖經》，章、貢二水合流爲贛，其間置縣，因名爲贛。"

[3]雩都：縣名，治所在今江西省于都縣東北。

[4]平固：縣名，治所在今江西省興國縣南。清畢沅《晉書地理志新補正》："沅案《沈志》吴立曰平陽，晉武帝太康元年更名。"孔祥軍《晉書地理志校注》："吴作'平陽'，今檢《宋志》：'平固侯相，吴立曰平陽，晉太康元年更名。'則太康元年改爲平固縣。"

[5]南康：縣名，治所在今江西省贛州市南康區西南。清畢沅《晉書地理志新補正》："沅按《太平寰宇記》吴大帝分南野立南安縣，晉改爲南康。"孔祥軍《晉書地理志校注》："吴作'安南'，今檢《宋志》：'南康公相，吴立曰安南，晉太康元年更名。'則太康元年改爲南康縣。"

[6]揭陽：縣名，治所在今江西省石城縣西。陽，原本、宋本作"楊"，殿本作"陽"，據殿本、中華本校勘記改。清畢沅《晉書地理志新補正》："沅案《沈志》吴立曰揭楊，晉太康五年，以西康、揭陽移治故陂陽縣，改曰陂縣。《沈志》南康郡又有寧都，吴曰楊都，太康元年改今名。此《志》疑脱南野、寧都二縣。"孔祥軍《晉書地理志校注》："殿本作'揭陽'，據《宋志》南康公相陂陽男相條：'吴立曰揭陽，晉武帝太康五年以南康（原作西康，胡阿祥先生《宋書州郡志彙釋》卷二以爲當作南康，是）揭陽移治故陂陽縣，改曰陂陽。'又《太平寰宇記》卷一百零八虔州虔化縣廢陂陽縣條：'吴嘉禾五年置揭陽縣，晉太康五年改爲陂陽縣，以陂陽水爲名。'則當作揭陽，太康五年改爲陂陽。"

惠帝元康元年，有司奏，荆、揚二州疆土曠遠，[1]統理尤難，於是割揚州之豫章、鄱陽、廬陵、臨川、南康、建安、晋安，荆州之武昌、桂陽、安成，合十郡，因江水之名而置江州。永興元年，分廬江之尋陽、武昌之柴桑二縣置尋陽郡，[2]屬江州，分淮南之烏江、歷陽二縣置歷陽郡。[3]又以周玘創義討石冰，[4]割吴興之陽羨并長城縣之北鄉置義鄉、[5]國山、[6]臨津并陽羨四縣，[7]又分丹楊之永世置平陵及永世，[8]凡六縣，立義興郡，[9]以表玘之功，並屬揚州。又以毗陵郡封東海王世子毗，避毗諱，改爲晋陵。懷帝永嘉元年，又以豫章之彭澤縣屬尋陽郡。愍帝立，避帝諱改建鄴爲建康。元帝渡江，建都揚州，[10]改丹楊太守爲尹，[11]江州又置新蔡郡。[12]尋陽郡又置九江、[13]上甲二縣，[14]尋又省九江縣入尋陽。是時司、冀、雍、凉、青、并、兖、豫、幽、平諸州皆淪没，江南所得但有揚、荆、湘、江、梁、益、交、廣，其徐州則有過半，豫州惟得譙城而已。[15]明帝太寧元年，分臨海立永嘉郡，[16]統永寧、安固、松陽、横陽等四縣，而揚州統丹楊、吴郡、吴興、新安、東陽、臨海、永嘉、宣城、義興、晋陵十一郡。[17]

[1]曠遠：曠，殿本作“廣”。

[2]尋陽郡：清洪亮吉《東晋疆域志》：“尋陽郡，《沈志》尋陽本縣名，因水名縣。《水經注》二漢屬廬江，吴立蘄春郡，尋陽屬焉。晋武帝太康元年省蘄春郡，以尋陽屬武昌，改蘄春之安豐爲高陵，及邾縣皆屬武昌。二年以武昌之尋陽復置廬江郡。惠帝永興元年，分廬江、武昌立尋陽郡。《通典》漢尋陽舊縣，在江北，晋温嶠移於江南。《太平御覽》稱《晋書地道記》曰尋陽南通五嶺，北導長江，遠行岷漢，亦一都會也。《太平寰宇記》地本蒲塘，春

秋時爲楚之東鄙地，至晋永興初始以爲郡，乃領尋陽、柴桑、彭澤、上甲、九江五縣。今考《晋書·地理志》懷帝永嘉元年，又以豫章之彭澤縣屬尋陽郡。元帝渡江，尋陽郡又置九江、上甲二縣，尋省九江縣入尋陽。安帝義熙八年省尋陽縣，屬柴桑，後又省上甲縣入彭澤。凡領縣二。樂史以爲永興初即領五縣，誤也。柴桑，漢舊縣。《沈志》晋屬武昌，二漢、《晋太康地志》屬豫章。立尋陽郡後割度。《晋書·地理志》安帝義熙八年省尋陽縣入柴桑，仍爲郡治。有潯水城、湓口城、陶公壘、廬山、西岸小山、鄂陵、半洲、鵲洲、瀨鄉。彭澤，漢舊縣。郭璞《山海經注》彭澤今彭蠡也，在尋陽彭澤縣。《晋書·地理志》屬豫章。懷帝永嘉元年移屬。有縣治城、左里城、桑落洲。”

[3]歷陽郡：清洪亮吉《東晋疆域志》“歷陽郡，《沈志》晋惠帝永與元年分淮南立，屬揚州。安帝割屬豫州。案《劉毅傳》都督豫州、揚州之淮南、歷陽、廬江、安豐五郡諸軍事，蓋尚在未割屬之前。領縣二，豫州常鎮於此。《太平寰宇記》東晋改淮南郡爲歷陽郡，微誤。歷陽，漢舊縣。有通胡城、晋王城、姚萇城、東關、胡桃山、利浦、回浦、横江、三焦、練固。烏江，《沈志》二漢無。《晋書》有。又稱《太康地志》屬淮南。《太平寰宇記》晋太康六年始于東城界立烏江，案《陸曄傳》爲烏江令，在西晋時。”

[4]周玘：字宣佩，本書卷五八有傳。　石冰：太安二年(303)隨張昌起兵，攻破江州。後被晋將周圮打敗，又被陳敏擊破，乃北投封雲，爲封雲部將張統所殺。

[5]陽羨：縣名，治所在今江蘇省宜興市南荆溪南岸。清洪亮吉《東晋疆域志》：“陽羨，漢舊縣。郭璞《山海經注》今吴興陽羨縣有君山。《史記索隱》稱《太康地理志》陽羨縣本名荆溪。有荆溪、震澤、章浦亭。”　義鄉：縣名，治所在今浙江省長興縣西北。清洪亮吉《東晋疆域志》：“義鄉，《沈志》故屬長城，陽羨立郡後分立。”

[6]國山：縣名，治所在今江蘇省宜興市西南。清洪亮吉《東

晋疆域志》："國山，《太平寰宇記》晋元帝置義興郡於陽羨。又置國山縣於白石山西。晋成帝移於平地，去舊城七里。"

［7］臨津：縣名，清洪亮吉《東晋疆域志》："臨津，《沈志》故屬陽羨，立郡分立。"

［8］平陵：縣名，治所在今江蘇省溧陽市西北。清洪亮吉《東晋疆域志》："《沈志》稱董覽《吴地志》云，晋分永世立太康、永寧，《地志》並無。疑是江左所立也。《太平寰宇記》晋元帝割丹陽永世縣爲平陵縣。有平陵山。"

［9］立義興郡：清洪亮吉《東晋疆域志》："義興郡，《晋書·地理志》惠帝永興元年，以周玘創義討石冰，割吴興之陽縣並長城縣之北鄉置義鄉、國山、臨津并陽羨四縣。又分丹陽之永世置平陵及永世，凡六縣立義興郡，以表玘之功，並屬揚州。《沈志》永世尋還丹陽，去都水四百九十，陸同。"孔祥軍《晋書地理志校注》："據胡阿祥《宋書州郡志彙釋》：義興郡始置年代有二説，一説晋惠帝永興元年，一説晋懷帝永嘉四年，而又都與周玘有關。按周玘，陽羨人，惠帝永興元年討石冰，懷帝永嘉元年討陳敏，永嘉四年誅錢璯，此號稱'三定江南'，據《晋志》及《元和郡縣圖志》，立興郡以表周玘創義討石冰之功，此永興元年説；又據《晋書·周玘傳》及《資治通鑑》，周圯'三定江南'，晋琅邪王司馬睿嘉其功，乃以玘爲吴興太守，并於其鄉里置義興郡以旌之，此永嘉四年説。"

［10］建都揚州：清畢沅《晋書地理志新補正》："沅案《沈志》晋元帝初割吴郡海虞縣之北境爲東海郡，立郯、朐、利城三縣。而祝其、襄、賁等縣寄治曲阿。穆帝永和中郡移出京口，郯等三縣亦寄治於京。"

［11］改丹楊太守爲尹：孔祥軍《晋書地理志校注》："吴氏《斠注》據《藝文類聚》引《晋中興書》以爲晋太興二年改丹楊内史爲丹陽尹。"清洪亮吉《東晋疆域志》："《沈志》漢置郡，治宛陵。晋武帝太康二年分丹陽郡立宣城郡，治宛陵。而丹陽移治建

業。歐陽詢《藝文類聚》稱《晉中興書》曰，晉太興元年改丹陽内史（《元帝紀》，在元年六月），爲丹陽尹。領縣十二。”

[12]新蔡郡：東晉僑置郡，治所在苞信縣（今江西省九江市）。清洪亮吉《東晉疆域志》：“新蔡郡，《沈志》晉惠帝分汝陰立。東晉領縣四。《晉書》安帝義熙十二年，檀道濟攻拔新蔡，殺秦太守董遵。《沈志》去州陸六百，去京都水二千五百，陸一千四百。新蔡，漢舊縣。鮦陽，漢舊縣。《沈志》晉成帝咸康二年，省併新蔡，後又立。《地形志》同。固始，漢舊縣。《沈志》晉成帝咸康二年省併新蔡，後又立。樂史稱《晉太康地志》孫叔敖，本期思城人，爲楚令尹。《圖經》云祠廟毁壞，託夢於固始縣令段光。復立祠庭。有武丘。苞信，漢舊縣。《沈志》稱《晉太康地志》屬汝陰。《續漢郡國》《晉太康地志》并作‘褒’。《太平寰宇記》宋武北伐，改爲苞信縣。蘄陽，漢蘄春縣。《沈志》吴立爲郡。晉武帝太康元年省蘄春郡縣，屬弋陽，後屬新蔡。《元和郡縣志》晉孝武改爲蘄陽。縣城驃騎將軍郭默所築。樂史稱《太康地志》云改屬弋陽郡。惠帝時改屬西陽郡。孝武時又屬新蔡郡。有江夏王城。”

[13]九江：縣名，治所在今江西省九江市。

[14]上甲：縣名，治所在今江西省湖口縣東南。

[15]譙城：一名譙陵城，位於今河南省夏邑縣北。

[16]永嘉郡：治所在永寧縣（今浙江省温州市）。清洪亮吉《東晉疆域志》：“永嘉郡，《晉書·地理志》明帝太寧元年分臨海郡置。領縣五。樂史稱《輿地志》晉明帝自温嶠嶺以南分永寧等四縣置永嘉郡，屬東揚州。《沈志》云去京都水二千八百，陸二千六百四十。”

[17]“揚州統丹楊”至“晉陵十一郡”：中華本校勘記：“《考異》：自丹楊至晉陵止十郡，蓋脱會稽一郡。”

自中原亂離，遺黎南渡，並僑置牧司在廣陵，丹徒南城，非舊土也。及胡寇南侵，淮南百姓皆渡江。成帝初，蘇峻、祖約爲亂於江淮，[1]胡寇又大至，百姓南渡者轉多，乃於江南僑立淮南郡及諸縣，[2]又於尋陽僑置松滋郡，遥隸揚州。[3]咸康四年，僑置魏郡、廣川、高陽、堂邑等諸郡，并所統縣並寄居京邑，改陵陽爲廣陵。[4]孝武寧康二年，又分永嘉郡之永寧縣置樂成縣。[5]是時上黨百姓南渡，僑立上黨郡爲四縣，寄居蕪湖。尋又省上黨郡爲縣，又罷襄城郡爲繁昌縣，並以屬淮南。安帝義熙八年，省尋陽縣入柴桑縣，柴桑仍爲郡，[6]後又省上甲縣入彭澤縣。舊江州督荆州之竟陵郡，及何無忌爲刺史，[7]表以竟陵去州遼遠，去江陵三百里，荆州所立綏安郡人户入境，[8]欲資此郡助江濱戍防，以竟陵郡還荆州。又司州之弘農、揚州之松滋二郡寄在尋陽，人户雜居，並宜見督。[9]安帝從之。後又省松滋郡爲松滋縣，弘農郡爲弘農縣，並屬尋陽郡。

[1]祖約：字士少，本書卷一〇〇有傳。

[2]淮南郡：東晋僑置郡，治所在于湖縣（今安徽省當塗縣）。

[3]僑置松滋郡，遥隸揚州：《晋書斠注》引勞格《晋書校勘記》曰“《州郡志》云僑立安豐、松滋二郡，遥隸揚州。此脱‘安豐’二字。”

[4]改陵陽爲廣陵：孔祥軍《晋書地理志校注》：“錢氏《考异》卷十九：‘廣陵當作廣陽。’又《宋志一》揚州刺史宣城太守廣陽令：‘漢蔣縣曰陵陽，子名明得仙于此縣山，故以爲名。晋成帝杜皇后諱陵，咸康四年更名。’則似當作‘改陵陽爲廣陽。’”

[5]又分永嘉郡之永寧縣置樂成縣：孔祥軍《晋書地理志校注》：“吴氏《斠注》引《宋志》以爲晋孝武寧康三年分永寧置樂

城縣。”清洪亮吉《東晋疆域志》:“樂成,《沈志》晋孝武帝寧康三年,分永寧立。”

[6]省尋陽縣入柴桑縣,柴桑仍爲郡:宋本作“省尋陽縣入柴桑仍爲郡”。

[7]何無忌:東晋東海郯縣(今山東省郯城縣北)人。在京口常參議舅父劉牢之大事,隨劉裕討桓玄,歷任江州刺史、都督荆江豫三州八郡諸軍事等職。後戰死。

[8]綏安郡:清洪亮吉《東晋疆域志》:“綏安郡,《晋書·桓玄傳》玄更招集流民立綏安郡,領縣可考者四。長寧,《通鑑注》綏安郡治長寧縣,隋省長寧入長林。綏安,《沈志》晋安帝立。僮陽,《沈志》晋安帝立。綏寧,《沈志》晋安帝立。”

[9]並宜見督:見,殿本作“建”。

交州。案《禹貢》揚州之域,是爲南越之土。秦始皇既略定揚越,以謫戍卒五十萬人守五嶺。自北徂南,入越之道,必由嶺嶠,時有五處,故曰五嶺。後使任囂、趙他攻越,[1]略取陸梁地,[2]遂定南越,以爲桂林、南海、象等三郡,非三十六郡之限,乃置南海尉以典之,[3]所謂東南一尉也。漢初,以嶺南三郡及長沙、豫章封吴芮爲長沙王。[4]十一年,以南武侯織爲南海王。[5]陸賈使還,[6]拜趙他爲南越王,割長沙之南三郡以封之。武帝元鼎六年,討平吕嘉,[7]以其地爲南海、蒼梧、鬱林、合浦、日南、九真、交阯七郡,蓋秦時三郡之地。元封中,又置儋耳、珠崖二郡,置交阯刺史以督之。昭帝始元五年,[8]罷儋耳并珠崖。元帝初元三年,[9]又罷珠崖郡。後漢馬援平定交部,[10]始調立城郭置井邑。順帝永和九年,[11]交阯太守周敞求立爲州,朝議不許,即拜敞爲交阯刺史。桓帝分立高興郡,[12]靈帝改曰高凉。建安八年，張津爲刺史,[13]士燮爲交阯太守,[14]共表立爲州，乃拜津爲交州牧。十五年，移居番禺。詔以邊州使持節,[15]郡給鼓吹,[16]以重城鎮，加以九錫、六佾之舞。[17]吴黄武五年，割南海、蒼梧，鬱林三郡立廣州[18]，交阯、日南、九真、合浦四郡爲交州。戴良爲刺史，值亂不得入，吕岱擊平之,[19]復還并交部。赤烏五年，復置珠崖郡。永安七年，復以前三郡立廣州。及孫皓，又立新昌、武平、九德三郡。蜀以李恢爲建寧太守,[20]遥領交州刺史。晋平蜀,[21]以蜀建寧太守霍弋遥領交州,[22]得以便宜選用長吏。平吴後，省珠崖入合浦。交州統郡七，縣五十三，户二萬五千六百。

[1]任囂：秦朝人，秦始皇開拓嶺南，任其爲南海尉。秦二世時病逝，由趙佗繼之。　趙他：亦作趙佗。秦亡後自立爲南越武王，漢高帝派陸賈立之爲南越王。高帝死後趙佗稱帝。文帝再派陸賈出使南越撫慰，趙佗乃上書稱臣，去帝號。

[2]陸梁：秦時稱五嶺以南爲陸梁地。《史記》卷六《秦始皇本紀》:“三十三年，發諸嘗逋亡人、贅壻、賈人略取陸梁地，爲桂林、象郡、南海，以適遣戍。”司馬貞索隱:“謂南方之人，其性陸梁，故曰陸梁。”張守節正義:“嶺南之人多處山陸，其性强梁，故曰陸梁。”

[3]南海尉：官名，嶺南地區的軍政長官，與郡守同級。

[4]吴芮：秦末漢初人。曾任番陽令，能得江湖民心，號曰“番君”。秦末起兵，隨項羽入關，被封爲衡山王。劉邦稱帝後，徙封爲長沙王。

[5]以南武侯織爲南海王：《漢書》卷一《高帝紀下》顔師古

注引文穎曰：“高祖五年，以象郡、桂林、南海、長沙立吴芮爲長沙王。象郡、桂林、南海屬尉佗，佗未降，遥虚奪以封芮耳。後佗降漢，十一年，更立佗爲南越王，自此王三郡。芮唯得長沙、桂林、零陵耳。今復封織爲南海王，復遥奪佗一郡，織未得王之。”

[6]陸賈：西漢楚人，從劉邦平定天下，以善辯聞名，常周旋於各諸侯國。曾出使南越，招撫趙佗。受高祖劉邦之命著書十二篇，論述存亡教訓，號《新語》。　還：宋本作“遐”。

[7]吕嘉：西漢時人，曾相南粤王三世，宗族任職長吏者七十餘人，威權重於南粤王。漢武帝元鼎四年（前113），因南粤王及太后欲朝漢請内比諸侯，遂殺王及太后，舉兵反。後失敗被殺。

[8]昭帝始元五年：始元，原本、宋本、殿本作“元始”，據中華本校勘記乙正。

[9]元帝初元三年，初元，原本、宋本、殿本作“元初”，據中華本校勘記乙正。

[10]馬援：東漢扶風茂陵（今陝西省興平市東北）人，字文淵。先依凉州隗囂，後歸劉秀。歷任隴西太守、伏波將軍等職，出征交趾、匈奴、烏桓等。六十二歲時率軍征五溪蠻，病逝軍中。

[11]順帝永和九年：中華本校勘記：“《斠注》：永和終於六年，疑‘九’爲‘六’之誤。”

[12]高興郡：治所在廣化縣（今廣東省陽江市西）。清勞格《晋書校勘記》：“下云高凉郡，吴置。《續漢志》高凉書合浦郡。劉昭注補云，建安二十五年，孫權立高梁郡。《州郡志》建安二十三年，吴分合浦置高凉，則此云漢桓帝所立者，誤矣。”

[13]張津：東漢末南陽（今河南省南陽市）人，任交州刺史，後爲其將區景所殺。

[14]士燮：東漢末蒼梧廣信（今廣西壯族自治區梧州市）人，東漢末天下大亂，道路阻絶，乃上表請弟士壹領合浦太守、弟士䵋領九真太守、弟士武䵋領南海太守。宗族貴盛無比，而不廢貢職，被拜爲安遠將軍。後依附孫權，歷任左將軍、衛將軍等職。

［15］使持節：漢朝官吏奉使外出時，或由皇帝授予節杖，以提高其權力。魏晋以後，凡重要軍事長官出征或出鎮，加使持節，可誅殺二千石以下官員。

［16］鼓吹：帝王及高級官員儀仗中的樂隊，由管樂和打擊樂器組成，常用來賜予有軍功的高級武官。

［17］九錫：《漢書》卷六《武帝紀》顔師古注引應劭曰："一曰車馬，二曰衣服，三曰樂器，四曰朱户，五曰納陛，六曰虎賁百人，七曰鈇鉞，八曰弓矢，九曰秬鬯。此皆天子制度，尊之，故事事錫與，但數少耳。"　六佾：周諸侯所用樂舞之格局，六列，每列六人，共三十六人。

［18］割南海、蒼梧、鬱林三郡立廣州：孔祥軍《晋書地理志校注》："據《吴志》卷十五《吕岱傳》：'（黄武五年）（吕）岱表分海南三郡爲交州……海東四郡爲廣州。'又中華校：'斠校：《廣州篇》云南海、蒼梧、鬱林、高梁四郡，此脱"高梁"二字，又誤"四"爲"三"。'"

［19］吕岱：三國時廣陵海陵（今江蘇省泰州市）人，字定公。歷任孫吴昭信中郎將、廬陵太守、交州刺史等職。率兵征討交趾太守士徽叛亂，進封番禺侯，以功拜鎮南將軍。後被召回屯長沙漚口。孫權分武昌爲兩部，吕岱督右部，自武昌上至蒲圻。官至上大將軍、大司馬。

［20］李恢：三國蜀漢益州俞元（今雲南省澄江縣）人，字德昂。初仕本郡督郵，劉備入川後，歷任功曹書佐、主簿、别駕從事。後任庲降都督，隨諸葛亮南征，以軍功居多，封漢興亭侯，加安漢將軍。後授爲建寧太守。

［21］晋平蜀：孔祥軍《晋書地理志校注》："顯誤，當作'魏平蜀'。"

［22］霍弋：三國蜀漢南郡枝江（今湖北省枝江市東北）人，字紹先，霍峻之子。歷任蜀漢永昌太守、庲降都督。蜀漢滅亡後，率六郡守將降魏，任南中都督，遥領交州刺史。

合浦郡[1]漢置。統縣六，户二千。

合浦[2]　南平[3]　蕩昌[4]　徐聞[5]　毒質[6]　珠官[7]

[1]合浦郡：治所在合浦縣（今廣西壯族自治區合浦縣東北）。清方愷《新校晉書地理志》："《沈志》朱盧，吴立。晉始，晉武帝立。今闕。"

清洪亮吉《東晉疆域志》："合浦郡，漢置。東晉領縣九。沈志去京水一萬八百。合浦，漢舊縣。有鬼門關。南平，《晉書·地理志》有。蕩昌，《沈志》晉武帝分合浦立。徐聞，漢舊縣。《沈志》故屬朱厓。晉平吴省朱厓入合浦。《太平御覽》稱《晉太康地志》曰，朱厓儋耳無水，惟種大瓠，斷其汁用之亦足。《太平御覽》稱王隱《晉書》曰，朱厓在大海中，遥望朱厓州大如囷。舉帆一日一夜至州，周回二千里，徑度七八百里，可十萬家。女多姣好，長髪美。毒質，《晉書·地理志》有。珠官，《沈志》吴立。朱盧，《沈志》吴立，《晉書·地理志》無。晉始，《沈志》晉武帝立，《晉書·地理志》無。新安，《沈志》江左立。"

孔祥軍《晉書地理志校注》："合浦郡治乏考。吴末領縣一，太康元年武帝平吴後來屬。又《晉志》：'平吴後，省珠崖入合浦'，《輿地廣記》卷三十七廣南西路下瓊州條：'吴赤烏五年，復立珠崖郡，晉平吴，郡廢入合浦。'又《方輿勝覽》卷四十三海外四州瓊州建置沿革：'吴大帝于徐聞立珠崖郡，又於其地立珠官一縣招撫，竟不從化，晉省珠崖入合浦。'則太康元年珠崖郡並入合浦郡。吴珠崖郡領縣三，其中珠崖縣據《記纂淵海》卷十六廣南西路瓊州條：'東漢置珠崖縣，屬合浦郡，吴改（屬）珠崖郡，晉廢之。'則其似於太康元年省。晉初又增置蕩昌、南平、毒質三縣，領縣六。又有晉始縣，據《宋志》合浦太守條：'晉始長，晉武帝立。'疑似武帝太康四年後置，領縣七。"

[2]合浦：縣名，治所在今廣西壯族自治區合浦縣東北。

[3]南平：縣名，治所在今廣西壯族自治區合浦縣一帶。孔祥軍《晋書地理志校注》："吴無此縣，似於晋初增置。"

[4]蕩昌：縣名，治所在今廣西壯族自治區合浦縣南。清畢沅《晋書地理志新補正》："沅案晋武帝分合浦立。"孔祥軍《晋書地理志校注》："吴無此縣，今檢《宋志》：'蕩昌長，晋武分合浦立。'疑似於太康元年分合浦立蕩昌縣。"

[5]徐聞：縣名，治所在今廣東省徐聞縣南。孔祥軍《晋書地理志校注》："吴屬珠崖郡，今檢《宋志》：'徐聞令，故屬朱崖。晋平吴，省朱崖，屬合浦。'太康元年來屬。"

[6]毒質：縣名，治所在今廣東省徐聞縣一帶。孔祥軍《晋書地理志校注》："吴無此縣，似於晋初增置。"

[7]珠官：縣名，治所在今廣東省徐聞縣南。清畢沅《晋書地理志新補正》："沅案《沈志》吴立。又云吴又立朱盧縣。"孔祥軍《晋書地理志校注》："吴屬珠崖郡，太康元年來屬。"

交阯郡[1]漢置。統縣十四，户一萬二千。

龍編[2]　苟屚[3]　望海[4]　羸𨻻[5]　西于[6]　武寧[7]　朱鳶[8]　曲昜[9]　交興[10]　北帶[11]　稽徐[12]　安定[13]　南定[14]　海平[15]

[1]交阯郡：治所在龍編縣（今越南社會主義共和國北寧省仙游縣東）。清洪亮吉《東晋疆域志》："交阯郡，漢置。《晋書·地理志》統縣十四。東晋領縣當同。《晋書·安帝紀》隆安三年，范逵寇交阯，太守杜瑗討破之。龍編，漢舊縣。有石碕、南津。句漏，漢舊縣。望海，漢舊縣。羸𨻻，漢舊縣。西于，漢舊縣。武寧，《沈志》吴立。《水經注》稱《晋太康地志》武寧縣屬交阯。《宋書·符瑞志》晋惠帝元康元年，白鹿見交阯武寧。朱鳶，漢舊縣。

曲昜，漢舊縣。交興，《沈志》吴立吴興縣。案《晉書·地理志》作交興，當屬晉平吴後所改。北帶，漢舊縣。稽徐，漢舊縣。定安，漢舊縣。《晉書·地理志》作安定。《水經注》同。南定，《沈志》吴立曰武安，晉武帝改。海平，《沈志》吴立曰軍平，晉武帝改。"

清畢沅《晉書地理志新補正》："沅案《水經注》晉太康中交阯徙理龍編。"

清勞格《晉書校勘記》："《太康地志》平道縣屬交阯郡。'安定'《州郡志》作'定安'。"

孔祥軍《晉書地理志校注》："交阯郡治乏考。吴末領縣十二，太康元年武平郡武寧、海平、封溪、平道四縣來屬，據《水經注》卷三十七：'安陽王下船徑出於海，今平道縣後王宫城見其故處，晉《太康地記》，縣屬交趾。'則太康三年平道縣屬交趾郡，似於太康元年來屬，太康四年省。領縣十五。封溪縣《晉志》屬武平郡，治所在今越南東英西北。今檢《藝文類聚》卷九十五獸部下猩猩條引《廣志》：'（猩猩）出交阯封溪縣。'又《寰宇記》卷一百七十九四夷哀牢國土俗物産亦引《廣志》：'（猩猩）出交阯郡封溪縣。'《廣志》撰者郭義恭乃晉初人，則晉初時封溪縣似又復屬交阯郡。又《爾雅注疏》卷十一：'猩猩小而好啼'條郭璞注曰：'《山海經》曰："人面豕身能言語"今交阯封溪縣出猩猩。'據《晉書》郭璞本傳其爲西晉入東晉人，則封溪縣晉時確屬交阯郡。《晉志》失載。"

[2]龍編：縣名，治所在今越南社會主義共和國北寧省仙游縣東。

[3]苟屚：縣名，治所在今越南社會主義共和國河西省。殿本作"句漏"。

[4]望海：縣名，治所在今越南社會主義共和國北寧省西北求河北岸。

[5]羸𨻻：縣名，治所在今越南社會主義共和國河内市西北。

清方愷《新校晋書地理志》："《州郡志》作羸婁。謹按《地理志》作羸𨻻。孟康曰羸音蓮，𨻻音受，土簍。《郡國志》同。《沈志》作羸婁，云漢舊縣。本志作羸，《廣韵》始有'羸'字。《説文》《玉篇》無。則羸乃六朝後字也。當從《漢志》作羸𨻻。"

[6]西于：縣名，治所在今越南社會主義共和國永福省。

[7]武寧：縣名，治所在今越南社會主義共和國海興省一帶。孔祥軍《晋書地理志校注》："今檢《晋志》武平郡、交趾郡均有武寧縣，而《宋志》九真太守條又有武寧縣，則武寧縣諸志所載頗爲舛亂，據《水經注》卷三十七：'南越王知不可戰，却軍住武寧縣。按晋《太康記》，縣屬交阯'，則太康三年交阯郡確有武寧縣，似於太康元年屬交阯郡，《晋志》武寧郡又有武寧縣，誤，當删。"

[8]朱鳶：縣名，治所在今越南社會主義共和國海興省。

[9]曲昜：縣名，治所在今越南社會主義共和國海興省。

[10]交興：縣名，治所在今越南社會主義共和國河北省、諒山省一帶。清畢沅《晋書地理志新補正》："沅案疑即吴所立吴興縣，晋改今名。"清方愷《新校晋書地理志》："交興，當從《州郡志》作吴興。又《州郡志》九真太守下，軍安長，《何志》晋武帝立，《太康地志》無此縣，而交阯有軍平縣。本《志》兩縣俱無，未詳。《水經注・葉渝水》篇，越敗安陽王，下船逕出於海。今平道縣後王宫城現有故處。《晋太康地記》縣屬交阯，志闕。"

[11]北帶：縣名，治所在今越南社會主義共和國河内市。

[12]稽徐：縣名，治所在今越南社會主義共和國海興省。

[13]安定：縣名，治所在今越南社會主義共和國河南省。孔祥軍《晋書地理志校注》："《續漢志》《宋志》作'定安'，楊守敬《補正》據《魏志・三少帝紀》以爲當作'定安'，是。"

[14]南定：縣名，治所在今越南社會主義共和國河南省。孔祥軍《晋書地理志校注》："吴作'武安'，今檢《宋志》交趾太守條有南定令云：'吴立曰武安，晋武改。'則太康元年改武安縣爲南定縣。"

[15]海平：縣名，治所在今越南社會主義共和國廣寧省先安縣。清畢沅《晋書地理志新補正》："沅案《沈志》武寧、南定、海平三縣爲吴立。"孔祥軍《晋書地理志校注》："吴作'軍平'，屬武平郡，今檢《宋志》交趾太守條有海平令：'吴立曰軍平，晋武改名。'則太康元年改軍平爲海平，且移屬交阯郡。"

新昌郡[1]吴置。統縣六，户三千。

麊泠[2]婦人徵側爲主處，[3]馬援平之。　嘉寧[4]　吴定[5]　封山[6]　臨西[7]　西道[8]

[1]新昌郡：治所在麊泠縣（今越南社會主義共和國永福省）。清勞格《晋書校勘記》："《通典》云：'吴分置新興郡，晋武改爲新昌。'《州郡志》無此郡。"

清洪亮吉《東晋疆域志》："新昌郡，《太平御覽》稱《方輿志》吴置新興郡，晋改爲新昌。《晋書》咸康二年，廣州刺史鄧嶽遣都護王隨擊夜郎，新昌太守陶協擊興古，並克之。《王敦傳》敦使交州刺史王諒殺新昌太守梁碩，碩舉兵圍諒於龍編。東晋領縣六。麊泠，漢舊縣。嘉寧，《沈志》吴立。吴定，《沈志》吴立。封山，《晋書·地理志》有。臨西，《晋書·地理志》有。西道，《晋書地理志》有。"

清方愷《新校晋書地理志》："《東晋疆域志》云《太平御覽》引《方輿志》吴置新興郡，晋改爲新昌。本志直云吴置，未詳。庠按交州前篇，孫皓又立新昌、武平、九德三郡，《疆域志》誤也。"

孔祥軍《晋書地理志校注》："新昌郡治乏考。《續漢志》無此郡，據《吴志》卷三《孫皓傳》：'（建衡三年）分交趾爲新昌郡。'又《元和志》卷三十八嶺南道峰州條：'吴歸命侯建衡三年，分交阯立新昌郡。'又《建康實録》卷四：'（建衡三年）陶璜與監軍虞汜大破晋交阯太守楊稷，（楊）稷降，因定日南、九真，大赦，分交阯爲新昌郡，破扶岩置武平郡。’則孫皓於建衡三年分交阯置新昌郡。吴領縣三，太康元年武帝平吴諸縣來屬，晋初又置封山、臨西、西道三縣，則領縣六。”

[2]麋泠：縣名，治所在今越南社會主義共和國永福省。

[3]徵側：東漢交趾麋泠縣（今越南社會主義共和國河内市東北）人，因反抗交趾太守蘇定，與其妹徵貳起兵自立爲王。後遭鎮壓，姐妹雙亡。

[4]嘉寧：縣名，治所在今越南永福省。清畢沅《晋書地理志新補正》：“沅案吴分麋泠縣立。”

[5]吴定：縣名，治所在今越南宣光省宣光市南。清畢沅《晋書地理志新補正》：“沅案《沈志》吴立。”

[6]封山：縣名，治所在今廣西壯族自治區靈山縣。孔祥軍《晋書地理志校注》：“吴無此縣，似於太康時置。”

[7]臨西：縣名，治所在今越南永福省。孔祥軍《晋書地理志校注》：“吴無此縣，似於太康時置。”

[8]西道：縣名，治所在今越南安沛省安沛市附近。孔祥軍《晋書地理志校注》：“吴無此縣，似於太康時置。”

武平郡[1]吴置。統縣七，户五千。

武寧[2]　武興[3]　進山[4]　根寧[5]　安武[6]　扶安[7]　封溪[8]

[1]武平郡：治所在武定縣（今越南社會主義共和國永福省）。清洪亮吉《東晋疆域志》：“武平郡，吴置。東晋領縣九。《沈志》去州水二百一十六。武寧，《沈志》吴立，云《太康地志》無此縣。武興，《晋書·地理志》有。案《沈志》武平太守下，今本衹有吴定、新道、晋化三縣餘屬闕簡下注云，《吴録》無，《晋太康地志》有，當指武興以下等縣也。俟求舊本校之。又案吴定，《晋

書·地理志》屬新昌。進山，《晉書·地理志》有。根寧，《晉書·地理志》有。安武，《晉書·地理志》有。扶安，《晉書·地理志》有。封溪，《晉書·地理志》有。新道，《沈志》江左立。晉化，《沈志》江左立。”

清方愷《新校晉書地理志》：“《州郡志》九真太守下武寧令，吴立。《何志》武帝太康立。《太康地志》無此縣，而交阯有。考《沈志》於《太康地志》僅舉交阯一武寧縣，則此郡之武寧，《太康志》决不載，本志似屬重出。”

孔祥軍《晉書地理志校注》：“武平郡治乏考。《續漢志》無此郡，據《吴志》卷三《孫皓傳》：‘（建衡三年）破扶岩，置武平郡。’又《宋志》：‘武平太守，吴孫皓建衡三年討扶岩夷，以其地立。’則孫皓建衡三年置武平郡，吴領縣四，太康元年均移屬交阯郡。武平郡又增置武興、進山、根寧、安武、扶安五縣，領縣五，《晉志》誤列武寧、封溪二縣，詳交阯郡二縣注釋。”

[2]武寧：縣名，治所在今越南社會主義共和國永福省。

[3]武興：縣名，治所在今越南社會主義共和國永福省一帶。

[4]進山：縣名，治所在今越南社會主義共和國永福省一帶。

[5]根寧：縣名，治所在今越南社會主義共和國永福省一帶。

[6]安武：縣名，治所在今越南社會主義共和國永福省一帶。

[7]扶安：縣名，治所在今越南社會主義共和國太原省。

[8]封溪：縣名，治所在今越南社會主義共和國永福省。

九真郡[1]漢置。統縣七，户三千。

胥浦[2]　移風[3]　津梧[4]　建初[5]　常樂[6]　扶樂[7]　松原[8]

[1]九真郡：治所在胥浦縣（今越南社會主義共和國清化省清化市西北）。清洪亮吉《東晉疆域志》：“九真郡，漢置。東晉領縣

十一。《沈志》去州水八百，去京都水一萬一百八十。胥浦，漢舊縣，有水口。移風，漢舊縣。《沈志》故名居風，吴更名。湛梧，《沈志》晋武帝分移風立。建初，《沈志》吴立。長樂，《沈志》吴立。扶樂，《晋書·地理志》有。松原，《沈志》晋武帝分建初立，《水經注》稱《晋地道記》有。高安，《沈志》稱《何志》晋武帝立，《太康地志》無，《吴録》晋分常樂縣立。《元和郡縣志》又云漢居風縣地，吴改移風，晋於此立高安縣，屬九真郡。軍安，《沈志》稱《何志》晋武帝立，《太康地志》無此縣，而交阯有軍平縣。今考《元和郡縣志》云漢都龐縣地。晋時分立軍安縣，屬九真郡。據此則軍平、軍安自屬兩縣無疑，《沈志》偶不檢耳。都龐，漢舊縣。《沈志》龐音龍。《吴録》有，《晋太康地記》無，《晋書·地理志》亦同。案此等縣疑係江左所立，今姑從《沈志》録入，下皆類此。寧夷，《沈志》稱《何志》晋武帝立，《太康地志》無。案《沈志》又有武寧縣。今考武平郡有此縣，當是，故不更録。”

孔祥軍《晋書地理志校注》：“據《輿地廣記》卷三十八廣南路化外州下愛州下日南縣條：‘漢晋九真郡，治胥浦。’則九真郡治胥浦，在今越南清化。吴領縣七，其中無編縣，據《輿地廣記》三十八廣南路化外州下愛州下長林縣條：‘本無編，二漢屬九真郡，晋省之。’則其晋初省。其中都龐縣，《宋志》：‘都龐長，漢舊縣，吴録有，《晋太康地志》無。’則其晋初亦見廢。晋初咸驩縣移屬九德郡，又增置津梧、松原、扶樂三縣，領縣七。檢《宋志》九真太守：‘高安長，《何志》晋武帝立，《太康地志》無。《吴録》晋分常樂立。’又《晋志》無高安縣，則似於太康四年後置高安縣。檢《宋志》九真太守：‘寧夷長，《何志》晋武帝立。《太康地志》無。’又《晋志》無寧夷縣，則似於太康四年後置寧夷縣。領縣九。”

[2]胥浦：縣名，治所在今越南社會主義共和國清化省清化市西北。

[3]移風：縣名，治所在今越南社會主義共和國清化省清化市北。清畢沅《晋書地理志新補正》："沅案《太平寰宇記》晋分立高安縣。移風，漢名居風，吴改今名。《沈志》晋武帝立軍安、寧夷二縣。《太康地志》俱無。"

[4]津梧：縣名，治所在今越南社會主義共和國清化省清化市東北。清畢沅《晋書地理志新補正》："沅案晋武帝分移風立。"清方愷《新校晋書地理志》："湛梧，《沈志》作津梧，云晋武帝分移風立。（寅案局本《晋志》亦作津梧。）"孔祥軍《晋書地理志校注》："吴無此縣，《宋志》：'津梧長，晋武帝分移風立。'則似於太康元年分移風立津梧。"津，殿本作"湛"。

[5]建初：縣名，治所在今越南社會主義共和國清化省農貢縣附近。

[6]常樂：縣名，治所在今越南社會主義共和國清化省清化市東南。清畢沅《晋書地理志新補正》："沅案《沈志》上二縣俱吴立。"

[7]扶樂：縣名，治所在今越南社會主義共和國清化省。孔祥軍《晋書地理志校注》："吴無此縣，似於晋初置。"

[8]松原：縣名，治所在今越南社會主義共和國清化省清化市西南。清畢沅《晋書地理志新補正》："沅案晋武帝分建初立。"孔祥軍《晋書地理志校注》："吴無此縣，今檢《宋志》：'松原令，晋武帝分建初立。'則似於太康初分建初立松原。"

九德郡[1]吴置，周時越常氏地。[2]統縣八，無户。

九德[3]　咸驩[4]　南陵[5]　陽遂[6]　扶苓[7]　曲胥[8]　浦陽[9]　都洨[10]

[1]九德郡：治所在九德縣（今越南社會主義共和國義安省榮市）。清洪亮吉《東晋疆域志》："九德郡，吴置。《晋書·地理志》

周時越常氏地。東晋領縣九。《沈志》去州水九百，去京都水一萬九百。《晋書·穆帝紀》永和四年，范文寇九德，多所殺害。九德，《沈志》稱《何志》吴立。《水經注》稱《晋書地道記》有。咸驩，漢舊縣。《元和郡縣志》自漢迄隋不改。南陵，《沈志》稱《何志》晋武帝立，《太康地志》無，王隱有。《水經注》稱《晋書》《地道記》九德郡有南陵縣，晋置也。陽遂，《沈志》吴立曰陽成。太康二年更名，後省。今案《沈志》尚有此縣，或省後又復立，故録入。《沈志》作陽遠。扶苓，《晋書·地理志》有。曲胥，《晋書·地理志》有。浦陽，《沈志》晋武帝分陽遂立。《水經注》稱《晋書地道記》有。都洨，《沈志》稱《何志》晋武帝分九德立。案《沈志》有越常縣，云《何承天志》言吴立，《太康地志》無。今考《晋書·地理志》亦無此縣。或晋初已省，今故不録。西安，《沈志》稱《何志》晋武帝立。《太康地志》無，《吴録》亦無。"

孔祥軍《晋書地理志校注》："九德郡治乏考。《續漢志》無此郡，今檢《宋志》：'九德太守，故屬九真，吴分立。'又《晋志》：'及孫皓，又立新昌、武平、九德。'又《水經注》卷三十六引《交州外域記》：'九德縣屬九真郡，在郡之南，與日南接。蠻盧轝居其地，死，子賨網代。孫党服從吴化，定爲九德郡，又爲隸之。'孫皓天紀二年分咸歡縣置九德縣，則九德郡置年當在天紀二年之後。吴末領縣八，太康元年武帝平吴諸縣來屬，其中越裳縣，據《宋志》：'越裳長，《何志》吴立，《太康地志》無'，則晋初越裳縣見廢。太康三年盧容、象林移屬日南郡，其後朱吾、西卷、比景三縣移屬曰南郡。而咸驩來屬，又增置南陵、蒲陽、曲胥、都洨、扶苓縣，領縣八。檢《宋志》九真太守：'西安長，《何志》晋武帝立。《太康地志》無。'又《晋志》無西安縣，則似于太康四年後置西安縣。領縣九。"

[2]周時越常氏地：常，殿本作"裳"。

[3]九德：縣名，治所在今越南社會主義共和國義安省榮市。清畢沅《晋書地理志新補正》："沅案《沈志》吴立。"

[4]咸驩：縣名，治所在今越南社會主義共和國義安省演州縣西。孔祥軍《晋書地理志校注》："吴屬九真郡，疑是太康元年來屬。"

[5]南陵：縣名，治所在今越南社會主義共和國河静省錦川縣附近。清畢沅《晋書地理志新補正》："沅案《沈志》晋武帝立。又有西安縣，亦晋武帝立，此志不載。"孔祥軍《晋書地理志校注》："吴無此縣，今檢《宋志》：'南陵長，《何志》晋武帝立。《太康地志》無。王隱有。'則似於太康四年置南陵縣。"

[6]陽遂：縣名，治所在今越南社會主義共和國河静省德壽縣西。清畢沅《晋書地理志新補正》："沅案吴曰陽成，太康二年更名。"清方愷《新校晋書地理志》："陽遂，《沈志》作陽遠。孔祥軍《晋書地理志校注》：吴作'陽成'，今檢《宋志》：'浦陽令晋武帝分陽遠立，陽遠，吴立曰陽成，太康二年更名，後省。'則陽成縣太康二年更名陽遠，《晋志》所謂'陽遂'誤，當作'陽遠'。"

[7]扶苓：縣名，治所在今越南社會主義共和國義安省。孔祥軍《晋書地理志校注》："吴無此縣，似於太康時置。"

[8]曲胥：縣名，治所在今越南社會主義共和國義安省。孔祥軍《晋書地理志校注》："吴無此縣，似於太康時置。"

[9]浦陽：縣名，治所在今越南社會主義共和國義安省榮市東南。清畢沅《晋書地理志新補正》："沅案《沈志》分陽遠立。"孔祥軍《晋書地理志校注》："吴無此縣，今檢《宋志》：'蒲陽令，晋武帝分陽遠立。'則似於太康初分陽遠立蒲陽縣。"

[10]都洨：縣名，治所在今越南社會主義共和國義安省演州縣西南藍江東岸。清畢沅《晋書地理志新補正》："沅案《沈志》分九德立。"清方愷《新校晋書地理志》："都洨，《沈志》作都洑。"孔祥軍《晋書地理志校注》："吴無此縣，似於太康時置。"

日南郡[1]秦置象郡，漢武帝改名焉。統縣五，户六百。

象林[2]自此南有四國，其人皆云漢人子孫。今有銅柱，亦是漢置此爲界。貢金供税也。　盧容[3]象郡所居。　朱吾[4]　西卷[5]　比景[6]

[1]日南郡：治所在西卷縣（今越南社會主義共和國廣治河與甘露河合流處）。清洪亮吉《東晋疆域志》："日南郡，秦象郡，漢改今名。《太平寰宇記》吴省，晋平吴復置。《水經注》晋太康三年省日南郡屬國都尉，以某所統盧容縣置日南郡及象林之故治。又稱《晋書地道記》云郡去盧容浦口二百里，故秦象郡象林縣治也。《晋書・穆帝紀》永和三年三月林邑范文攻陷日南，害太守夏侯覽。七月，范文復陷日南，害督護劉雄。《水經注》永和五年征西桓温遣督護滕畯率交廣兵伐范文於舊日南之盧容縣，爲文所敗，退次九真，更治兵。文被創死，子佛代立。七年，畯與交州刺史楊平復進軍壽泠浦，入頓郎湖，討佛於日南故治。佛蝕聚連壘五十餘里，畯平破之。佛逃竄川藪，遣大帥面縛，請罪軍門，與盟而還。《安帝紀》隆安三年，林邑范達陷日南、九真。《太平寰宇記》晋末郡人范熊自稱林邑王，攻陷日南郡，告交州刺史吉蕃，求以日南郡北界横山爲界。其後又陷九真郡。自是屢寇交趾南界。東晋領縣七。《沈志》去京都水一萬六百九十。象林，漢舊縣。盧容，漢舊縣，有浦口。朱吾，漢舊縣。《水經注》稱《晋地道記》云朱吾縣屬日南郡，去郡二百里。此縣民漢時不堪二千石長吏調求，引屈都乾爲國。《林邑記》曰，屈都夸也。西卷，漢舊縣。《太平寰宇記》自漢至晋不改。比景，漢舊縣。吴仁傑曰《考古編》云舊唐志景州北景縣。晋將灌邃破林邑，五月五日即其地立表，表在北，日景在南，故郡名日南，縣爲北景。案《水經注》云日中頭上影當身下，與影爲比，如淳曰故以比影名縣。闞駰曰比讀茵庇之庇，此爾疋所謂距齊州以南戴日者也。斗南以比景爲北景，豈所見前後《漢志》

有别本歟!《宋書·州郡志》亦作北景，或後來傳習成訛，立爲異義也。有温公浦。壽泠，《沈志》晋武帝太康十年分西卷立。無勞，《沈志》晋武帝分比景立。”

清畢沅《晋書地理志新補正》：“沅案《沈志》吴省。太康三年復立。又有壽泠、無勞二縣，壽泠，晋武帝太康十年分西卷立。無勞，晋武帝分比景立。”

孔祥軍《晋書地理志校注》：“據《水經注》卷三十六：‘晋太康三年，省日南郡屬國都尉，以其所統盧容縣置日南郡及象林縣(爲)之故治。’則日南郡治象林，在今越南順化。今檢《宋志》：‘日南太守，秦象郡，漢武元鼎六年更名，吴省，晋武帝太康三年復立。’又據上引《水經注》則似於晋初置日南屬國都尉，太康三年改置日南郡。據上引《水經注》其時當領盧容縣及象林縣。太康四年朱吾、西卷、比景三縣來屬，領縣五。檢《宋志》：‘無勞長，晋武分北景立。’又《晋志》無無勞縣，則似於太康四年後置無勞縣。今檢《宋志》：‘壽泠令，晋武帝太康十年，分西卷立。’則太康十年立壽泠縣，當屬日南郡。領縣七。”

[2]象林：縣名，治所在今越南社會主義共和國廣南省維川縣。孔祥軍《晋書地理志校注》：“吴末屬九德郡，太康三年來屬。”

[3]盧容：縣名，治所在今越南社會主義共和國承天順化省廣田縣東香江與蒲江合流處。孔祥軍《晋書地理志校注》：“吴末屬九德郡，太康三年來屬。”

[4]朱吾：縣名，治所在今越南社會主義共和國廣平省。孔祥軍《晋書地理志校注》：“吴末屬九德郡，太康四年來屬。”

[5]西卷：縣名，治所在今越南社會主義共和國甘露河與廣治河合流處。孔祥軍《晋書地理志校注》：“吴末屬九德郡，太康四年來屬。”

[6]比景：縣名，治所在今越南社會主義共和國廣平省宋河下游。清方愷《新校晋書地理志》：“《州郡志》無勞長，晋武分北景立。比景，《沈志》作北景。又壽泠令，晋武太康十年分西卷立。

（寅案今《志》並闕，蓋據太康三年爲斷。）”孔祥軍《晋書地理志校注》：“吴末屬九德郡，太康四年來屬。”

廣州。案《禹貢》揚州之域，秦末趙他所據之地。及漢武帝，以其地爲交阯郡。至吴黄武五年，分交州之南海、蒼梧、鬱林、高梁四郡立爲廣州，[1]俄復舊。永安六年，[2]復分交州置廣州，[3]分合浦立合浦北部，以都尉領之。孫皓分鬱林立桂林郡。及太康中，[4]吴平，遂以荆州始安、[5]始興、[6]臨賀三郡來屬。[7]合統郡十，縣六十八，户四萬三千一百二十。[8]

[1]高梁：郡名，治所在恩平縣（今廣東省恩平市北）。

[2]永安六年：清勞格《晋書校勘記》：“六年”當作“七年”。

[3]分交州置廣州：清畢沅《晋書地理志新補正》：“沅案《吴志》事在永安七年，此云六年，誤。《沈志》亦作‘七年’。”孔祥軍《晋書地理志校注》：“王鳴盛《十七史商榷》卷四十六‘晋地理辯證’條謂上文甫言永安七年復立廣州，此又言六年，自相違。今檢《吴志》卷五《孫休傳》：‘（永安七年）復分交州置廣州’，又《宋志》：‘廣州刺史，吴孫休永安七年，分交州立。’則孫休永安七年分交州置廣州，作六年，誤。中華本失校。”

[4]及太康中：孔祥軍《晋書地理志校注》：“西晋平吴在太康元年，此處顯誤。”

[5]始安：郡名，治所在始安縣（今廣西壯族自治區桂林市）。

[6]始興：郡名，治所在曲江縣（今廣東省韶關市東南蓮花嶺下）。

[7]以荆州始安、始興、臨賀三郡來屬：清畢沅《晋書地理志新補正》：“沅案《通典》廣州理番禺。”

[8]户四萬三千一百二十：二，殿本作“四”。

南海郡[1]秦置。統縣六，户九千五百。

番禺[2]　四會[3]　增城[4]　博羅[5]　龍川[6]　平夷[7]

[1]南海郡：治所在番禺縣（今廣東省廣州市）。清洪亮吉《東晋疆域志》："南海郡，秦置。《晋書·地理志》統縣六。東晋分出東官、新會二郡，凡領縣八。番禺，漢舊縣。郭璞《山海注》南海郡番禺縣。《太平御覽》稱王隱《晋書》吴將吕岱爲廣州，遣掘尉佗冢，費損無獲。佗雖奢僭，慎終其身，乃令後人不知其處，鑒於牧豎所殘也。有盧循故城、石門水、東衝。增城，漢舊縣。博羅，漢舊縣。《沈志》、二漢皆作傳字。《晋太康地志》作博。《元和郡縣志》二漢立名不一。吴以後復爲博羅。有羅浮山。西平，《沈志》《永初郡國》有。龍川，漢舊縣。四會，漢舊縣。有畯湖漕口。懷化，《沈志》晋安帝立。案《太平寰宇記》云漢四會縣，晋懷化縣。據此則晋分四會爲懷化也。高要，漢舊縣，屬蒼梧。《水經注》稱《晋書·地理志》縣東去郡五百里，刺史夏避毒徙縣水居也。案未知何時移屬南海，今姑從《沈志》列此。"

孔祥軍《晋書地理志校注》："南海郡治乏考。吴末領縣六，太康元年武帝平吴諸縣來屬。檢《宋志》：'臨賀侯相，漢舊縣。《晋太康地志》、王隱云屬南海。'則太康三年臨賀縣屬南海郡，其似於太康三年來屬，《晋志》臨賀縣屬臨賀郡，則太康三年臨賀縣來屬後又似旋還。"

[2]番禺：縣名，治所在今廣東省廣州市。

[3]四會：縣名，治所在今廣東省四會市。

[4]增城：縣名，治所在今廣東省廣州市增城區。清畢沅《晋書地理志新補正》："沅案《續漢志》南海郡有增城縣，則縣後漢時置。《太平寰宇記》以爲吴黄武中所立者非。"

[5]博羅：縣名，治所在今廣東省博羅縣。清畢沅《晋書地理

志新補正》："沅案《沈志》漢舊縣，二漢皆作'傳'字。《晋太康地志》作"博"。又《元和郡縣志》晋成帝咸和六年，於此置寶安縣，屬東莞郡。"

[6]龍川：縣名，治所在今廣東省龍川縣佗城鎮。清畢沅《晋書地理志新補正》："沅案《太平寰宇記》晋元興中分置興寧縣。《沈志》晋安帝又立懷化縣，此《志》不載。"

[7]平夷：縣名，治所在今廣東省新江門市新會區。清畢沅《晋書地理志新補正》："沅案《沈志》晋武帝太康元年更名新夷。"清方愷《新校晋書地理志》："《州郡志》新夷令，吴立，曰平夷。晋武帝太康元年更名，屬南海。"

臨賀郡吴置。[1]統縣六，户二千五百。

臨賀[2]　謝沐[3]　馮乘[4]　封陽[5]　興安[6]　富川[7]

[1]臨賀郡：治所在臨賀縣（今廣西壯族自治區賀州市八步區）。清洪亮吉《東晋疆域志》："臨賀郡，《晋志》吴置。東晋領縣八。《太平寰宇記》又云晋永嘉三年，析封陽縣置開建縣。今考《沈志》開建令，文帝分封陽立。疑樂史'永嘉三年'係'元嘉三年'之誤也。今不録入。《沈志》晋武帝平吴以屬廣州，成帝度荆州。去京都水陸五千五百七十。臨賀，漢舊縣。《元和郡縣志》自漢至陳不改。《沈志》稱《晋太康地記》王隱云屬南海，二漢屬蒼梧。當是吴新度。謝沐，漢舊縣，屬蒼梧。馮乘，漢舊縣，屬蒼梧。郭璞《山海經注》蒼梧，馮乘縣。封陽，漢舊縣。興安，《沈志》吴立曰建興。晋武帝太康元年更名。富川，漢舊縣，屬蒼梧。"

孔祥軍《晋書地理志校注》："臨賀郡治乏考。《續漢志》無此郡，據《元和志》卷三十七嶺南道賀州條：'吴黄武五年，割蒼梧置臨賀郡……吴屬荆州，晋屬廣州。'又《寰宇記》卷一百六十一嶺南道賀州條：‘吴黄武五年，割蒼梧郡封陽、臨賀、馮乘、富川、蕩山、桂嶺（當作建興）等六縣爲臨賀郡，晋因之。’則黄武五年孫權分蒼梧郡置臨賀郡五縣來屬，蒼梧郡謝沐縣來屬，太康二年臨賀縣移屬南海郡旋還，領縣六。”

[2]臨賀：縣名，治所在今廣西壯族自治區賀州市八步區。清勞格《晋書校勘記》：“臨賀，《太康地志》、王隱《地道記》屬南海。”

[3]謝沐：縣名，治所在今湖南省江永縣西南。孔祥軍《晋書地理志校注》：“似於太康初來屬。”

[4]馮乘：縣名，治所在今廣西壯族自治區富川瑶族自治縣東北。

[5]封陽：縣名，治所在今廣西壯族自治區賀州市信都鎮。清畢沅《晋書地理志新補正》：“沅案《太平寰宇記》晋永嘉三年，析置開建縣。”

[6]興安：縣名，治所在今廣西壯族自治區賀州市桂嶺鎮。清畢沅《晋書地理志新補正》：“沅案吴立曰建興，太康元年改今名。”孔祥軍《晋書地理志校注》：“吴作‘建興’，今檢《宋志》：‘興安侯相，吴立曰建興，晋太康元年更名。’則太康元年改爲興安。”

[7]富川：縣名，治所在今廣西壯族自治區鐘山縣。清畢沅《晋書地理志新補正》：“沅案《元和郡縣志》吴於此置平樂縣。”

始安郡[1]吴置。統縣七，户六千。

始安[2]　始陽[3]　平樂[4]　荔浦[5]　常安[6]　熙平[7]　永豐[8]

[1]始安郡：治所在始安縣（今廣西壯族自治區桂林市）。清洪亮吉《東晋疆域志》：“始安郡，《晋志》吴置。東晋領縣六。《十道志》《太平寰宇記》又云晋孝武帝改爲始建郡。今考《沈志》

云，宋明帝始改名。疑《十道志》等誤也。《沈志》始安郡屬廣州，晋成帝度荆州。去州水二千八百，陸二千六百三十，去京都水五千五百九十。始安，漢舊縣，屬零陵。郭璞《山海經注》晋永嘉二年，有鶖鳥集於始安縣南二十里之鶖中，民周虎張得之，木矢貫之鐵鏃，其長六尺有半，以箭計之，其射者人身應長一丈五六尺也。始陽，《晋書·地理志》有。平樂，《沈志》吴立。《元和郡縣志》自吴至隋不改。《太平寰宇記》云晋治，誤。荔浦，漢舊縣，屬蒼梧。熙平，《沈志》吴立爲尚安，晋武帝改。永豐，《沈志》吴立。”

孔祥軍《晋書地理志校注》:“始安郡治始安，在今廣西壯族自治區桂林市。《續漢志》無此郡，據《吴志》卷三《孫皓傳》（甘露元年十一月）以零陵南部爲始安郡。又《宋志》:‘始建内史，吴孫皓甘露元年，分零陵南部都尉立始安郡，屬廣州。’則孫皓甘露元年分零陵南部都尉置始安郡。太康元年所領六縣來屬，新置始陽縣，領縣七。永嘉元年後移屬湘州。”

[2]始安：縣名，治所在今廣西壯族自治區桂林市。

[3]始陽：縣名，治所在今廣西壯族自治區桂林市臨桂區、永福縣、恭城瑶族自治縣一帶。

[4]平樂：縣名，治所在今廣西壯族自治區平樂縣東北恭城河西北岸。清畢沅《晋書地理志新補正》:“沅案《太平寰宇記》晋置。”

[5]荔浦：縣名，治所在今廣西壯族自治區荔浦市西荔水北。

[6]常安：縣名，治所在今廣西壯族自治區鹿寨縣北。孔祥軍《晋書地理志校注》:“吴作‘尚安’，據桂林郡常安縣考證，太康元年桂林郡立常安縣，太康四年廢，則此後似改尚安縣爲常安縣。”

[7]熙平：縣名，治所在今廣西壯族自治區陽朔縣東北。清方愷《新校晋書地理志》:“《州郡志》熙平令，吴立爲尚安，晋武帝改。按本《志》常安、熙平並列，豈晋武於西平縣外别立一縣耶。亦誤增也。未詳。”

[8]永豐：縣名，治所在今廣西壯族自治區荔浦市西北。清畢沅《晋書地理志新補正》："沅案《沈志》平樂、熙平、永豐俱吴立。熙平，吴立爲尚安，晋武帝改今名。"

始興郡[1]吴置。統縣七，户五千。

曲江[2]　桂陽[3]　始興[4]　含洭[5]　湞陽[6]　中宿[7]　陽山[8]

[1]始興郡：治所在曲江縣（今廣東省韶關市東南蓮花嶺下）。清洪亮吉《東晋疆域志》："始興郡，《晋志》吴置。統縣七。東晋領縣同。《沈志》晋武帝平吴，以屬廣州。成帝度荆州。去京都水五千。曲江，漢舊縣，屬桂陽。有王城、冷君山。桂陽，漢舊縣，屬桂陽。一名小桂，陶侃執劉沈於小桂，即此。始興，《沈志》吴立。含洭，漢舊縣，屬桂陽。有白鹿岡。湞陽，漢舊縣，屬桂陽。有湞陽峽。中宿，漢舊縣。《沈志》屬南海，吴度。"

孔祥軍《晋書地理志校注》："始興郡治曲江，在今廣東韶關市。《續漢志》無此郡，據《吴志》卷三《孫皓傳》：'（甘露元年十一月）以桂陽南部爲始興郡'，又《宋志》：'廣興公相，吴孫皓甘露元年，分桂陽南部都尉立始興郡，晋武帝平吴，以屬廣州。'則孫皓甘露元年分桂陽南部都尉置始興郡。吴末領縣六，太康元年來屬，晋初增置陽山縣，領縣七。"

[2]曲江：縣名，治所在今廣東省韶關市東南蓮花嶺下。

[3]桂陽：縣名，治所在今廣東省連州市。清方愷《新校晋書地理志》："劉逵《吴都賦》注，桂竹生於始興小桂縣，《東晋疆域志》桂陽一名小桂，陶侃執劉沈於小桂，即此。《州郡志》作桂，疑此縣在漢名桂陽，及吴晋竟稱小桂。《疆域志》因《晋志》作桂陽，故調停其詞曰一名小桂也。"

[4]始興：縣名，治所在今廣東省始興縣西北。清畢沅《晋書

地理志新補正》："沅案《沈志》吴立。"

[5]含洭：縣名，治所在今廣東省英德縣西北浛洸鎮。

[6]湞陽：縣名，治所在今廣東省英德縣東翁水北。

[7]中宿：縣名，治所在今廣東省清遠市西北。

[8]陽山：縣名，治所在今廣東省陽山縣青蓮鎮東南連江之北。孔祥軍《晋書地理志校注》："吴無此縣，今檢《宋志》：'陽山侯相，漢舊縣，後漢曰陰山，屬桂陽。吴始興郡無此縣，當是晋後立。'則晋初立陽山縣。"

蒼梧郡[1]漢置。統縣十二，户七千七百。

廣信[2]　端溪[3]　高要[4]　建陵[5]　新寧[6]　猛陵[7]　鄣平[8]　農城[9]　元谿[10]　臨允[11]　都羅[12]　武城[13]

[1]蒼梧郡：治所在廣信縣（今廣西壯族自治區梧州市）。清洪亮吉《東晋疆域志》："蒼梧郡，漢置。《晋書・地理志》統縣七。東晋分出晋康、新寧、永平三郡。凡領縣六。《沈志》去州水八百，去京都水五千五百九十。廣信，漢舊縣。《元和郡縣志》自漢迄陳不改。建陵，《沈志》吴立，屬蒼。宋末度始安郡。案此則晋時仍屬蒼梧也。猛陵，漢舊縣。遂成，《沈志》《永初郡國》有。丁留，《沈志》晋武帝太康七年，以蒼梧蠻夷賓服立。廣陵，《沈志》《永初郡國》有。"

孔祥軍《晋書地理志校注》："蒼梧郡治廣信，在今廣西壯族自治區梧州市。太康元年來屬，吴末領縣十，其中謝沐縣移屬臨賀郡，增置都羅、武城、元谿三縣，領縣十二。"

[2]廣信：縣名，治所在今廣西壯族自治區梧州市。

[3]端溪：縣名，治所在今廣東省德慶縣。清畢沅《晋書地理志新補正》："沅案晋分立龍鄉縣。"

[4]高要：縣名，治所在今廣東省肇慶市。清畢沅《晋書地理志新補正》："沅案《水經注》稱《晋書地理志》縣東去郡五百里。刺史夏避毒，徙縣水居也。"

[5]建陵：縣名，治所在今廣西壯族自治區荔浦市修仁鎮西。清畢沅《晋書地理志新補正》："沅案《沈志》吴立。"又云晋初分建陵立都城縣。

[6]新寧：縣名，治所在今廣西壯族自治區蒼梧縣東南。清畢沅《晋書地理志新補正》："沅案太康元年改曰新寧。"清方愷《新校晋書地理志》："《州郡志》臨慶内史屬縣有寧新令，云二漢無，當是吴所立，屬蒼梧。晋太康元年更名。又蒼梧太守下云，晋武帝太康元年改新寧曰寧新。又《州郡志》丁留令，晋武帝太康七年立。寅按畢沅曰此《志》不載。或後省，至宋初復立也。"孔祥軍《晋書地理志校注》："今檢《宋志》：'建陵、寧新，吴立。'則吴時置寧新縣，又其時荆州桂陽郡有新寧縣，一國不當有兩新寧，故當作寧新。"

[7]猛陵：縣名，治所在今廣西壯族自治區蒼梧縣西。清畢沅《晋書地理志新補正》："沅案《元和郡縣志》晋分猛陵置永平郡。"

[8]鄣平：縣名，治所在今廣西壯族自治區合浦縣東北。

[9]農城：縣名，治所在今廣西壯族自治區蒼梧縣西南。孔祥軍《晋書地理志校注》："今檢《宋志》：'豐城令，吴立，屬蒼梧。'則當作'豐城'。"

[10]元谿：縣名，治所在今廣東省德慶縣東。孔祥軍《晋書地理志校注》："吴無此縣，今檢《宋志》：'元溪令，《晋太康地志》屬蒼梧。'則太康三年蒼梧郡有元谿縣，似太康初置。"

[11]臨允：縣名，治所在今廣東省新興縣新興江東。

[12]都羅：縣名，治所在今廣西壯族自治區陽朔縣附近。清畢沅《晋書地理志新補正》："沅案《沈志》吴立。又云晋太康七年以蒼梧蠻夷賓服，於蒼梧郡立丁留縣。今考此《志》不載，或後省。至宋初復立也。"孔祥軍《晋書地理志校注》："吴無此縣，今檢

《宋志》：‘都城令……按《晋太康地志》惟有都羅、武城縣。’則太康三年有都羅縣。又《宋志》：‘都羅，晋武分建陵立。’太康初分建陵縣所置。”

[13]武城：縣名，治所在今廣西壯族自治區平南縣東南。孔祥軍《晋書地理志校注》：“吴無此縣，今檢《宋志》：‘都城令……按《晋太康地志》惟有都羅、武城縣。’則太康三年有武城縣，似太康初置。”

鬱林郡[1]秦置桂林郡，[2]漢武帝更名。統縣九，户六千。

布山[3]　阿林[4]　新邑[5]　晋平[6]　始建[7]　鬱平[8]　領方[9]　武熙[10]　安廣[11]

[1]鬱林郡：治所在布山縣（今廣西壯族自治區桂平市西南古城）。清洪亮吉《東晋疆域志》：“鬱林郡，秦置桂郡。漢改今名。《晋書·地理志》統縣九。東晋分出晋興郡，領縣二十一。《沈志》去州水一千六百，去京都水七千九百。布山，漢舊縣。領方，漢舊縣。《沈志》吴改曰臨浦。晋武復舊。案《元和郡縣志》云至隋始復爲領方，恐誤。阿林，漢舊縣。案《晋書·地理志》作柯林。今從《漢地理志》《郡國志》。鬱平，《沈志》吴立曰陰平。《晋太康元年》更名。《元和郡縣志》又云漢廣鬱縣，吴改爲陰平，晋又改今名。新邑，《沈志》吴立。武熙，《沈志》本曰武安，應是吴立。晋武帝太康元年更名。建初，《沈志》《永初郡國》有。賓平，《沈志》《永初郡國》有。威化，《沈志》《永初郡國》有。新林，《沈志》《永初郡國》有。龍平，《沈志》《永初郡國》有。安始，《沈志》吴立曰建始，晋武帝太康元年更名。懷安，《沈志》稱《何志》吴改，未知先何名。《吴録》地理無懷安縣名。《太康地志》無，《永初郡國》有。晋平，《沈志》曰長平，晋武帝太康元年更名。綏寧，《沈志》《永初郡國》併領方。案此則晋末或尚有。歸

化，《沈志》《永初郡國》有。又云中胄、歸化二縣《晋太康地志》無，疑是江左立。中胄，《沈志》《永初郡國》有，疑即桂林之中溜。今案《沈志》云《晋太康地志》無中溜縣，《晋書・地理志》亦同。今故不並録。安遠，《沈志》晋武帝太康六年立，屬鬱林。《永初郡國》猶屬鬱林。程安，《沈志》《永初郡國》屬鬱林，疑是江左立。威定，《沈志》《永初郡國》屬鬱林，疑是江左立。建安，《沈志》《永初郡國》有。"

清畢沅《晋書地理志新補正》："沅案《沈志》有安始縣，吴立曰建始。晋武帝太康六年更名。又晋武帝太康六年立安遠縣，屬鬱林。"

孔祥軍《晋書地理志校注》："鬱林郡治乏考。吴領縣十，太康元年武帝平吴諸縣來屬，中溜、定周二縣省，武熙縣來屬，領縣九。今檢《宋志》：'安遠令，晋武帝太康六年立，屬鬱林。'則太康六年立安遠縣，且屬鬱林郡，領縣十。"

[2]桂林郡：原本、宋本、殿本無"林"字，據中華本校勘記補。

[3]布山：縣名，治所在今廣西壯族自治區桂平市西南古城。

[4]阿林：縣名，治所在今廣西壯族自治區桂平市東南油麻鎮。阿，殿本作"柯"。

[5]新邑：縣名，治所在今廣西壯族自治區南寧市邕寧區、横州市一帶。

[6]晋平：縣名，治所在今廣西壯族自治區桂平市、武宣縣、象州縣一帶。清畢沅《晋書地理志新補正》："沅案《沈志》上二縣吴立。"孔祥軍《晋書地理志校注》："吴作'長平'，今檢《宋志》：'晋平令，吴立曰長平，晋武太康元年更名。'則太康元年改爲晋平。"

[7]始建：縣名，治所在今廣西壯族自治區南寧市至桂平市一帶。清方愷《新校晋書地理志》："《州郡志》安始令，吴立，曰建始。晋武帝太康元年更名，今作始建，誤。又桂林太守屬又安遠

令，晋武帝太康六年立，屬鬱林令，作安廣誤。”孔祥軍《晋書地理志校注》：“今檢《宋志》：‘安始令，吴立曰建始，晋太康元年更名。’則晋太康元年更名‘安始’。則當作‘安始’。”

［8］鬱平：縣名，治所在今廣西壯族自治區貴港市。清畢沅《晋書地理志新補正》：“沅案《元和郡縣志》吴立曰陰平。太康元年改今名。”孔祥軍《晋書地理志校注》：“吴作‘陰平’，今檢《宋志》：‘鬱平令，吴立曰陰平，晋武太康元年更名。’則太康元年改陰平爲鬱平。”

［9］領方：縣名，治所在今廣西壯族自治區賓陽縣西南古城。清畢沅《晋書地理志新補正》：“沅案漢舊縣，吴改曰臨浦。晋武帝復舊。《沈志》又有安遠縣。”孔祥軍《晋書地理志校注》：“吴作‘臨浦’，今檢《宋志》：‘領方令，漢舊縣，吴改曰臨浦，晋武復舊。’則晋初改臨浦爲領方。”

［10］武熙：縣名，治所在今廣西壯族自治區柳州市東南。清畢沅《晋書地理志新補正》：“沅案《沈志》本曰武安，疑吴立。太康元年改今名。”孔祥軍《晋書地理志校注》：“吴末作‘武安’，屬桂林郡。今檢《宋志》：‘武熙令，本曰武安，應是吴立，晋太康元年更名，故屬鬱林。’則晋太康元年更名‘武熙’。”

［11］安廣：縣名，治所在今廣西壯族自治區横縣西北。

桂林郡[1]吴置。統縣八，户二千。

潭中[2]　武豐[3]　粟平[4]　羊平[5]　龍剛[6]　夾陽[7]　武城[8]　軍騰[9]

［1］桂林郡：治所在潭中縣（今廣西壯族自治區柳州市東南柳江東南岸）。清畢沅《晋書地理志新補正》：“沅案《沈志》吴孫皓鳳凰三年，分鬱林治武熙縣，不知何時所徙。”

清洪亮吉《東晋疆域志》：“桂林郡，吴置。東晋領縣九。《沈志》去州水一千五百七十五，去京都水六千八百。潭中，漢舊縣。《元和郡縣志》自漢迄陳不改。武豐，《太平寰宇記》晋太康元年，分吴所置武豐縣置長安縣。案此則縣吴立也。長安，《沈志》太康元年分龍岡立常安。《太平寰宇記》又云，晋太康元年分武豐立。未知誰是。《沈志》又云《太康地志》《永初郡國》皆有。粟平，《晋書·地理志》有。羊平，《沈志》作陽平，云《永初郡國》、何、徐並有。又云晋武帝太康元年立桂林之洋縣，疑是。今案《沈志》稱《何承天志》又云新置，考《晋書·地理志》有此縣，則非宋時所立，不得云新置也。當即太康元年所立之洋縣無疑。龍岡，《沈志》晋武帝太康元年立，《晋書·地理志》作龍剛。夾陽，《沈志》稱《永初郡國》有常安、夾陽二縣。案《晋書·地理志》有夾陽，無常安。武城，《晋書·地理志》有。軍騰，《晋書·地理志》有。案二縣及粟平《沈志》無，均從《晋書·地理志》録入。"

清勞格《晋書校勘記》："《太康地志》桂林郡有常安縣。桂林郡治乏考，《續漢志》無此郡。今檢《吴志》卷三《孫皓傳》：'（鳳凰三年）是歲，連大疫，分郁林爲桂林郡。'又《宋志》：'桂林太守，本縣名，屬郁林，吴孫皓鳳凰三年，分郁林（立），治武熙縣（當作武安）。'則孫皓鳳凰三年分郁林郡置桂林郡。吴末領縣三，太康元年武帝平吴後，其中武安縣移屬郁林郡，晋初增置粟平、洋平、龍岡、夾陽、軍騰五縣，領縣七。檢《寰宇記》卷一百六十二嶺南道桂州慕化縣條：'元二鄉本漢潭中縣地，晋太康元年分吴所置武豐縣，置長安縣於此。'又《宋志》桂林太守條：'常安，《太康地志》有而王隱無。'其時京兆郡有長安縣，則當作常安縣，其當於太康元年置，太康四年廢。《晋志》本郡又列武城縣，其時武城縣屬蒼梧郡，此爲衍文。"

[2]潭中：縣名，治所在今廣西壯族自治區柳州市東南柳江東南岸。

[3]武豐：縣名，治所在今廣西壯族自治區東北部融江流域及

紅水河下游一帶。清畢沅《晋書地理志新補正》："沅案《太平寰宇記》太康元年分置長安縣。"

［4］粟平：縣名，治所在今廣西壯族自治區東北部融江流域及紅水河下游一帶。孔祥軍《晋書地理志校注》："吴無此縣，似於晋初置。"

［5］羊平：縣名，治所在今廣西壯族自治區東北部融江、龍江下游及紅水河下游一帶。清畢沅《晋書地理志新補正》："沅案《沈志》晋武帝太康元年立桂林之洋縣，疑是。"孔祥軍《晋書地理志校注》："今檢《宋志》：'陽平令……按晋太康元年，立桂林之洋平縣，疑是。'則太康元年立洋平縣且屬桂林郡，《晋志》所謂'羊平'誤，當作'洋平'。"

［6］龍剛：縣名，治所在今廣西壯族自治區河池市宜州區。孔祥軍《晋書地理志校注》："今檢《宋志》：'龍定令，晋太康元年，立桂林之龍岡，疑是。'則太康元年立龍岡縣且屬桂林郡，《晋志》所謂'龍剛'誤，當作'龍岡'。"

［7］夾陽：縣名，治所在今廣西壯族自治區河池市宜州區一帶。清畢沅《晋書地理志新補正》："沅案晋武帝太康元年分龍剛立。"清方愷《新校晋書地理志》："《州郡志》云，永初郡國有長安、夾陽二縣。夾陽，晋武帝太康元年分龍岡立。長安《太康地志》有，王隱無。又陽平令，沈約案，晋武帝太康元年立桂林之洋縣，疑是。考本《志》洋作羊平，龍岡作龍剛，不列夾陽長安，皆誤。"孔祥軍《晋書地理志校注》："吴無此縣，今檢《宋志》：'夾陽，晋太康元年分龍岡立。'則太康元年分龍岡立夾陽縣。"

［8］武城：縣名，治所在今廣西壯族自治區平南縣東南。

［9］軍騰：縣名，治所在今廣西壯族自治區東北部融江流域及紅水河下游一帶。孔祥軍《晋書地理志校注》："吴無此縣，似於晋初置。"

高涼郡[1]吴置。統縣三，户二千。

安寧[2]　高涼[3]　思平[4]

[1]高涼郡：治所在安寧縣（今廣東省陽江市西）。清洪亮吉《東晋疆域志》："高涼郡，吴置。東晋領縣七。《沈志》吴又立高興郡，太康中省併高涼。去州水一千一百，去京都六千六百。安寧，《沈志》吴立。高凉，漢舊縣。思平，《沈志》稱《晋太康地志》有。《十道志》《太平寰宇記》又云晋分高涼縣置思平縣。今案《沈志》云漢獻帝建安二十三年，吴分立高凉郡治思平縣，則縣當與郡同立。《十道志》等云晋分置蓋誤。石門，《沈志》稱《何志》故屬高凉。長度，《沈志》稱《永初郡國》高凉又有石門、廣化、長度、宋康四縣，何、徐並無，宋康當是宋初所立。案此則石門等三縣尚屬晋時所置也。莫陽，《沈志》稱《晋太康地志》有。屬高興。案此縣當從武帝省高興郡時移屬。今從《沈志》列於此。廣化，《沈志》稱《晋太康地志》有。屬高興。《永初郡國》屬高凉。案此縣當亦省高興郡時所移。"

清畢沅《晋書地理志新補正》："沅案《沈志》吴分合浦立，治思平，不知何時所徙。吴又立高熙郡，太康中省併高凉。"孔祥軍《晋書地理志校注》："高凉郡治乏考。《續漢志》無此郡，據《宋志》：'高凉太守，二漢有高凉縣，屬合浦，漢獻帝建安二十三年，吴分立（高凉郡），治思平縣。'《續漢志》合浦郡高凉縣條劉昭注曰：'建安二十五年，孫權立高梁郡。'吴氏《考證》卷八據《太平御覽》所引《南越志》《吴志·吕岱傳》以爲當從《續漢志》作'建安二十五年'，是。吴領縣三，太康元年武帝平吴諸縣來屬，領縣三。太康四年後高興郡省，諸縣來屬，領縣八。"

[2]安寧：縣名，治所在今廣東省陽江市西。清畢沅《晋書地理志新補正》："沅案《沈志》吴立。"

[3]高凉：縣名，治所在今廣東省陽江市北。

［4］思平：縣名，治所在今廣東省恩平市北。清畢沅《晋書地理志新補正》："沅案《太平寰宇記》晋分置思平縣，今考思平縣吴立，《太康地志》有此，云晋立，蓋誤。"孔祥軍《晋書地理志校注》："《宋志》：'思平令，《晋太康地志》有。'則太康三年有思平縣。"

高興郡[1]吴置。統縣五，户一千二百。[2]

廣化[3]　海安[4]　化平[5]　黄陽[6]　西平[7]

［1］高興郡：治所在廣化縣（今廣東省陽江市西）。清方愷《新校晋書地理志》："庠案本《志》交州前篇，明云漢順帝分交阯立高興郡，靈帝改曰高凉。而廣州高凉高興郡下皆云吴置，自相牴牾。疑靈帝改高興爲高凉，吴又復置高興，與高凉並列。晋初仍吴制，而志不能悉其原委耳。又案廣州前篇云，吴黄武五年分交州之南海、蒼梧、鬱林、高凉四郡立爲廣州，是黄武時尚未置高興郡也。案明板《晋書》，'陽'作'黄陽'，然考《州郡志》有莫陽令，《太康地志》有，屬高興。則黄陽又莫陽之誤也。寅案今局本亦作黄楊，畢校同。"

孔祥軍《晋書地理志校注》："吴無此郡，似太康元年武帝平吴後所置。據《晋志》：'武帝後省高興郡。'似太康四年後省，又其原領諸縣，《宋志》中皆屬高凉郡，則似併入高凉郡。"

［2］户一千二百：殿本於"百"字下有"二十"二字。

［3］廣化：縣名，治所在今廣東省陽江市西。孔祥軍《晋書地理志校注》："吴無此縣，今檢《宋志》：'廣化令，《晋太康地志》有，屬高興。'則太康三年高興郡有廣化縣，其似於晋初置。"

［4］海安：縣名，治所在今廣東省臺山市西南。清畢沅《晋書地理志新補正》："沅案《沈志》吴曰海寧，晋武帝改今名。"孔祥軍《晋書地理志校注》："吴作'海寧'，今檢《宋志》：'海安男

相，吴曰海寧，晋武改名，《太康地志》屬高興。’則晋太康元年改海寧爲海安，太康三年高興郡有海安縣。”

［5］化平：縣名，治所在今廣東省境内，確址不詳。孔祥軍《晋書地理志校注》：“吴無此縣，似於晋初置。”

［6］黄陽：孔祥軍《晋書地理志校注》：“吴無此縣，今檢《宋志》：‘莫陽令，《晋太康地志》有，屬高興。’則太康三年高興郡有莫陽縣，其似於晋初置。中華校：‘《宋志》四：“莫陽令，《晋太康地志》有，屬高興。”《元和郡縣補志》八亦謂“晋分置莫陽縣”。馬校：《寰宇記》謂以莫陽江得名。疑“黄”爲“莫”之誤字。’”莫陽，縣名，治所在今廣東省陽春市西南漠陽江西。

［7］西平：縣名，治所在今廣西壯族自治區西林縣西平鄉。孔祥軍《晋書地理志校注》：“吴無此縣，似於晋初置。”

寧浦郡[1]吴置。統縣五，户一千二百二十。

寧浦[2]　連道[3]　吴安[4]　昌平[5]　平山[6]

［1］寧浦郡：治所在寧浦縣（今廣西壯族自治區横州市西南鬱江南岸）。清洪亮吉《東晋疆域志》：“寧浦郡，《沈志》稱《晋太康地志》，武帝太康七年改合浦屬國都尉立。《晋書·地理志》云吴置，誤。東晋領縣七。澗陽，《沈志》晋太康七年《永初郡國》作簡陽。《吴録》云晋分寧浦爲澗陽。《阮放傳》高寶擊放敗，走保簡陽城得免。興道，《沈志》晋武帝太康元年以合浦北部誉之連道立。《吴録》有此縣，未詳。寧浦，《沈志》稱《晋太康地記》本名昌平，武帝太康元年更名。《吴録》有此縣，未詳。《元和郡縣志》本漢高凉縣地。《太平寰宇記》又云縣本漢廣鬱縣地。吴安，《晋書·地理志》有，《沈志》稱《吴録》無。昌平，案《太康地記》云，寧浦本名昌平。今《晋書·地理志》寧浦外又有昌平，未知何故。平山，《沈志》稱晋太康地志有。始定，《沈志》

稱晋太康地志有。《吴録》又云晋分平山爲始定。”

清畢沅《晋書地理志新補正》：“沅案《廣州記》建安二十三年，吴分鬱林立，治平山縣。《吴録》孫休永寧三年，分合浦立合浦北部尉，領平山、興道、寧浦三縣。《晋太康地志》武帝太康七年，改合浦屬國都尉立。遍考諸地志，吴所置郡無寧浦，當是孫休時立合浦北部都尉，至太康中始改立郡耳。此注及《廣州記》恐皆不足據。”

清勞格《晋書校勘記》：“《太康地志》寧浦郡有始定縣。”

孔祥軍《晋書地理志校注》：“寧浦郡治乏考。《續漢志》無此郡，今檢《宋志》：‘寧浦太守……《廣州記》漢獻帝建安二十三年，分郁林立，治平山縣。’又《輿地紀勝》卷一百一十三廣南西路横州條引《圖經序》：‘吴建安二十三年吴立寧浦郡。’《寰宇記》卷一百六十六嶺南道横州條：‘《吴録》吴以合浦北部爲寧浦郡，《廣州記》云：吴分郁林郡置。’又《舊唐書》卷四十一《地理四》邕州下都督府横州寧浦縣條：‘州所治，漢廣鬱縣地，屬郁林郡。吴分置寧浦郡。’又《輿地廣記》卷三十七廣南西路下横州下寧浦縣條：‘本漢廣鬱縣地，吴分置寧浦縣及立郡。’又《記纂淵海》卷十五廣南東路横州寧浦縣沿革：‘本漢廣郁、高凉二縣地，吴於高凉置寧浦縣及郡。’綜合以上所引諸條可推知，建安二十三年吴確置寧浦郡，高凉縣原屬合浦郡、廣郁縣原屬郁林郡，故寧浦郡當跨原合浦、郁林兩郡地。而《宋志》：‘寧浦太守，《晋太康地志》：武帝太康七年改合浦屬國都尉立。’《元和志》卷五十七嶺南道横州條：‘晋於合浦北部置寧浦郡。’則晋太康七年又重置寧浦郡，故吴建安時所置之寧浦郡，當於太康四年後見廢。吴領縣二，晋初增置吴安、興道二縣，領縣四，《晋志》領縣五，誤列昌平縣。”

[2]寧浦：縣名，治所在今廣西壯族自治區横州市西南鬱江南岸。清畢沅《晋書地理志新補正》：“沅案《沈志》《晋太康地記》本名昌平，武帝太康元年更名。”孔祥軍《晋書地理志校注》：“吴末作‘昌平’，今檢《宋志》：‘寧浦令，晋《太康地記》本名昌

平，太康元年更名。’則太康元年改昌平爲寧浦。《晋志》寧浦郡又列昌平縣，顯誤。”

［3］連道：中華本校勘記：“《宋志》四：‘興道令，晋武帝太康元年以合浦北部營之連道立。’馬校：晋縣當曰‘興道’。”清畢沅《晋書地理志新補正》：“沅案《沈志》晋武帝太康元年，以合浦北部營之連道立興道縣。太康七年又立潤陽縣。”清方愷《新校晋書地理志》：“案明板《晋書》，道作連道。然考《州郡志》興道令，太康元年以合浦北部營之連道立，則連道又興道之誤也。寅案局本亦作連道，畢校同。《州郡志》又云，潤陽令，晋武帝太康七年立，永初郡國作簡陽。又云始定令，《太康地記》有，今皆闕。”孔祥軍《晋書地理志校注》：“今檢《宋志》：‘興道令，晋太康元年，以合浦北部營之連道立。《吴録》有此縣，未詳。’今據長沙走馬樓吴簡：‘入新吏烝勉還連道黄武□年米七口’（簡 1798）、‘其二斛四斗新吏烝勉還連道縣黄武六年米’（簡 2220），可知吴時長沙郡有連道縣，一國不當有兩連道縣，而長沙郡之連道縣有，走馬樓吴簡可確證，則合浦郡不當有連道縣，明矣。細繹《宋志》載文，可知《吴録》合浦郡確有興道縣，後似見廢，故沈約以未詳疑之，至太康元年似於合浦北部營之連道鄉再置興道縣，《晋志》所謂‘連道’誤，當作‘興道’。”

［4］吴安：縣名，治所在今廣西壯族自治區横州市西。孔祥軍《晋書地理志校注》：“吴無此縣，今檢《宋志》：‘吴安令，《吴録》無。’似晋初增置。”

［5］昌平：中華本校勘記：“《宋志》四引《太康地志》寧浦本名昌平，武帝太康元年更名。上文既出寧浦，‘昌平’疑重出。《南齊書州郡志》上、《隋志》下、有寧浦，無昌平，亦可證。”

［6］平山：縣名，治所在今廣西壯族自治區平横州市東北。孔祥軍《晋書地理志校注》：“吴末屬合浦北部都尉，今檢《宋志》：‘平山令，晋《太康地記》有。’則太康三年有平山縣，當屬寧浦郡。”

武帝後省高興郡。懷帝永嘉元年，又以臨賀、始興、始安三郡凡二十縣爲湘州。元帝分鬱林立晉興郡。[1]成帝分南海立東官郡，[2]以始興、臨賀二郡還屬荆州。[3]穆帝分蒼梧立晉康、[4]新寧、[5]永平三郡。[6]哀帝太和中置新安郡，[7]安帝分東官立義安郡，[8]恭帝分南海立新會郡。[9]

[1]晉興郡：治所在晉興縣（今廣西壯族自治區南寧市南邕江南岸）。清洪亮吉《東晉疆域志》："晉興郡，《沈志》晉元帝太興元年分鬱林立。《水經注》又云，晉興郡，太康中分鬱林置。未知誰是。《元和郡縣志》晉於領方縣置晉興郡。凡領縣八。晉興，《元和郡縣志》晉分漢領方縣地。有泉源。熙注。桂林。增翊。安廣，《晉書地理志》屬鬱林。廣鬱，案二《漢志》鬱林郡有此縣。疑此非漢縣，或用舊名耳。晉城。鬱陽。"清畢沅《晉書地理志新補正》："沅案《沈志》晉元帝太興元年分立。治所在晉興縣（今廣西壯族自治區南寧市南鬱江南岸）。"清勞格《晉書校勘記》："《水經・斤江水》注云侵黎水出廣州晉興郡，郡以太康中分鬱林置。"

[2]東官郡：治所在寶安縣（今廣東省深圳市寶安區）。清洪亮吉《東晉疆域志》："東官郡，《沈志》稱《何志》故司鹽都尉，晉成帝立爲郡。《廣州記》晉成帝咸和六年分南海立，領縣六。去州水三百七十，去京都水五千六百七十。今考安懷縣，《沈志》稱《永初郡國》、何、徐並不注置立，他書亦無明文。容宋初所立也。又欣樂一縣，《沈志》稱本屬南海，宋末度。案縣不知何時所立，今亦不録。東晉當領縣四。寶安，《沈志》、《永初郡國》、何、徐並不注置立。今考《元和郡縣志》晉成帝咸和六年于博羅縣地置寶安縣，屬東莞郡。則是縣與郡同立也。《太平寰宇記》云東官郡，晉義熙中置，以寶安縣屬焉。又云吴孫皓甘露元年置始興郡，以南海縣池置司鹽都尉，至晉立東官郡。是司鹽都尉爲寶安縣之證。有

蕪城。興寧，《沈志》江左立。《元和郡縣志》本漢龍川縣地，晉於今興寧縣西三里置興寧縣，屬東官郡。《太平寰宇記》晉元興中置。海豐，《沈志》、《永初郡國》、何、徐並不注置立。今考《元和郡縣志》云，本龍川縣地，東晉於此置海豐縣，縣屬東官郡。疑亦咸和六年與郡同立也。海安，《沈志》吴曰海寧，晉武帝改名。《太康地志》屬高興。案此疑亦立東官郡時所移屬。”清畢沅《晉書地理志新補正》：“沅案《沈志》何承天《志》故司監都尉，晉成帝立爲東官郡。《廣州記》晉成帝咸和六年分南海立。”

[3]以始興、臨賀二郡還屬荆州：殿本作“以始興、始安、臨賀三郡還屬荆州”。清周家禄《晉書校勘記》：“據上荆州文，當合始安爲三郡，但彼爲穆帝，所以與此不周耳。”

[4]晉康：郡名，治所在元溪縣（今廣東省德慶縣）。清洪亮吉《東晉疆域志》：“晉康郡，《沈志》晉穆帝永和七年分蒼梧立，治元谿。《永初郡國》治龍鄉。今考《元和郡縣志》云晉末置。《太平寰宇記》稱《南越志》晉康郡本屬蒼梧端谿縣，晉咸康四年分置。案云咸康四年置及晉末置，皆與《沈志》《晉書·地理志》穆帝置異，未知李吉甫、樂史何本。姑附見俟考。凡領縣十二。《沈志》去州水五百，去京都水五千八百。元谿，《沈志》稱《晉太康地志》屬蒼梧。端谿，漢舊縣。《沈志》稱《何志》屬蒼梧，《徐志》屬此。龍鄉，《沈志》稱《何志》云當是晉末立。《太平寰宇記》晉分端谿縣置龍鄉縣。晉化，《沈志》稱《何志》不注置立，疑是晉末所立。都城，《沈志》稱《何志》晉初分建陵立。今無建陵縣。案《太康地志》惟有都羅武城縣。夫阮，《沈志》《永初郡國》有。僑寧，《沈志》稱《何志》云漢舊縣。檢二漢《地理郡國志》無此縣。封興，《沈志》《永初郡國》有，及《何志》並屬晉康。蕩康，《沈志》《永初郡國》有，及《何志》並屬晉康。思安，《沈志》《永初郡國》有，及《何志》並屬晉康。遼安，《沈志》《永初郡國》有。開平，《沈志》《永初郡國》有。案上二縣應是晉末立。”

［5］新寧：郡名，治所在林允縣（今廣東省新興縣南）。清洪亮吉《東晋疆域志》："新寧郡，《沈志》晋穆帝永和七年分蒼梧立。《太平寰宇記》永和七年分蒼梧郡，於臨允縣置新寧郡。東晋領縣九。《沈志》去州水六百二十，去京都水五千六百。南興，《沈志》稱《何志》漢舊縣。檢二漢《地理郡國志》《晋太康地志》並無。《永初郡國》有。臨允，漢舊縣，屬合浦。《沈志》稱《晋太康地志》屬蒼梧。《何志》吴度蒼梧。新興，《沈志》《永初郡國》有。博林，《沈志》《永初郡國》有。甘東，《沈志》《永初郡國》有。單牒，《沈志》《永初郡國》有。威平，《沈志》《永初郡國》有。平興，《沈志》《永初郡國》有。《元和郡縣志》本漢高要縣地，晋末分置平興縣，屬新寧郡。《太平寰宇記》宋元嘉十二置平興縣，誤。永城，《沈志》《永初郡國》有。又云永城、平興二縣當是晋末立。"

［6］永平：郡名，治所在安沂縣（今廣西壯族自治區岑溪市西北）。清洪亮吉《東晋疆域志》："永平郡，《沈志》晋穆帝升平五年分蒼梧立。凡領縣十。去州水一千二百，去京都水五千四百。東晋領縣當同。安沂，《沈志》《永初郡國》有。豐城，《沈志》吴立，屬蒼梧。《永初郡國》併安沂，當是宋初併。蘇平，《沈志》《永初郡國》有。踙安，《沈志》《永初郡國》有。夫寧，《沈志》《永初郡國》有。雷鄉，《沈志》《永初郡國》有。又云以下五縣當是與郡俱立。案此則安沂、蘇平等縣亦當與郡俱立也。盧平，《沈志》《永初郡國》有。員鄉，《沈志》《永初郡國》有。逋寧，《沈志》《永初郡國》有。開城，《沈志》《永初郡國》有。"清畢沅《晋書地理志新補正》："沅案《沈志》晋穆帝永和七年，分蒼梧立晋康、新寧二郡。升平五年，分蒼梧立永平郡。《晋康》郡治元谿。《永初郡國》治龍鄉。永平郡永初郡國有雷鄉、盧平、員鄉、逋寧、開城五縣，當是與郡俱立。《元和郡縣志》晋末置晋康郡。《太平寰宇記》稱《南越志》晋康郡本屬蒼梧端谿縣，晋咸康四年分置。今考云咸康四年置，則與《晋地理志》穆帝置異。俟考。"

[7]新安郡：治所在今廣西壯族自治區合浦縣南。清勞格《晋書校勘記》："《州郡志》無此郡。又哀帝年號隆和，非太和也，疑誤。"

[8]義安郡：治所在海陽縣（今廣東省潮州市東北）。清洪亮吉《東晋疆域志》："義安郡，《沈志》晋安帝義熙九年，分東官立。《太平寰宇記》稱《南越志》云義安郡本屬南海郡，後隸東官郡，晋義熙八年割立。其地與晋安郡接界。東晋領縣五。《沈志》去州三千五百，去京都水八千九百。海陽，《沈志》稱《何志》晋初立。《晋太康地志》無。《晋地記》故屬東官。《元和郡縣志》義熙九年晋分揭陽縣地立海陽縣。《太平寰宇記》晋立東官郡於此。綏安，《沈志》稱《何志》與郡俱立。《晋地記》故屬東官。《太平寰宇記》在郡東一千里海道也。海寧，《沈志》稱《何志》與郡俱立。《晋地記》故屬東官。《太平寰宇記》云縣在郡東六里，西接東官縣界。潮陽，《沈志》稱《何志》與郡俱立。《晋地記》故屬東官。《元和郡縣志》本漢揭陽縣地。晋安帝分東莞郡置義安郡，仍立潮陽縣屬焉。以在大海之北，故曰潮陽。義陽，《沈志》晋安帝義熙九年，以東官五營立。《太平寰宇記》稱《南越志》昔流人營也，義熙元年立爲縣。"清畢沅《晋書地理志新補正》："沅案《沈志》晋安帝義熙九年，分東官立。《何承天志》綏安、海寧、潮陽、義招四縣與郡俱立。又海陽縣《何志》晋初立。"

[9]新會郡：治所在盆允縣（今廣東省江門市新會區）。清洪亮吉《東晋疆域志》："新會郡，《沈志》晋恭帝元熙二年分南海立。《廣州記》永初元年分新寧立，治盆允，未詳孰是。今考《晋書·地理志》云恭帝分南海立新會郡，而《通典》《太平寰宇記》亦云新會郡晋末置。疑當以前一説爲是也。凡領縣三。《沈志》去州三百五十。盆允，《沈志》《永初郡國》故屬南海，何、徐同。案縣既先屬南海後爲新會郡治，則係晋立可知。新夷，《沈志》吴立曰平夷。晋武帝太康元年更名，故屬南海。案《晋書·地理志》尚名平夷，似誤。封平，《沈志》《永初郡國》云故屬新寧，何云故屬

南海，徐同。案縣或與新寧郡同立。”清畢沅《晋書地理志新補正》：“沅案《沈志》晋恭帝元熙二年分南海立。”

# 晋書　卷一六



## 志第六



### 律曆上[1]

《易》曰:"形而上者謂之道,形而下者謂之器。"[2]夫神道廣大,妙本於陰陽;形器精微,義先於律吕。聖人觀四時之變,刻玉紀其盈虚,察五行之聲,鑄金均其清濁,[3]所以遂八風而宣九德,和大樂而成政道。然金質從革,侈弇無方;竹體圓虚,修短利制。[4]是以神瞽作律,用寫鍾聲,[5]乃紀之以三,平之以六,成於十二,天之道也。[6]又葉時日於晷度,效地氣於灰管,故陰陽和則景至,律氣應則灰飛。灰飛律通,吹而命之,則天地之中聲也。故可以範圍百度,化成萬品,則《虞書》所謂"葉時月正日,同律度量衡"者也。[7]中聲節以成文,德音章而和備,則可以動天地,感鬼神,導性情,移風俗。葉言志於咏歌,鑒盛衰於治亂,故君子審聲以知音,審音以知樂,審樂以知政,蓋由兹道。太史公《律書》云:"王者制事立物,法度軌則,[8]一稟於六律。

六律爲萬事之本，其於兵械尤所重焉。故云望敵知吉凶，聞聲效勝負。百王不易之道也。”

［1］《晉書·律曆志》上卷是一篇内容豐富的中國音律學方面的文獻。中卷詳細記載了魏文帝黄初年間（220—226）太史丞韓翊造《黄初曆》及其曆法與《乾象曆》疏密比較所引起的廷議，並引載了《乾象曆》本文。東漢末劉洪的《乾象曆》，在三國吴得以頒行。魏明帝景初元年（237），尚書郎楊偉造《景初曆》得以頒行。下卷引載了《景初曆》本文，末尾還簡單地介紹了晋杜預的《春秋長曆》和後秦姜岌造的《三紀甲子元曆》。

劉洪是東漢末著名的曆法家，他曾考察自古迄於當時的史官關於日、月、五星的出入行度觀測記録，發現《四分曆》疏闊的原因，在於所用回歸年長度小數太大，即斗分太大，於是改以589爲紀法，145爲斗分，從而改進了回歸年和朔望月長度的數值，測定冬至日在斗22度。《乾象曆》是第一部傳世的引進月行遲疾概念和算法的曆法，稱爲“月行三道術”。所謂月行三道術，就是月亮在中道、内道和外道運動方位的計算方法。中道就是黄道，内道就是陰曆，外道就是陽曆。它測定了較爲精確的近點月日數，和一個近點月内每天月亮較平均行度多行或少行的度數，用於修正相對於平朔或平望而言的定朔時刻。由此可以更準確地推算日食和月食時刻。《乾象曆》還第一次確定了交食食限的數值，用以判斷交食的發生與否。《乾象曆》還有一套精密的推算五星行度的方法，其推算的五星會合周期，除火星外，均與今測密近。《景初曆》是比《乾象曆》晚出的曆法，但當《景初曆》使用了一段時間以後，其所推五星行度就有明顯的誤差，便不得不改用《乾象曆》五星法推算。

《景初曆》是在吸取了《乾象曆》優點基礎上制訂的。《景初曆》的主要優點在交食預報，它創立了推食分多少和交食虧復方位的方法，使中國的交食預報，發展到一個更高階段。對於黄白交點和月亮近地點位置的計算，它采用了分别設立不同的起算點的方法，是多曆元法在曆法中的最早應用。它取用了若干較前代曆法都要準確的天文數據，如恒星月、近點月、交點年、交點月、必定發生月偏食的食限值等。《景初曆》改進了朔望月的數據，但由於受到 19 年 7 閏法的限制，所得回歸年的數值則不如《乾象曆》精確。這個事實證明，曆法發展到當時，就必須使用比 19 年 7 閏法更好的閏周，這個任務便是由姜岌的《三紀甲子元曆》來完成的。姜岌的《三紀甲子元曆》是南北朝時少數民族政權所使用的曆法，它大膽地破除了傳統的置閏章法，另尋密率，其創始之功不可沒。律曆，曆，原本皆作“歷”，歷和曆爲古今字，以下三卷凡歷需改曆處均徑改，不再出注。

[2]“形而上者謂之道”至“義先於律吕”：“形而上者謂之道，形而下者謂之器”引自《易・系辭上》。整段文字是説形象以上的抽象道理叫作道，形象以下的具體事物叫作器。先有精神而後有形器，天地生成，先有精神而後有物質。精神本於陰陽的變易，形器的規律本於律吕。

[3]“聖人觀四時之變”至“鑄金均其清濁”：此處“刻玉紀其盈虚”，是説用玉製作圭表，以觀測晷影長短，從而瞭解四時變化的狀況。盈虚當指“閏盈”“朔虚”。“鑄金均其清濁”，是説用金屬做成律管，分判其清濁即音調的高低，用以觀察確定五音的聲音。

[4]“金質從革”至“修短利制”：侈弇：是指鐘口的大與小、增多與減少。侈弇無方，指制侈弇的大小没有一定的制度。修短利制，是説用竹製作時，長短容易製造。全句意思是：雖然用金屬製作樂器較爲莊重，但不易控制其鐘口的大小，而利用竹子製作時，則較容易控制它的管徑和長短，從而製作起來也較方便。

[5]神瞽作律，用寫鍾聲：古時以瞽者爲樂官，故瞽者即樂官之稱謂。神鼓即是指樂聖。此處是説樂聖制作了音律，用以表達鐘

聲。用寫鍾聲，宋本無“聲”字。

［6］“紀之以三”至“天之道也”：《漢書·律曆志上》說：“律有十二，陽六爲律，陰六爲吕。”《史記·律書》又說：“王者制事立法，物度規則，壹稟於六律，六律爲萬事根本焉。”古代將十二律分爲六律和六吕，稱爲陰陽十二律。六律指黄鐘、大簇、姑洗、蕤賓、夷則、無射；六吕指大吕、夾鐘、中吕、林鐘、南吕、應鐘，合爲十二律。十二律中，按音高排列，相鄰兩律都構成半音關係。

［7］“則《虞書》所謂”句：上古的音律學家和曆法家，依據《虞書》“舜曲”之“同律度量衡”說，認爲天體的變化運行與音律的規則是相通的，在這個認識的基礎上都努力加以附會。

［8］“王者制事立物，法度軌則”句：此處引用《史記·律書》“王者制事立法，物度軌則”，但“法物”二字倒置。殿本作“王者制事立法，物度軌則”。

及秦氏滅學，其道浸微。[1]漢室初興，丞相張蒼首言音律，未能審備。孝武帝創置協律之官，司馬遷言律吕相生之次詳矣。及王莽之際，考論音律，劉歆條奏，大率有五：一曰備數，一、十、百、千、萬也；二曰和聲，宫、商、角、徵、羽也；三曰審度，分、寸、尺、丈、引也；四曰嘉量，龠、合、升、斗、斛也；五曰權衡，銖、兩、斤、鈞、石也。班固因而志之。[2]蔡邕又記建武已後言律吕者，[3]至司馬紹統采而續之。漢末天下大亂，樂工散亡，器法堙滅。魏武始獲杜夔，使定樂器聲調。夔依當時尺度，權備典章。及武帝受命，遵而不革。至泰始十年，光禄大夫荀勖奏造新度，更鑄律吕。[4]元康中，勖子藩嗣其事，未及成功，屬永嘉之亂，中朝典章，咸没於石勒。及元帝南遷，皇度草昧，禮容樂器，掃地皆盡，[5]雖稍加采掇，而多所淪胥，終於恭、安，竟不能備。今考古律相生之次，及魏武已後言音律度量者，以志於篇云。

[1]其道浸微：宋本作“文子其道浸微”。

[2]“劉歆條奏”至“班固因而志之”：劉歆以前所説的律，主要是指音律，至劉歆加以規範，擴大至數、聲、度、量、衡五個方面。龠（yuè），《漢書·律曆志上》曰：“合龠爲合（gě），十合爲升，十升爲斗，十斗爲斛（hú）。”銖，上古重量單位，説法不一，大致100粒黍子的重量，《漢書·律曆志上》又説：“二十四銖爲兩，十六兩爲斤，三十斤爲鈞，四鈞爲石。”

[3]蔡邕又記建武已後言律吕者：蔡邕言律吕，是指其《蔡氏月令》中所涉及的律吕内容。

[4]荀勖奏造新度，更鑄律吕：荀勖，晋代律學家。字公曾，潁川潁陰（今河南省許昌市）人。初仕魏，入晋後領秘書監，進光禄大夫，掌管樂事，官終尚書令。他考定律吕，在其所制十二笛中，實際上已應用管口校正法。

[5]掃地皆盡：掃，原本、宋本作“埽”，殿本作“掃”，據殿本改。

《傳》云“十二律，黄帝之所作也。[1]使伶倫自大夏之西，乃之崑崙之陰，取竹之嶰谷生，其竅厚均者，斷兩節間長三寸九分而吹之，以爲黄鍾之宫，曰含少。次制十二竹筒，寫鳳之鳴，雄鳴爲六，雌鳴亦六，以比黄鍾之宫，皆可以生之以定律吕。則律之始造，以竹爲管，取其自然圓虚也”。又云“黄帝作律，以玉爲管，長尺，六孔，爲十二月音。至舜時，西王母獻昭華之琯，以玉爲之”。及漢章帝時，零陵文學奚景於泠道舜祠下得白玉琯。又武帝太康元年，汲郡盗發六國時魏襄王冢，亦得玉律。則古者又以玉爲管矣。以玉者，取其體含廉潤也。[2]而漢平帝時，王莽又以銅爲之。銅者，自名也，所以同天下、齊風俗也。爲物至精，不爲燥濕寒暑改節，介然有常，似士君子之行，故用焉。[3]

[1]十二律，黄帝之所作也：十二律理論起於何時不明，“黄帝作十二律”，僅爲托名。

[2]“得白玉琯”至“體含廉潤也”：玉琯和玉律，應是指同一種事物。即用玉精製的用以定音律的標準器。作者説，它之所以用玉制作，是由於玉廉潔潤滑。

[3]“王莽又以銅爲之”至“故用焉”：以銅製作律管，銅取同之諧音，象徵齊同。又解釋以銅製作的好處時説，“爲物至精，不爲燥濕寒暑改節，介然有常”，即其特性不受外界環境條件的影響。

《周禮》，太師掌六律、六吕，以合陰陽之聲。六律陽聲，黄鍾、太蔟、姑洗、蕤賓、夷則、無射也；六吕陰聲，大吕、應鍾、南吕、林鍾、仲吕、夾鍾也。又有太師則執同律以聽軍聲，而詔以吉凶。[1]其典同掌六律六吕之和，以辯天地四方陰陽之聲，以爲樂器，皆以十有二律而爲之數度，以十有二聲而爲之齊量焉。[2]

[1]“太師掌六律”至“詔以吉凶”：據《周禮》載，太師合陰陽之聲，同時還要執同律，聽軍隊之聲，以判斷戰鬥的吉凶。仲吕，殿本作“中吕”。

［2］“其典同掌六律六吕之和”至“齊量焉”：此語引自《周禮·春官·宗伯下》。是説典與太師共同執掌六律六吕，以律制樂，再以十二律爲之數，以鐘之容積大小來校正十二聲之高低。前段及本段文字中所載之同律，世有兩解，一將同釋作銅。《周禮·春官》“典同掌六律六同之和”鄭玄注曰：“陽律以竹爲管，陰律以銅爲管，竹陽也，銅陰也。各順其性，凡十二律。故《太師職》曰‘執同律以聽軍聲’。玄謂律，述氣者也，同助陽宣氣，與之同，皆以銅爲。”不過後世大多不用此解，而是認爲同爲吕之誤字。那麽，典同，可釋爲典與太師，同掌六律、六吕，較爲通順，典爲太師之屬員，而不應釋作典同之官。同，原本、宋本作“司”，殿本作“同”，據殿本、中華本校勘記改。

及周景王將鑄無射，問律於泠州鳩，對曰：“夫六，中之色，故名之曰黄鍾，[1]所以宣養六氣九德也。由是第之。二曰太蔟，所以金奏贊陽出滯也。三曰姑洗，所以羞潔百物、考神納賓也。四曰蕤賓，所以安静神人，獻酬交酢也。五曰夷則，所以咏歌九德、平人無貳也。六曰無射，所以宣布哲人之令德，示人軌儀也。爲之六間，以揚沉伏而黜散越也。元間大吕，助宣物也。二間夾鍾，出四隙之細也。三間中吕，宣中氣也。四間林鍾，和展百事，俾莫不任肅純恪也。[2]五間南吕，贊陽秀也。六間應鍾，均利器用，俾應復也。”此皆所以律述時氣效節物也。

［1］故名之曰黄鍾：原本、宋本、殿本“曰”前衍“一”字，據中華本校勘記删。

［2］俾莫不任肅純恪也：原本、宋本、殿本於“恪”下有

“中”字，據中華本删。

及秦始皇焚書蕩覆，典策缺亡，諸子瑣言時有遺記。吕不韋《春秋》言：黄鍾之宫，律之本也，下生林鍾，林鍾上生太蔟，太蔟下生南吕，南吕上生姑洗，姑洗下生應鍾，應鍾上生蕤賓，蕤賓下生大吕，大吕下生夷則，夷則上生夾鍾，夾鍾下生無射，無射上生中吕。三分所生，[1]益其一分以上生；三分所生，去其一分以下生。後代之言音律者多宗此説。[2]

[1]三分所生：原本、宋本、殿本作“三分其所生”，據中華本删“其”字。

[2]本段文字爲中國古代律學中最基本之三分損益説。據本文的意見，三分損益的記載始見於《吕氏春秋》。

及漢興，承秦之弊，張蒼首治律曆，頗未能詳。故孝武帝正樂，乃置協律之官，雖律吕清濁之體粗正，[1]金石高下之音有準，然徒捃采遺存，[2]以成一時之制，而數猶用五。[3]

[1]律吕清濁：蔡邕《月令章句》曰：“律者，清濁之率法也。聲之清濁，以管之長短爲度。”在音韵學中，清律吕爲高八度，濁律吕要低八度。例如，清黄鐘、清大吕，爲比黄鐘、大吕都高八度的音，而濁黄鐘、濁大吕又是比黄鐘、大吕低八度的音。

[2]然徒捃采遺存：殿本“徒”下有“共”字。

[3]數猶用五：此指音階，數用五即音階用五。五聲音階即宫、商、角、徵、羽。

時淮南王安延致儒傅，亦爲律吕。云黄鍾之律九寸而宫音調，因而九之，九九八十一，故黄鍾之數立焉，[1]位在子。[2]林鍾位在未，其數五十四。太蔟其數七十二，南吕之數四十八，姑洗之數六十四，應鍾之數四十二，蕤賓之數五十七，大吕之數七十六，夷則之數五十一，夾鍾之數六十八，無射之數四十五，中吕之數六十，極不生。[3]以黄鍾爲宫，太蔟爲商，姑洗爲角，林鍾爲徵，南吕爲羽。宫生徵，徵生商，商生羽，羽生角，角生應鍾，[4]比於正音，[5]故爲和；應鍾生蕤賓，不比正音，故爲繆。日冬至，音比林鍾浸以濁。日夏至，音比黄鍾浸以清。十二律應二十四時之變。甲子，中吕之徵也。丙子，[6]夾鍾之羽也。戊子，黄鍾之宫也。庚子，無射之商也。壬子，夷則之角也。[7]其爲音也，一律而生五音，十二律而爲六十音。因而六之，六六三十六，故三百六十音以當一歲之日。故律曆之數，天地之道也。

[1]黄鐘之數立焉：《淮南子天文訓補注》曰："《管子·地圓》篇云：凡將起五音，凡首先主一而三之，四開以合九九，以是生黄鐘小素之首以成。宫主一而三之者，置一而三之也。四開以合九九者，置一而四三之也。三爲一開，九爲二開，二十七爲三開，八十一爲四開，故曰以合九九，則黄鐘之積也。其長爲百分尺之九十分，故《漢志》云九十分黄鐘之長。一爲一分，十分爲寸，十寸爲尺。而唐都落下閎造《太初曆》，亦曰"律容一龠，積八十一寸"，則一日之分也。《史記》言黄鐘八寸十分一，則約九十分爲八十一分，使外體中積相應，以便布算。而後人言《史記》用十分寸，《漢志》用九分寸，誤矣，《淮南》寸法，與《史記》《漢志》同。"

[2]位在子：大約早在《禮記·月令》成書時代，人們便已産

生將五聲、四季、十二月相配的觀念，這便是律曆和諧説的基礎。律曆和諧説，實質上源出於天地和諧説。一個八度有十二個音律，一年有十二個月，此將五音與一年中的五季相配，《天文訓》中所載之十二律配十二月，正與這種思想相一致。它們之間的對應關係，通常是將黄鐘配在十一月子位。其餘以次類推，這種對應關係，其實没有什麽科學依據。

［3］此處音律推算，按三分損益説，可見表1：

**表1　三分損益説音律推算表**

| 十二律名 | 管長數 | 五音名 |
|---|---|---|
| 黄鐘 | 81 | 宫 |
| 林鐘 | $81\times\frac{2}{3}=54$（即損一） | 徵 |
| 太簇 | $54\times\frac{4}{3}=72$（即益一） | 商 |
| 南吕 | $72\times\frac{2}{3}=48$ | 羽 |
| 姑洗 | $48\times\frac{4}{3}=64$ | 角 |
| 應鐘 | $64\times\frac{2}{3}=42\frac{2}{3}$ | 變宫 |
| 蕤賓 | $42\frac{2}{3}\times\frac{4}{3}=56\frac{8}{9}$ | 變徵 |
| 大吕 | $56\frac{8}{9}\times\frac{4}{3}=75\frac{23}{27}$ | |
| 夷則 | $75\frac{23}{27}\times\frac{2}{3}=50\frac{46}{81}$ | |
| 夾鐘 | $50\frac{46}{81}\times\frac{4}{3}=67\frac{103}{243}$ | |
| 無射 | $67\frac{103}{243}\times\frac{2}{3}=44\frac{692}{729}$ | |
| 仲吕 | $44\frac{692}{729}\times\frac{4}{3}=59\frac{2039}{2187}$ | |

很顯然，其損益結果，還存在衹取整數的問題。

[4]“以黄鐘爲宫”至“角生應鍾”：《淮南子天文訓補注》曰：“五音配五行，正五方。而律之長短、聲之清濁，實爲五音之序，宫最長而濁，商次長亦次濁，角長短清濁半，徵次短亦次清，羽最短而清，十二均皆然。”又説：“《晋志》所引如此，舊作：徵生宫，宫生商，商生羽，羽生角，角生姑洗，姑洗生應鐘，誤也。”這是説舊作誤，從表1的推算順序即可看出正誤。

[5]比於正音：原本、宋本、殿本作“不比正音”。《淮南子·天文訓》作“比於正音，故爲和”，“不比正音，故爲繆”。今依《淮南子·天文訓》改。

[6]丙子：原本作“景子”，“景”爲“丙”的避諱字，《律曆志》三卷凡用“景”避諱“丙”字的情況，均徑改爲本字，不再出注。

[7]“日冬至”至“夷則之角也”：一律配一氣，以下爲各律與一歲中日干支之分配狀況。解釋從略，具體請見《淮南子天文訓補注》。

司馬遷《八書》言律吕，粗舉大經，著於前史。則以太極元氣函三爲一，而始動於子，十二律之生，必所起焉。於是參一於丑得三，因而九三之，與本位合十辰，得一萬九千六百八十三，謂之成數，以爲黄鍾之法。又參之律於十二辰，得十七萬七千一百四十七，謂之該數，以爲黄鍾之實。實如法而一，得黄鍾之律長九寸，十一月冬至之氣應焉。[1]蓋陰陽合德，[2]氣鍾於子，而化生萬物，則物之生莫不函三。故十二律空徑三分，而上下相生，皆損益以三。其術則因黄鍾之長九寸，以下生者倍其實，三其法；以上生者，四其實，三其法。

所以明陽下生陰，陰上生陽。

起子，爲黄鍾九寸，一。

丑，三分之二。[3]

寅，九分之八。

卯，二十七分之十六。

辰，八十一分之六十四。

巳，二百四十三分之一百二十八。

午，七百二十九分之五百一十二。[4]

未，二千一百八十七分之一千二十四。

申，六千五百六十一分之四千九十六。

酉，一萬九千六百八十三分之八千一百九十二。[5]

戌，五萬九千四十九分之三萬二千七百六十八。

亥，十七萬七千一百四十七分之六萬五千五百三十六。[6]

[1]這段文字，介紹了三分損益法與十二律之間的關係，説明黄鐘律管長9寸，是如何得來的。據下注所引三分損益法所得各律比例關係，其酉即夾鐘的分母爲19683，亥仲吕的分母爲177147，將夾鐘分母除以仲吕分母便是177147÷19683＝9，這便是黄鐘9寸的來歷。其實《史記·律書》并無有關此數的解説，本篇所述，祇是後人的理解和發揮。十一月冬至之氣應焉，殿本“十一月”作“十二月”。

[2]陰陽合德：德，宋本作“得”。

[3]三分之二：宋本闕“二”。

[4]五百一十二：二，原本、宋本作“三”，據本書注之表1和表2，此處應爲“七百二十九分之五百一十二”，殿本作“二”，據改。

[5]一萬九千六百八十三：三，原本、宋本、殿本均作“三”，唯中華本作“二”，據三分損益法演算應爲“三”。

[6]《史記會注考證》，載有十二辰、十二律及其比例關係，據之表列如表2。

**表2　三分損益法下十二辰、十二律及其比例關係**

| 十二辰 | 十二律 | 各律比例關係 |
|---|---|---|
| 子 | 黄鐘 | 1 |
| 丑 | 林鐘 | $1\times\frac{2}{3}=\frac{2}{3}$ |
| 寅 | 太簇 | $\frac{2}{3}\times\frac{4}{3}=\frac{8}{9}$ |
| 卯 | 南吕 | $\frac{8}{9}\times\frac{2}{3}=\frac{16}{27}$ |
| 辰 | 姑洗 | $\frac{16}{27}\times\frac{4}{3}=\frac{64}{81}$ |
| 巳 | 應鐘 | $\frac{64}{81}\times\frac{2}{3}=\frac{128}{243}$ |
| 午 | 蕤賓 | $\frac{128}{243}\times\frac{4}{3}=\frac{512}{729}$ |
| 未 | 大吕 | $\frac{512}{729}\times\frac{2}{3}=\frac{1024}{2187}$ |
| 申 | 夷則 | $\frac{1024}{2187}\times\frac{4}{3}=\frac{4096}{6561}$ |
| 酉 | 夾鐘 | $\frac{4096}{6561}\times\frac{2}{3}=\frac{8192}{19683}$ |
| 戌 | 無射 | $\frac{8192}{19683}\times\frac{4}{3}=\frac{32768}{59049}$ |
| 亥 | 仲吕 | $\frac{32768}{59049}\times\frac{2}{3}=\frac{65536}{177147}$ |

上注夾鐘、仲吕二數，均源於此表。

如是周十二辰，在六律爲陽，則當位自得而下生陰，在六吕爲陰，則得其所衡而上生於陽，推算之術無重上生之法也。所謂律取妻，吕生子，陰陽升降，律吕之大經也。而遷又言十二律之長，今依淮南九九之數，則蕤賓爲重上。又言五音相生，而以宮生角，角生商，商生徵，徵生羽，羽生宮。求其理用，罔見通途。

及元始中，王莽輔政，博徵通知鍾律者，考其音義，使羲和劉歆典領調奏。班固《漢書》采而志之，其序論雖博，而言十二律損益次第，自黄鍾長九寸，三分損一，下生林鍾，長六寸。三分益一，上生太蔟而左旋，八八爲位。[1]一上一下，終於無射，下生中吕。校其相生所得，與司馬遷正同。班固采以爲志。

[1]八八爲位：《漢志》作“八八爲伍”，皆通。

元帝時，郎中京房知五音六十律之數，[1]上使太子太傅玄成、諫議大夫章雜試問房於樂府，房對：“受學於故小黄令焦延壽。六十律相生之法：以上生下，皆三生二；以下生上，皆三生四。陽下生陰，陰上生陽，終於中吕，而十二律畢矣。中吕上生執始，執始下生去滅。上下相生，終於南吕，六十律畢矣。夫十二律之變至於六十，猶八卦之變至於六十四也。宓犧作《易》，紀陽氣之初以爲律法。建日冬至之聲，以黄鍾爲宮，[2]太蔟爲商，姑洗爲角，林鍾爲徵，南吕爲羽，應鍾爲變宮，蕤賓爲變徵，此聲氣之元，五音之正也。故各統一日，[3]其餘以次運行，當日者各自爲宮，而商、角、徵、羽以類從焉。[4]《禮運》曰‘五聲、六律、十二管還相爲宫’，此之謂也。以六十律分期之日，黄鍾自冬至始，及冬至而復，陰陽、寒燠、風雨之占生焉。於以檢攝群音，考其高下，苟非革木之聲，[5]則無不有所合。《虞書》曰‘律和聲’，此之謂也。”[6]



[1]京房：東都頓丘（今河南省清豐縣）人，本姓李，字君明。西漢今文《易》學的開創者，律學家。曾學《易》和律於焦延壽。

[2]以黄鍾爲宫：原本、宋本、殿本“以”下衍“爲”字，據中華本删。

[3]故各統一日：原本、宋本、殿本無“各”字，據中華本補。

[4]而商、角、徵、羽以類從焉：原本、宋本、殿本無“角”“羽”二字，據中華本補。

[5]苟非革木之聲：革，原本、宋本、殿本作“草”，據中華本改。

[6]以上爲《後漢書·律曆志》所引載京房六十律之數觀念之摘録。京房六十律之觀念，主要是沿襲三分損益法將十二律分配於一歲觀念的拓展，祇是區分得更細一些，在律的理論上並没有新的突破。

京房又曰：“竹聲不可以度調，故作準以定數。準之狀如瑟，而長丈，十三弦，隱間九尺，以應黄鍾之律九寸。中央一弦，下有畫分寸，以爲六十律清濁之節。”房言律詳於歆所奏，其術施行於史官，候部用之，文多不悉載。截管爲律，吹以考聲，列以效氣，道之本也。

術家以其聲微而體難知，其分數不明，故作準以代之。準之聲明暢易達，分寸又粗，然弦以緩急清濁，非管無以正也。均其中弦，[1]令與黄鍾相得，案畫以求諸律，則無不如數而應者矣。《續漢志》具載其六十律準度數，其相生之次與《吕覽》《淮南》同。[2]

[1]均其中弦：宋本無“中”字。

[2]本段文字所言之準，即曆準的簡稱，是一種定音用的弦樂器。中國古代兼用弦律與管律。律管可以定音，但在未經管口校正以前，除黄鐘一管外，其他各管都不能與擬定的律制相吻合，而弦準可以準確地按律數定律，雖然弦綫膂力及其粗細會影響發音，但衹要以發標準音的某一律管（如黄鐘管）確定其音高起點後，其他各律在弦綫上就比較容易準確地確定。東漢京房最早提出“竹聲不可以度調”，即未經管口校正的律管，不能用作定律器。於是他設計了一種弦準，準之狀如瑟，長丈而十三弦，隱間九尺，以應黄鐘之律九寸，中央一弦，下畫有分寸，爲六十律清濁之節。古時之律準，無論其形制如何，都是建立在三分損益法的基礎之上的。

漢章帝元和元年，待詔候鍾律殷肜上言：“官無曉六十律以準調音。故待詔嚴嵩具以準法教子男宣，願召宣補學官，主調樂器。”詔曰：“嵩子學審曉律，别其族，協其聲者，審試。不得依托父學，以聾爲聰。聲微妙，獨非莫知，獨是莫曉。以律錯吹，能知命十二律不失一，[1]乃爲能傳嵩學耳。”[2]試宣十二律，其二中，其四不中，其六不知何律，宣遂罷。自此律家莫能爲準。

[1]能知命十二律不失一：原本、宋本、殿本“不失一”前有

"其二中" 三字，據中華本删。

[2]嚴嵩：本段三處"嵩"，殿本皆作"崇"。

靈帝熹平六年，[1]東觀召典律者太子舍人張光等問準意，[2]光等不知，歸閲舊藏，乃得其器。形制如房書，猶不能定其弦緩急。音，不可書以曉人，知之者欲教而無從，心達者體知而無師，故史官能辨清濁者遂絶。[3]其可以相傳者，唯候氣而已。

[1]熹平：熹，原本、宋本作"喜"，殿本作"熹"，據殿本改。

[2]問準意：意，原本、宋本、殿本作"竟"，據中華本改。

[3]辨清濁：辨，原本、宋本、殿本作"辯"，據中華本改。

漢末紛亂，亡失雅樂。魏武時，河南杜夔精識音韵，爲雅樂郎中，令鑄銅工柴玉鑄鍾，其聲均清濁多不如法，數毁改作，玉甚厭之，謂夔清濁任意，更相訴白於魏武王。魏武王取玉所鑄鍾雜錯更試，然後知夔爲精，於是罪玉。[1]

[1]以上三段講三事，説明自東漢章帝至東漢末年曹操當政之時，已無知曉律準者，直至曹操發現杜夔精識音律。通過製鐘與鑄銅工的鬥争，纔確立了杜夔的地位。

泰始十年，中書監荀勖、中書令張華出御府銅竹律二十五具，部太樂郎劉秀等校試，其三具與杜夔及左延年律法同，其二十二具，視其銘題尺寸，是笛律也。問協律中郎將列和，辭："昔魏明帝時，令和承受笛聲以作此律，[1]欲使學者别居一坊，歌咏講習，依此律調。至於都合樂時，但識其尺寸之名，則絲竹歌咏，皆得均合。歌聲濁者用長笛長律，歌聲清者用短笛短律。[2]凡弦歌調張清濁之制，不依笛尺寸名之，則不可知也。"[3]

[1]令和承受笛聲以作此律：原本、宋本、殿本"笛"前衍"一"字，據中華本删。

[2]短律：原本、宋本、殿本"律"下有"歌"字，據中華本删。

[3]此段指出，中書監荀勖在西晋泰始十年（274）於御府見到的25件銅製笛律，其中衹有3件合於律法，而這3件正是魏武時期杜夔製造。其餘22件，是魏明帝時列和所造。列和製作時，衹知"歌聲濁者用長笛長律，歌聲清者用短笛短律。凡弦歌調張清濁之制"，"則不可知也"，即列和但知依律制吕，不知調音，致使22件樂器均不合音律。此處之"均合"及下段文之"聲均調和"之"均"字，皆爲調和之意。

勖等奏："昔先王之作樂也，以振風蕩俗，饗神祐賢，必協律吕之和，以節八音之中。是故郊祀朝宴，用之有制，歌奏分叙，清濁有宜。故曰'五聲、十二律還相爲宫'，此經傳記籍可得而知者也。如和對辭，笛之長短無所象則，率意而作，不由曲度。考以正律，皆不相應；吹其聲均，多不諧合。又辭'先師傳笛，别其清濁，直以長短。工人裁制，舊不依律'。是爲作笛無法。[1]而和寫笛造律，又令琴瑟歌咏，從之爲正，非所以稽古先哲，垂憲於後者也。謹條牒諸律，問和意狀如左。及依典制，用十二律造笛象十二枚，聲均調和，器用便利。講肄彈擊，必合律吕，[2]况乎宴饗萬國，奏之廟堂者哉？雖伶夔曠遠，至音難精，猶宜儀形古者，以求厥衷，合乎經禮，於制爲詳。若可施用，請更部笛工選竹造作，下太樂樂府施行。平議諸杜夔、左延年律可皆留，其御府笛正聲、下徵各一具，皆銘題作者姓名，其餘無所施用，還付御府毁。”[3]奏可。

[1]作笛無法：荀勖在奏書中介紹列和的笛律的製作方法時，認爲笛的長短不是依靠曲度，没有規則可依，隨意可作。由此考以正律，都不相合。試吹其聲韵，也大多不諧合。列和説先師傳授笛律的製作方法時，區别清濁，依據笛之長短，由人工裁製，並不依據律法，那麽，便是作笛没有一定的法則了。

[2]必合律吕：荀勖依據典制，用十二律製造笛律十二枚，再對其聲韵進行調制。調制後的笛律便聲韵調和，合於律吕之法。

[3]以上文字是説當時最後的處理意見，即將荀勖製造的十二笛律，連同杜夔、左延年製造的笛正聲、下徵，題銘作者姓名留用，其餘銷毁。這個意見得到了皇帝的批準。

勖又問和："作笛爲可依十二律作十二笛，令一孔依一律，然後乃以爲樂不？”和辭："太樂東廂長笛正聲已長四尺二寸，今當復取其下徵之聲。於法，聲濁者笛當長，計其尺寸乃五尺有餘，和昔日作之，[1]不可吹也。又，笛諸孔雖不校試，意謂不能得一孔輒應一律也。”案太樂四尺二寸笛正聲均應蕤賓，以十二律還相爲宫，推法下徵之孔當應律大吕。大吕笛長七尺五寸有奇，不得長五尺餘。[2]輒令太樂郎劉秀、鄧昊等依律作大吕笛以示和，[3]又吹七律，一孔一校，聲皆相應。然後令郝生鼓筝，宋同吹笛，以爲雜引、《相和》諸曲。[4]和乃辭曰："自和父祖漢世以來，笛家相傳，不知此法，而令調均與律相應，實非所及也。"郝生、魯基、种整、朱夏皆與和同。

[1]和昔日作之，不可吹也：和，原本、宋本、殿本作"知"，據中華本改。

[2]這段話可對照上文"時淮南王安延致儒傅，亦爲律吕"段及其注文，便易於理解。"太樂東厢長笛正聲已長四尺二寸"，即對應應鐘，五音爲變宫。"今當復取其下徵之聲"，下徵即變徵，對應律名爲蕤賓，"於法，聲濁者笛當長，計其尺乃五尺有餘，和昔日作之，不可吹也"。蕤賓管長5尺6寸有餘，故文説"計其尺寸乃五尺有餘"。"太樂四尺二寸笛正聲均應蕤賓，以十二律還相爲宫，推法下征之孔當應律大吕。大吕笛長七尺五寸有奇，不得長五尺餘。"即4尺2寸益1/3，得蕤賓，得管長5尺6寸餘。蕤賓益1/3得大吕，管長當7尺5寸餘。"大吕笛長七尺五寸有奇"，七尺五寸，原本、宋本、殿本作"二尺六寸"，中華本亦作"二尺六寸"，誤，當改爲"大吕笛長七尺五寸有奇"。所以下文纔説"不得長五尺餘"。事實上，十二律管長之數，以應鐘42寸有餘爲最小，但不可能小至二尺六寸，可知其必誤也。

[3]依律作大吕笛：原本、宋本、殿本無"律"字，據中華本補。

[4]雜引：各種琴曲。

又問和："笛有六孔，及其體中之空爲七，和爲能盡名其宫、商、角、徵不?[1]孔調與不調，以何檢知?”和辭：“先師相傳，吹笛但以作曲，相語爲某曲當舉某指，初不知七孔盡應何聲也。若當作笛，其仰尚方笛工依案舊像訖，但吹取鳴者，初不復校其諸孔調與不調也。”案《周禮》調樂金石，有一定之聲，是故造鍾磬者先依律調之，然後施於厢懸。作樂之時，諸音皆受鍾磬之均，即爲悉應律也。至於饗宴殿堂之上，無厢懸鍾磬，以笛有一定調，故諸弦歌皆從笛爲正，是爲笛猶鍾磬，宜必合於律吕。如和所對，直以意造，率短一寸，七孔聲均，不知其皆應何律，調與不調，無以檢正，[2]唯取竹之鳴者，爲無法制。輒部郎劉秀、鄧昊、王艷、魏邵等與笛工參共作笛，工人造其形，律者定其聲，然後器象有制，音均和協。

[1]和爲能盡名其宫、商、角、徵不：原本、宋本、殿本無“不”字，據中華本補。

[2]調與不調，無以檢正：原本、宋本、殿本作“調無以檢正”，據中華本補“與不調”三字。

又問和：“若不知律吕之義作樂，音均高下清濁之調，當以何名之?”和辭：“每合樂時，隨歌者聲之清濁，用笛有長短。假令聲濁者用三尺二笛，因名曰此三尺二調也；[1]聲清者用二尺九笛，因名曰此二尺九調。漢魏相傳，施行皆然。”案《周禮》奏六樂，乃奏黄鍾，歌大吕；乃奏太蔟，歌應鍾，皆以律吕之義，紀歌奏清濁。而和所稱以二尺、三尺爲名，雖漢魏用之，俗而不典。部郎劉秀、鄧昊等以律作笛，[2]三尺二寸者應無射之律，若宜用長笛，執樂者曰請奏無射，二尺八寸四分四厘應黄鍾之律，[3]若宜用短笛，執樂者曰請奏黄鍾。則歌奏之義，若合經禮，考之古典，於制爲雅。[4]

[1]因名曰：宋本"名"下有小字夾文"一作謂"三字。

[2]以律作笛：原本、宋本、殿本無"笛"字，據中華本補。

[3]二尺八寸四分四厘：殿本作"作二尺八寸四分四厘者"。

[4]據荀勖與列和的問答可知，在東漢和三國時，音調的名稱，是用律管長度之數字來表示的，如三尺二調、二尺九調等。經過荀勖改革之後，即用十二律名作調名，如黄鐘之律、無射之律等，於此既合經義，於制亦雅。

《書》云：[1]"予欲聞六律、五聲、八音，在治忽。"[2]《周禮》《國語》載六律六同，[3]《禮記》又曰"五聲、十二律還相爲宫"。劉歆、班固撰《律曆志》亦紀十二律，惟京房始創六十律。至章帝時，其法已絶，[4]蔡邕雖追紀其言，亦曰今無能爲者。依按古典及今音家所用，六十律者無施於樂。[5]謹依典記，以五聲、十二律還相爲宫之法，制十二笛象，記注圖側，如别，省圖，不如視笛之孔，[6]故復重作蕤賓伏孔笛。其制云：

[1]云：殿本作"曰"。

[2]在治忽：宋本無"忽"字。

[3]六律六同：原本、宋本、殿本作"六律同"。"六律六同"即"六律六吕"，中華本作"六律六同"。據改。

[4]至章帝時，其法已絶：是説京房創立的六十律很快失傳。

其後蔡邕也無辦法恢復。但實際上，京房的六十律仍然流傳了下來，載在《後漢書·律曆志》。

[5]依按古典及今音家所用，六十律者無施於樂：是説京房所創的六十律，徒具形式和理論，實際上没有辦法應用於樂器之中。

[6]不如視笛之孔：孔，原本、宋本作“了”，殿本作“孔”，據殿本改。

黄鍾之笛，正聲應黄鍾，下徵應林鍾，長二尺八寸四分四厘有奇。正聲調法，以黄鍾爲宫，則姑洗爲角，翕笛之聲應姑洗，故以四角之長爲黄鍾之笛也。其宫聲正而不倍，故曰正聲。

正聲調法：黄鍾爲宫，第一孔也。應鍾爲變宫，第二孔也。南吕爲羽，第三孔也。林鍾爲徵，第四孔也。蕤賓爲變徵，第五附孔也。姑洗爲角，笛體中聲。太蔟爲商。笛後出孔也。商聲濁於角，[1]當在角下，而角聲以在體中，故上其商孔，令在宫上，清於宫也。然則宫商正也，餘聲皆倍也；是故從宫以下，孔轉下轉濁也。[2]此章記笛孔上下次第之名也。[3]下章説律吕相生，笛之制也。正聲調法，黄鍾爲宫。作黄鍾之笛，將求宫孔，以姑洗及黄鍾律，從笛首下度之，盡二律之長而爲孔，則得宫聲者也。[4]宫生徵，黄鍾生林鍾。以林鍾之律從宫孔下度之，盡律作孔，則得徵聲也。徵生商，林鍾生太蔟。以太蔟律從徵孔上度之，盡律以爲孔，[5]則得商之聲也。商生羽，太蔟生南吕也。以南吕律從商孔下度之，盡律爲孔，則得羽聲也。羽生角，南吕生姑洗也。以姑洗律從羽孔上行度之，盡律而爲孔，則得角聲也。然則出於商孔之上，[6]吹笛者左手所不及也。[7]從羽孔下行度之，盡律而爲孔，亦得角聲，出於商附孔之下，則吹者右手所不逮也，故不作角孔。推而下之，復倍其均，是以角聲在笛體中，古之制也。音家舊法，雖一倍再倍，但令均同，適足爲唱和之聲，無害於曲均故也。《國語》曰，匏竹利制，[8]議宜，謂便於事用從宜者也。角生變宫，姑洗生應鍾也。上句所謂當爲角孔而出於商上者，[9]墨點識之，以應鍾律。[10]從此點下行度之，盡律爲孔，[11]則得變宫之聲也。變宫生變徵，應鍾生蕤賓也。以蕤賓律從變宫下度之，盡律爲孔，則得變徵之聲。十二笛之制，各以其宫爲主，相生之法，或倍或半，其便事用，例皆一也。[12]

[1]濁於角：於，原本、宋本、殿本作“以”，據中華本改。

[2]孔轉下轉濁也：原本、宋本、殿本無“轉下”二字，據中華本補。

[3]“黄鍾爲宫”至“此章記笛孔上下次第之名也”：是説笛之第一孔名黄鐘宫音，第二孔名爲應鐘變宫音，第三孔爲南宫羽音，第四孔爲林鐘徵音，第五孔爲蕤賓變徵音，第六孔爲姑洗角音，笛之下孔爲第七孔太簇商音。

[4]則得宫聲者也：殿本“得”下有“之”字。

[5]盡律以爲孔：原本、宋本無“孔”字，殿本有，據殿本補。

[6]然則出於商孔之上：原本、宋本、殿本無“出”字，據中華本補。

[7]左手所不及也：所，原本、宋本、殿本作“前”，據中華本改。

[8]匏竹利制：制，原本、宋本、殿本作“器”，據《國語》原文及中華本改。

[9]上句所謂當爲角孔而出於商上者：出於商上者，原本、宋本作“出商下者”，殿本作“出於商下者”。按上文已言“亦得角聲，出於商附孔之下”，則此處糾正上文，認爲“當爲角孔而出於商上者”。中華本亦作“出於商上者”。據改。

[10]以應鍾律：原本、宋本、殿本作“以應律也”，據中華本改。

[11]盡律爲孔：盡，原本、宋本、殿本作“應”，據中華本改。

[12]例皆一也：原本、宋本、殿本“一”下有“者”字，據中華本删。本段文字中，“下章説律吕相生，笛之制也”，是指正聲

調法，以黄鐘爲宫，則有宫生徵，即黄鐘生林鐘，徵生商即林鐘生太簇，依次類推。亦如以上注文中所介紹之十二律與管長、五音關係表一一對應。

下徵調法：[1]林鍾爲宫，第四孔也。本正聲黄鍾之徵。徵清，當在宫上，用笛之宜，倍令濁下，故曰下徵。下徵更爲宫者，《記》所謂“五聲，十二律還相爲宫”也。然則正聲清，下徵爲濁也。南吕爲商，第三孔也。本正聲黄鍾之羽，今爲下徵之商也。[2]應鍾爲角，第二孔也。本正聲黄鍾之變宫，[3]今爲下徵之角也。黄鍾爲變徵，下徵之調，林鍾爲宫，大吕當爲變徵，而黄鍾笛本無大吕之聲，故假用黄鍾以爲變徵也。假用之法，當爲變徵之聲，則俱發黄鍾及太蔟、應鍾三孔。黄鍾應濁而太蔟清，大吕律在二律之間，俱發三孔而微磑礭之，[4]則得大吕變徵之聲矣。諸笛下徵調求變徵之法，[5]皆如此也。太蔟爲徵，笛後出孔。本正聲之商，今爲下徵之徵也。姑洗爲羽，笛體中翕聲。本正聲之角，今爲下徵之羽。蕤賓爲變宫。附孔是也。本正聲之變徵也，今爲下徵之變宫也。然則正聲之調，孔轉下轉濁；下徵之調，孔轉上轉清也。

[1]下徵調法：即律名與五音名下調一個音，林鐘爲宫，太簇爲徵，南吕爲商，姑洗爲羽，應鐘爲角，蕤賓爲變宫，黄鐘爲變徵。

[2]今爲：今，原本、宋本作“合”，殿本作“今”，據殿本改。

[3]黄鍾之變宫：宫，原本、宋本作“法”，殿本作“宫”，據殿本改。

[4]微磑礭之：原本、宋本作“徵磑礭之”，殿本作“徵體獲之”，此據中華本改。

[5]諸笛下徵調：諸，原本、宋本、殿本作“謂”，據中華本改。

清角之調：[1]以姑洗爲宫，即是笛體中翕聲。於正聲爲角，於下徵爲羽。清角之調乃以爲宫，而哨吹令清，故曰清角。惟得爲宛詩謡俗之曲，[2]不合雅樂也。蕤賓爲商，正也。林鍾爲角，非正也。南吕爲變徵，非正也。應鍾爲徵，正也。黄鍾爲羽，非正也。太蔟爲變宫。非正也。清角之調，唯宫、商及徵與律相應，[3]餘四聲非正者皆濁，一律哨吹令清，假而用之，其例一也。

[1]清角之調：即將律名與五音名下調四個音，即以姑洗爲宫，應鐘爲徵，蕤賓爲商，黄鐘爲羽，太簇爲變宫，南吕爲變徵，林鐘爲角。

[2]宛詩謡俗：詩，殿本作“轉”。

[3]唯宫、商及徵與律相應：唯，原本、宋本、殿本作“準”，據中華本改。

凡笛體用角律，其長者八之，蕤賓、林鍾也。短者四之。其餘十笛，皆四角也。空中實容，[1]長者十六。短笛竹宜受八律之黍也。若長短大小不合於此，或器用不便聲均法度之齊等也。然笛竹率上大下小，不能均齊，[2]必不得也，取其聲均合。三宫，一曰正聲，二曰下徵，三曰清角也。二十一變也。宫有七聲，錯綜用之，故二十一變也。諸笛例皆一也。[3]伏孔四，所以便事用也。[4]一曰正角，出於商上者也；二曰倍角，近笛下者也；三曰變宫，近於宫孔，倍令下者也；四曰變徵，遠於徵孔，倍令高者也。或倍或半，或四分一，取則於琴徽也。[5]四者皆不作其孔，而取其度，以應進退上下之法，[6]所以協聲均、便事用也。其本孔隱而不見，故曰伏孔也。

[1]空中實容：空，原本、宋本、殿本作“宫”，據中華本改。

[2]不能均齊：原本、宋本、殿本作“不能均法度齊”，據中華本删“法度”二字。

[3]諸笛例皆一也：宋本“一”下有“者”字。

［4］所以便事用也：事用，殿本乙作“用事”。

［5］取則於琴徽也：琴徽，琴面板一邊的一排圓星點，用貝殼、磁或金屬製成，共十三個。徽，原本、宋本、殿本作“徵”，據中華本改。

［6］以應進退上下之法：應，原本、宋本、殿本作“近”，據中華本改。

大吕之笛，正聲應大吕，下徵應夷則，長二尺六寸六分三厘有奇。

太蔟之笛，正聲應太蔟，下徵應南吕，長二尺五寸三分一厘有奇。

夾鍾之笛，正聲應夾鍾，下徵應無射，長二尺四寸。

姑洗之笛，正聲應姑洗，下徵應應鍾，長二尺二寸三分三厘有奇。

蕤賓之笛，正聲應蕤賓，下徵應大吕，長三尺九寸九分五厘有奇。變宮近宫孔，故倍半令下，便於用也。林鍾亦如之。

林鍾之笛，正聲應林鍾，下徵應太蔟，長三尺七寸九分七厘有奇。

夷則之笛，正聲應夷則，下徵應夾鍾，長三尺六寸。變宮之法，亦如蕤賓，體用四角，故四分益一也。

南吕之笛，正聲應南吕，下徵應姑洗，長三尺三寸七分有奇。[1]

無射之笛，正聲應無射，下徵應中吕，長三尺二寸。

應鍾之笛，正聲應應鍾，下徵應蕤賓，長二尺九寸九分六厘有奇。[2]

[1]三尺三寸七分有奇：原本、宋本無“有奇”二字，殿本有，據殿本補。

[2]《宋書·律曆志上》説：“勖又以魏杜夔所制律吕，檢校太樂、總章，鼓吹八音，與律乖錯。始知後漢至魏，尺度漸長古四分有餘。夔以爲律吕，故致失韵。乃部佐著作郎劉恭，依《周禮》更積黍起度，以鑄新律。既成，募求古器，得周時玉律，比之不差毫厘。又漢世故鐘，以律命之，不叩自應。初勖行道，逢趙郡商人縣鐸於牛，其聲甚韵。至時搜得此鐸，以諧律吕焉。”張文虎《舒藝室隨筆》謂太簇當作“二尺五寸二分八厘有奇”。“姑洗當作二尺二寸四分七厘有奇”。錢寶琮《宋書律志校勘記》謂林鐘“七厘”當作“二厘”。又謂南吕“七分”下當有“一厘”二字。應鐘數，原本、宋本作“長三尺九寸九分六厘有奇”，今從殿本改“三尺”作“二尺”。

五音十二律

土音宫，數八十一，爲聲之始。屬土者，以其最濁，君之象也。季夏之氣和，則宫聲調。宫亂則荒，其君驕。黄鍾之宫，律最長也。

火音徵，三分宫去一以生，其數五十四。屬火者，以其徵清，[1]事之象也。夏氣和，則徵聲調。徵亂則哀，其事勤也。

[1]以其徵清：徵，殿本作“次”。

金音商，[1]三分徵益一以生，其數七十二。屬金者，以其濁次宫，臣之象也。秋氣和，則商聲調。商亂則詖，其官壞也。

[1]金音商：宋本作“金音音商”。

水音羽，三分商去一以生，其數四十八。屬水者，以爲最清，物之象也，冬氣和，則羽聲調。羽亂則危，其財匱也。

木音角，三分羽益一以生，其數六十四。屬木者，以其清濁中，人之象也。春氣和，則角聲調。角亂則憂，其人怨也。

凡聲尊卑，取象五行，數多者濁，數少者清；大不過宫，細不過羽。[1]

[1]以上六段文字，將五音十二律與五行相配，繼承了《漢書·律曆志》“協之五行”的説法，並作了進一步發揮，但算不上有所創新。

十一月，律中黄鍾，律之始也，長九寸。仲冬氣至，則其律應，所以宣養六氣九德也。[1]班固三分損一，下生林鍾。

[1]宣養六氣九德：養，原本、宋本、殿本作“揚”，據《國語·周語》及中華本改。

十二月，律中大吕，司馬遷未下生之律，長四寸二百四十三分寸之五十二，倍之爲八寸二百四十三分寸之一百四。[1]季冬氣至，則其律應，所以助宣物也。三分益一，上生夷則；京房三分損一，下生夷則。

[1]倍之爲八寸二百四十三分寸之一百四：原本、宋本、殿本作“倍之爲八寸分寸之一百四”，無“二百四十三”五字，據中華本補。

正月，律中太蔟，未上生之律，長八寸。孟春氣至，則其律應，所以贊陽出滯也。三分損一，下生南吕。

二月，律中夾鍾，酉下生之律，長三寸二千一百八十七分寸之一千六百三十一，倍之爲七寸二千一百八十七分寸之一千七十五。[1]仲春氣至，則其律應，所以出四隙之細也。三分益一，上生無射；京房三分損一，下生無射。

[1]倍之爲七寸二千一百八十七分寸之一千七十五：原本、宋本、殿本作“倍之爲七寸分寸之一千七十五”，無“二千一百八十七”七字，據中華本補。

三月，律中姑洗，酉上生之律，長七寸九分寸之一。季春氣至，則其律應，所以修潔百物，考神納賓也。三分損一，下生應鍾。

四月，律中中吕，亥下生之律，長三寸萬九千六百八十三分寸之六千四百八十七，倍之爲六寸萬九千六百八十三分寸之萬二千九百七十四。[1]孟夏氣至，則其律應，所以宣中氣也。

[1]倍之爲六寸萬九千六百八十三分寸之萬二千九百七十四：原本、宋本、殿本作“倍之爲六寸分寸之萬二千九百七十四”，無“萬九千六百八十三”八字，據中華本補。

五月，律中蕤賓，亥上生之律，長六寸八十一分寸之二十六。仲夏氣至，則其律應，所以安静人神，獻酬交酢也。三分損一，下生大吕；京房三分益一，上生大吕。

六月，律中林鍾，丑下生之律，長六寸。季夏氣至，則其律應，所以和展百物，俾莫不任肅純恪也。三分益一，上生太蔟。

七月，律中夷則，丑上生之律，長五寸七百二十九分寸之四百五十一。孟秋氣至，則其律應，所以咏歌九則，平百姓而無貸也。[1]三分損一，下生夾鍾；京房三分益一，上生夾鍾。

[1]貸：殿本作“貳”。

八月，律中南吕，卯下生之律，長五寸三分寸之一。仲秋氣至，則其律應，所以贊陽秀也。[1]三分益一，上生姑洗。

[1]所以贊陽秀也：秀，原本、宋本作“季”，殿本作“秀”，

據殿本改。

九月，律中無射，卯上生之律，長四寸六千五百六十一分寸之六千五百二十四。[1]季秋氣至，則其律應，所以宣布哲人之令德，示人軌儀也。三分損一，下生中吕；京房三分益一，上生中吕。

[1]長四寸六千：千，原本、宋本、殿本“千”上有“分”字，據中華本删。

十月，律中應鍾，巳下生之律，長四寸二十七分寸之二十。孟冬氣至，則其律應，所以均利器用，俾應復也。三分益一，上生蕤賓。[1]

[1]“十一月，律中黄鍾”至“十月，律中應鍾”：此將十二律與十二月相配，全出自《史記·律書》。

淮南、京房、鄭玄諸儒言律曆，皆上下相生，至蕤賓又重上生大吕，長八寸二百四十三分寸之百四；夷則上生夾鍾，長七寸千一百八十七分寸之千七十五；[1]無射上生中吕，長六寸萬九千六百八十三分寸之萬二千九百七十四：[2]此三品於司馬遷、班固所生之寸數及分皆倍焉，餘則並同。斯則泠州鳩所謂六間之道，揚沉伏，黜散越，假之爲用者也。變通相半，隨事之宜，贊助之法也。凡音聲之體，務在和韵，益則加倍，損則減半，其於本音恒爲無爽。然則言一上一下者，相生之道也；[3]言重上生者，吹候之用也。於蕤賓重上生者，適會爲用之數，故言律者因焉，非相生之正也。

[1]七寸千一百八十七分寸之千七十五：按上文二月夾鐘之律，此處“七寸千一百”應爲“七寸二千一百”，原本、宋本、殿本和中華本皆作“七寸千一百”，誤。

[2]長六寸萬九千六百八十三：三，原本、宋本作“二”，殿本作“三”，據上文四月仲吕之文及殿本改。

[3]相生之道也：殿本無“也”字。

楊子雲曰：“聲生於日，謂甲己爲角，乙庚爲商，丙辛爲徵，丁壬爲羽，戊癸爲宫也。律生於辰，謂子爲黄鍾，丑爲大吕之屬也。聲以情質，質，正也。[1]各以其行本情爲正也。律以和聲，當以律管鍾均和其清濁之聲。[2]聲律相協而八音生。[3]協，和也。宫、商、角、徵、羽，謂之五聲。金、石、匏、革、絲、竹、土、木，謂之八音。[4]聲和音諧，是謂五樂。

[1]正也：正，宋本作“王”，殿本作“情”。

[2]當以律管鍾均和其清濁之聲：鍾，原本、宋本作“終”，殿本作“鍾”，據殿本改。

[3]八音生：宋本作“聲之樂”。

[4]謂之八音：宋本無“音”字。

夫陰陽和則景至，律氣應則灰除。是故天子常以冬夏至日御前殿，合八能之士，陳八音，聽樂均，度晷景，候鍾律，權土炭，[1]效陰陽。冬至陽氣應則灰除，是故樂均清，景長極，黄鍾通，土炭輕而衡仰。夏至陰氣應則樂均濁，景短極，蕤賓通，土炭重而衡低。進退於先後五日之中，八能各以候狀聞，太史令封上。效則和，否則占。

[1]權土炭：炭，原本、宋本、殿本作"灰"，據中華本校勘記改。本卷下文"土炭"同。

侯氣之法，爲室三重，户閉，涂釁周密，布緹幔。室中以木爲案，每律各一，内庳外高，[1]從其方位，加律其上，以葭莩灰抑其内端，案曆而候之：氣至者灰去；其爲氣所動者，其灰散；人及風所動者，其灰聚。殿中候用玉律十二，惟二至乃候。靈臺用竹律。楊泉記云："取弘農宜陽縣金門山竹爲管，河内葭莩爲灰。"或云以律著室中，隨十二辰埋之，上與地平，以竹莩灰實律中，以羅縠覆律吕，氣至吹灰動縠。小動爲和；大動，君弱臣强；不動，君嚴暴之應也。[2]

[1]内庳外高：内庳，原本、宋本作"同房中"，殿本作"内房中"，據中華本改。

[2]以上以古人的觀念，論述音律與陰陽節氣的關係和相應的反應。揚子雲所説日爲天干，辰即爲地支。天干地支，分别看作十個陽曆月和十二個陰曆月。

審度[1]

起度之正，《漢志》言之詳矣。武帝泰始九年，中書監荀勖校太樂，八音不和，[2]始知後漢至魏，尺長於古四分有餘。勖乃部著作郎劉恭依《周禮》制尺，[3]所謂古尺也。依古尺更鑄銅律吕，以調聲韵。以尺量古器，與本銘尺寸無差。又，汲郡盜發六國時魏襄王冢，得古周時玉律及鍾、磬，與新律聲韵暗同。於時郡國或得漢時故鍾，吹律命之皆應。勖銘其尺曰："晋泰始十年，中書考古器，揆校今尺，長四分半。所校古法有七品：一曰姑洗玉律，二曰小吕玉律，三曰西京銅望臬，四曰金錯望臬，五曰銅斛，六曰古錢，七曰建武銅尺。姑洗微强，西京望臬微弱，其餘與此尺同。"[4]銘八十二字。[5]此尺者勖新尺也，今尺者杜夔尺也。[6]

[1]審度：自《漢書·律志》開始，《律志》包括度量衡制度，《晋書》繼承了這一傳統。

[2]八音不和：如前文所述："宫、商、角、徵、羽，謂之五聲。金、石、匏、革、絲、竹、土、木，謂之八音，聲和音諧，謂之五樂。"八音，是中國古代樂器的統稱。鐘、鈴等屬金類，磬等屬石類，塤屬土類，鼓等屬革類，琴、瑟等屬絲類，柷敔等屬木類，笙、竽等屬匏類，管籥等屬竹類。不和，指音調不和諧。由於東漢至魏没有調音的標準，故致使八音不和。所用尺寸的長度發生了變化，也是産生八音不和的直接原因。

[3]乃部：指中書監太樂部。

[4]其餘與此尺同：原本、宋本、殿本無"餘"字，據中華本校勘記補。

[5]銘八十二字：銘文實有八十字。

[6]此尺者：尺，殿本作"八"。 杜夔用魏尺定笛律，致使音律不調，經研究，荀勖發現魏尺比古尺長四分有半，於是由劉恭依《周禮》製尺，用恢復的古尺來定律吕。此尺稱之爲荀勖新尺，

魏晋之尺稱爲杜夔尺。

荀勖造新鍾律，與古器諧韵，時人稱其精密。惟散騎侍郎陳留阮咸譏其聲高，聲高則悲，非興國之音，亡國之音。亡國之音哀以思，其人困。今聲不合雅，懼非德正至和之音，必古今尺有長短所致也。會咸病卒，武帝以勖律與周漢器合，故施用之。後始平掘地得古銅尺，歲久欲腐，不知所出何代，果長勖尺四分，時人服咸之妙，而莫能厝意焉。[1]

[1]阮咸，西晋陳留尉氏人（今河南省尉氏縣），字仲容，竹林七賢之一，與其叔阮籍並稱大小阮。曠放不拘禮法，善彈琵琶。歷官散騎侍郎，補始平太守。善彈琵琶並不等於對律學有研究。所謂“亡國之音”的説法，與音律學毫無關係。後來在阮咸外放之始平地區掘得不知是哪個朝代的銅尺，因比勖尺長四分，時人便服咸之妙。“莫能厝意焉”，正是作者對時人不明音律、盲目推崇阮咸的寫照。

史臣案：勖於千載之外，推百代之法，度數既宜，聲韵又契，可謂切密，信而有徵也。而時人寡識，據無聞之一尺，忽周漢之兩器，雷同臧否，何其謬哉！《世説》稱：“有田父於野地中得周時玉尺，便是天下正尺，荀勖試以校己所治金石絲竹，皆短校一米。”又，漢章帝時，零陵文學史奚景於泠道舜祠下得玉律，度以爲尺，相傳謂之漢官尺。以校荀勖尺，勖尺短四分；漢官、始平兩尺，長短度同。又，杜夔所用調律尺，比勖新尺，得一尺四分七厘。魏景元四年，劉徽注《九章》云：王莽時劉歆斛尺弱於今尺四分五厘，比魏尺其斛深九寸五分五厘；即荀勖所謂今尺長四分半是也。元帝後，江東所用尺，比荀勖尺一尺六分二厘。趙劉曜光初四年鑄渾儀，八年鑄土圭，其尺比荀勖尺一尺五分。荀勖新尺惟以調音律，至於人間未甚流布，故江左及劉曜儀表，并與魏尺略相依準。

嘉量

《周禮》：“栗氏爲量，釜深尺，内方尺而圓其外，其實一釜。其臀一寸，其實一豆。其耳三寸，其實一升。重一鈞，其聲中黄鍾。[1]概而不税。其銘曰：‘時文思索，允臻其極。嘉量既成，以觀四國。永啓厥後，兹器維則。’”《春秋左氏傳》曰：“齊舊四量，豆、區、釜、鍾。四升曰豆，各自其四，以登於釜。”[2]四豆爲區，區斗六升也。四區爲釜，六斗四升也。釜十則鍾，六十四斗也。鄭玄以爲釜方尺，積千寸，比《九章·粟米法》少二升八十一分升之二十二。[3]以算術考之，古斛之積凡一千五百六十二寸半，方尺而圓其外，減傍一厘八豪，其徑一尺四寸一分四毫七秒二忽有奇，而深尺，即古斛之制也。

[1]其聲中黄鍾：中華本校勘記：“《周禮·考工記》‘黄鍾’下有‘之宫’二字。賈疏云：而云‘之宫’者，中其宫聲，不中商、角之聲。”

[2]齊舊四量，豆、區、釜、鍾。四升曰豆，各自其四，以登

於釜：豆、區、釜、鍾，爲一套周代時體積度量單位。四升爲一豆，四豆即十六升爲一區，四區即六十四升爲一釜，四釜即二百五十六升爲一鍾。

[3]二升八十一分升之二十二：二升，原本、宋本、殿本作“二斗”，據中華本校勘記改。

《九章·商功法》程粟一斛，[1]積二千七百寸；米一斛，積一千六百二十七寸；[2]菽荅麻麥一斛，積二千四百三十寸。此據精粗爲率，使價齊，而不等其器之積寸也。以米斛爲正，則同於《漢志》。魏陳留王景元四年，劉徽注《九章·商功》曰：“當今大司農斛，圓徑一尺三寸五分五厘，深一尺，積一千四百四十一寸十分寸之三。王莽銅斛，[3]於今尺爲深九寸五分五厘，徑一尺三寸六分八厘七毫，以徽術計之，於今斛爲容九斗七升四合有奇。”魏斛大而尺長，王莽斛小而尺短也。

[1]斛（hú）：古代體積單位名。漢制一斛約合今 20.0975 公升。劉徽注《九章·商功》曰：“當今大司農斛，圓經一尺三寸五分五厘，深一尺，積一千四百四十一寸十分之三。”

[2]二十七寸：中華本校勘記：“《九章算術》作‘二十寸’，無‘七’字。”

[3]王莽銅斛：宋本無“斛”字。

## 衡權

衡權者，衡，平也。權，重也。衡所以任權而均物，平輕重也。古有黍、絫、錘、錙、鐶、鈞、鋝、溢之目，[1]歷代參差。《漢志》言衡權名理甚備，自後變更，其詳未聞。元康中，裴頠以爲醫方人命之急，而稱兩不與古同，爲害特重，宜因此改治權衡，不見省。趙石勒十八年七月，造建德殿，得圓石，狀如水碓，銘曰："律權石，重四鈞，同律度量衡。有辛氏造。"續咸議，是王莽時物。

[1]鋝：原本、宋本、殿本作"鏘"，據中華本校勘記改。目：原本、宋本、殿本作"因"，據中華本改。

# 晋書　卷一七

## 志第七

### 律曆中

昔者聖人擬宸極以運璇璣，[1]揆天行而序景曜，[2]分辰野，[3]辨躔曆，[4]敬農時，[5]興物利，[6]皆以繫順兩儀、紀綱萬物者矣。[7]然則觀象設卦，扐閏成爻，曆數之原，存乎此也。逮乎炎帝，分八節以始農功，軒轅紀三綱而闡書契，乃使羲和占日，常儀占月，臾區占星氣，[8]伶倫造律吕，大撓造甲子，隸首作算數。容成綜斯六術，考定氣象，[9]建五行，[10]察發斂，[11]起消息，[12]正閏餘，述而著焉，謂之《調曆》。[13]洎於少昊則鳳鳥司曆，顓頊則南正司天，陶唐則分命羲和，虞舜則因循堯法。及夏殷承運，周氏應期，正朔既殊，創法斯异。《傳》曰："火出，於夏爲三月，於商爲四月，於周爲五月。"[14]是故天子置日官，諸侯有日御，以和萬國，以協三辰。至乎寒暑晦明之徵，陰陽生殺之數，啓閉升降之紀，消息盈虛之節，皆應躔次而無淫流，故能該浹生靈，堪輿天地。周德既衰，史官失職，疇人分散，禨祥不理。秦并天下，頗推五勝，自以獲水德之瑞，用十月爲正。漢氏初興，多所未暇，百有餘載，襲秦正朔。[15]爰及武帝，始詔司馬遷等議造漢曆，乃行夏正。其後劉歆更造《三統》，以説《左傳》，辯而非實，班固惑之，采以爲志。逮光武中興，太僕朱浮數言曆有乖謬，於時天下初定，未能詳考。至永平之末，改行《四分》，[16]七十餘年，儀式乃備。及光和中，乃命劉洪、蔡邕共修律曆，其後司馬彪因之，以繼班史。今采魏文黄初已後言曆數行事者，以續司馬彪云。[17]

[1]宸極：指北極。宸，又通“辰”，故宸極又可釋爲北辰，即北極。　璇璣：就詞的本義而言，璇爲美玉，璣爲不圓的珠子。後來引申爲觀測天象的儀器。相傳遠古的測天儀器是用玉做的。《尚書·舜典》曰：“在璇璣玉衡，以齊七政。”孔穎達疏引馬融云：“渾天儀可旋轉，故曰璣；衡，其橫筒，所以視星宿也。以璇爲璣，以玉爲衡，蓋貴天象也。”《史記·天官書》“北斗七星”條司馬貞索隱引《春秋運斗樞》云：“斗，第一天樞，第二璇，第三璣。”看來均由《舜典》引申而來。

[2]序景曜：景曜即星曜，即恒星星官。序景曜，即按序排列天上各個星宿。

[3]分辰野：即分配十二辰恒星分野。

[4]辨躔曆：躔曆即七曜行度曆。它有别於計算月日的農曆。辨躔曆，即推算七曜行度。

[5]敬農時：又稱“敬授人時”，即爲了更好地發展農業生産，爲人們認真地制訂頒布準確的曆法。農時，即農時節令。

[6]興物利：即興修有利於農業生産的工程。興，原本作

“與”，宋本、殿本作“興”，據宋本、殿本改。

[7]繫順兩儀：兩儀，指太陽和月亮。古時兩儀又稱大明，有別於其他天象。繫順兩儀，指以上的工作，都建立在對兩儀觀測的基礎之上。　紀綱萬物者矣：矣，殿本作“也”。

[8]臾區：臾，原本、宋本作“車”，殿本作“臾”，據殿本、中華本校勘記改。

[9]氣象：指氣候和天象。

[10]建五行：並非指五行相勝等哲學理論，而是指建立五種季節運行的變化規律。即《管子·五行》等所述春爲木行，夏爲火行，季夏爲土行，秋爲金行，冬爲水行，每行各七十二日。

[11]察發斂：《大衍曆·曆本議》有“五行用事曰發斂”，故“發斂”二字，是專指五行木、火、土、金、水用事而言。

[12]起消息：設立消長之法。《莊子·秋水》曰：“消息盈虛，終而有始。”實指推算天體運動迅速變化的方法。

[13]《調曆》：古六曆中的一種，謂《黄帝調曆》，西漢太史令張壽王用以反對《太初曆》的一種曆法。

[14]“火出”至“於周爲五月”：古時，人們以之當作夏、商、周三代所用歲首的證據，由此可推得夏代以寅月爲正月，商代以丑月爲正月，周代以子月爲正月。現代天文學家劉朝陽發現若將歲差考慮在內，此説與事實有差别。

[15]“漢氏初興”至“襲秦正朔”：即沿用秦代使用的《顓頊曆》。《顓頊曆》是古《四分曆》的一種，以十月爲歲首，以寅月爲正月。

[16]改行《四分》：西漢太初以前的曆法，均用四分法，稱爲“古四分曆”。西漢太初改用“十八一分法”，行用至東漢永平末年，又改用《四分曆》，即《後漢四分曆》。太初改曆，鄧平故神其説，借用黄鐘八十一分律曆，以律起曆，律長九寸，律容一龠，積八十一寸，爲一日之分，樹立了《太初曆》的權威，在與其他的十七家曆法競争中勝出而得到行用。事後發現，《太初曆》八十一

分法與《四分曆》的四分法精度相仿，但計算不如四分法簡明，故東漢時又改用四分法。當然，名同“四分”，其曆元各不相同。

［17］以續司馬彪云：是説司馬彪續寫《後漢書・天文志》及《律曆志》，現今《晋志》也采用魏文帝以後有關文獻，接着司馬彪，續寫後世之《天文志》與《律曆志》。

漢靈帝時，會稽東部尉劉洪，考史官自古迄今曆注，原其進退之行，[1]察其出入之驗，視其往來，[2]度其終始，始悟《四分》於天疏闊，皆斗分太多故也。[3]更以五百八十九爲紀法，百四十五爲斗分，[4]作《乾象法》。冬至日日在斗二十二度，[5]以術追日、月、五星之行，推而上則合於古，引而下則應於今。其爲之也，依《易》立數，遁行相號，潛處相求，名爲《乾象曆》。又創制日行遲疾，[6]兼考月行。陰陽交錯於黄道表里，日行黄道，於赤道宿度復進有退。[7]方於前法，轉爲精密矣。[8]獻帝建安元年，鄭玄受其法，以爲窮幽極微，又加注釋焉。[9]

［1］原其進退之行：考查曆注數據發生微差的原因。

［2］視其往來：視，殿本作“規”。

［3］斗分太多：斗分，指回歸年數值中不滿整日數的餘分的分子。《四分曆》的斗分即$\frac{1}{4}$的分子，《乾象曆》的斗分則爲$\frac{145}{589}$的分子。斗分太多，是説《四分曆》的回歸年值 365.25 日取值過大，《乾象曆》因而减小爲 365.24618 日。當然，《乾象曆》的回歸年值還是大了。

［4］以五百八十九爲紀法，百四十五爲斗分：145/589 =

0.24618日，爲回歸年日數之餘分。

［5］冬至日日在斗二十二度：中華本校勘記："按自東漢改行《四分》，測定冬至日在赤道斗二十一度，沿用至唐未改。劉洪《乾象曆》亦用之。此志'二十二度'當爲'二十一度'之誤。"今注按：是。

［6］又創制日行遲疾：中華本校勘記曰："按：劉洪始創月行遲疾，故下有求月行遲疾術。《宋志》上亦謂洪'定月行遲疾'。此'日行'當爲'月行'之誤。"今注按：《後漢書·律曆志中》載《五紀論》有推步日行九道之法，張衡、周興均以爲九道術密近。據此記載，九道術爲推算日行遲速的方法。又據此"創制日行遲疾，兼考月行"文義通順，若改爲"創制月行遲疾，兼考月行"，文義反而不通了。故此處不必改字。

［7］日行黄道，於赤道宿度復進有退：太陽在赤道上的運動速度，有兩種情况造成不均匀運動：一是自身有遲速運動，二是由於黄赤斜交，投影在赤道上也使其產生速度變化。

［8］方於前法，轉爲精密矣：《乾象曆》始减斗分，用日行九道術，又創月行遲疾算法，故《乾象曆》較前曆取得劃時代的進步。

［9］"建安元年"至"又加注釋焉"：李鋭《乾象術》曰："建安元年，鄭康成受其法，以爲窮幽極微，又加注釋焉。劉氏在蜀，不見改術，當是仍用漢四分法。吴中書令闞澤，受《乾象》法於東萊。徐岳字公河，又加解注。中常侍王蕃，以洪術精妙，用推渾天之理，以制儀象及論，故黄武二年春正月，改《四分》，用《乾象》術（見《吴志》），至於吴亡。晉渡江後，《景初》術漸差，其推五星尤疏闊，更用《乾象》五星法代之。自黄初以後，皆斟縒《乾象》，以求折衷，洪術爲後代推步之師表云。（以上采《三國志》《晉書》《宋書》。）"

魏文帝黄初中，太史令高堂隆復詳議曆數，更有改革。太史丞韓翊以爲《乾象》減斗分太過，[1]後當先天，造《黄初曆》，以四千八百八十三爲紀法，千二百五爲斗分。[2]

［1］《乾象》減斗分太過：原本無“乾”字，宋本、殿本有，據宋本、殿本補。

［2］“太史丞韓翊”至“千二百五爲斗分”：減斗分太過，即減小得過了頭。由於所用回歸年數值小於實際值，曆法使用久了，就自然地所推曆法季節當先天。但事實上，回歸年實際餘分爲0.2422日，據上所推《乾象曆》餘分爲0.24618日，實際不是減餘分太過，而是減得不够多。正因爲韓翊認爲“減斗分太過”，故他使用的回歸年餘分爲1205/4883=0.24677（日）。千二百五爲斗分，原本“五”和“爲”間有一字空白，宋本、殿本作“十”。

其後尚書令陳群奏，以爲：“曆數難明，前代通儒多共紛争。《黄初》之元，[1]以《四分曆》久遠疏闊，大魏受命，宜改曆明時，韓翊首建，猶恐不審，故以《乾象》互相參校。其所校日月行度，弦望朔晦，校曆三年，更相是非，無時而决。案三公議皆綜盡典理，殊塗同歸，欲使效之璇璣，各盡其法，[2]一年之間，得失足定。”奏可。

［1］《黄初》之元：此處的元字，非指曆元，而是指原來的本意。

［2］效之璇璣，各盡其法：言用天文儀器進行實測，以數據對各種方法進行比較，驗其疏密。

太史令許芝云："劉洪月行術用以來且四十餘年，以復覺失一辰有奇。"[1]

[1]此處是説，自從《乾象曆》頒行以來，經四十餘年，對其觀測的結果是，其所定月亮行度的方法，仍然有一辰左右的誤差。

孫欽議："史遷造《太初》，其後劉歆以爲疏，復爲《三統》。章和中，改爲《四分》，以儀天度，考合符應，時有差跌，日蝕覺過半日。至熹平中，[1]劉洪改爲《乾象》，推天七曜之符，與天地合其叙。"[2]

[1]熹平：原本、宋本、殿本無"熹"字，據中華本校勘記補。

[2]合其叙：叙，殿本作"序"。

董巴議云："聖人迹太陽於晷景，效太陰於弦望，明五星於見伏，正是非於晦朔。弦望伏見者，曆數之綱紀，檢驗之明者也。"[1]

[1]此處説，對一部曆法疏密的考察，一是測太陽的日影，二是觀察月亮的弦望，三是測五星的見伏。這些是檢驗曆法疏密的關鍵。具體實測時，晦朔難以測定。

徐岳議："劉洪以曆後天，潛精内思二十餘載，參校漢家《太初》《三統》《四分》曆術，課弦望於兩儀郭間。而月行九歲一終，謂之九道；九章，百七十一歲，九道小終；九九八十一章，五百六十七分而九終，進退牛前四度五分。[1]學者務追合《四分》，但減一道六十三分，分不下通，是以疏闊，皆由斗分多故也。[2]課弦望當以昏明度月所在，則知加時先後之意，不宜用兩儀郭間。洪加《太初》元十二紀，減十斗下分，元起己丑，[3]又爲月行遲疾、交會及黄道去極度、五星術，理實精密，信可長行。[4]今韓翊所造，皆用洪法，小益斗下分，所錯無幾。翊所增減，致亦留思，然十術新立，猶未就悉，至於日蝕，有不盡效。效曆之要，要在日蝕。熹平之際，時洪爲郎，欲改《四分》，先上驗日蝕：日蝕在晏，加時在辰，蝕從下上，三分侵二。事御之後如洪言，海内識真，莫不聞見。劉歆已來，未有洪比。夫以黄初二年六月二十九日戊辰加時未日蝕，[5]《乾象術》加時申半强，於消息就加未，[6]《黄初》以爲加辛强。《乾象》後天一辰半强爲近，《黄初》二辰半爲遠，消息與天近。三年正月丙寅朔加時申北日蝕，《黄初》加酉弱，《乾象》加午少，消息加未。《黄初》後天半辰近，《乾象》先天二辰少弱，[7]於消息先天一辰强，爲遠天。三年十一月二十九日庚申晦加時西南維日蝕，[8]《乾象》加未初，消息加申，《黄初》加未强。《乾象》先天一辰遠，《黄初》先天半辰近，消息《乾象》近中天。二年七月十五日癸未，日加壬月加丙蝕，[9]《乾象》月加申，消息加未，《黄初》月加子强，入甲申日。《乾象》後天二辰，消息後一辰爲近，《黄初》後天六辰遠。三年十一月十五日乙巳，[10]日加丑月加未蝕，

《乾象》月加巳半，於消息加午，《黄初》以丙午月加酉强。《乾象》先天二辰近，《黄初》後天二辰强爲遠，於消息於《乾象》先一辰。凡課日月蝕五事，《乾象》四遠，《黄初》一近。”[11]

[1]這段解説九道術的文字，文義不很明確，並有自相矛盾之處，至使後人頗多异説。唐一行首先在《大衍曆》中，解釋劉洪《乾象曆》中的三道術，即認爲九道術是中國早期推算交點月的方法，後世術家，大多用其説，如王應偉《中國古曆通解》等。但也有不同的意見，如清俞正燮《九道論》便認爲九道術是用來解釋日行的。李約瑟《中國科技史・天文卷》則認爲其是推算月亮遲速運動的，但並未展開討論。交點月説認爲，黄白交點每月西退 1 度多，每二道行四年半，十八年半行一周，故名曰九道，實則八道。“十八年而交道適爲一周天，將這個數折半，則是九年而九道一終。”筆者曾撰《九道術解》，主張近點月説。其理由爲：1.《後漢書・律曆志中》載：“永元中，復令史官以九道法候弦望，驗無有差跌。”又引賈逵論曆曰：“日月實從黄道。”又説：“九歲九道一復……九道終數，可以知合朔弦望，月食加時。”又其延光論曆説：“用九道爲朔，月有比三大二小。”劉洪《乾象曆》中的三道法，是推算交點月的，主要是用於推算離開黄道的緯度，用以判斷是否入交食的範圍和入食多少。不能用交點月推算晦弦望，更不能用交點月方法推得月有比三大二小。使用九道法時，如賈逵所言“日月實從黄道”，還不知日月二道相交，又何能推算交點月？可見一行等所言不實。2. 又《後漢書・律曆志中》引賈逵論曆説：“月行當有遲疾，不必在牽牛、東井、婁、角之間，又非所謂朓、側匿，乃由月所行道有遠近出入所生，率一月移故所疾處三度，九歲九道一復，凡九章，百七十一歲，復十一月合朔旦冬至。”可見九道術所用一個月遠地點在黄道上移動三度多，九年完成一周，此正

是近點月的運動周期。一行、王應偉等不知九道術留下有具體運動周期的數值，將交點月的周期强加於九道術，硬説九道術每月移動一度多，不合賈逵所述九道術“率一月移故所疾處三度”。故一行、王應偉等所言九道術爲交點月必誤無疑。

[2]皆由斗分多故也：由，原本作“田”，宋本、殿本作“由”，據宋本、殿本改。

[3]元起己丑：朱文鑫《曆法通志》説：“其‘上元己丑以來，至建安十一年丙戌，歲積七千三百七十八。’建安丙戌（西元206年）距太初丁丑（西元前204年，今注按：當爲公元前104年），共三百十年，則《乾象》上元，至太初元年積七千六十八歲，適合十二紀。故《晉志》徐岳議曆云：‘洪加太初元十二紀，減十斗下分，元起己丑’是也。”（商務印書館1934年版，第91頁）

[4]理實精密，信可長行：是説由於其所用的推算方法和數據很精密，很自信可以長期使用而不出現誤差。精，殿本作“粹”。

[5]黄初二年六月二十九日：二十九日，原本、宋本、殿本作“二十七日”，據中華本改。

[6]消息：此處及下文之消息，是當時推算月行行度的一種方法，消息即遲疾，今失傳，疑即東漢流行的九道術。

[7]先天二辰少弱：辰，宋本作“年”。

[8]三年十一月二十九日庚申晦：中華本校勘記：“《天文志》與《魏志・文帝紀》皆謂‘黄初三年十一月庚申晦，日有蝕之’。依《黄初曆》推算，是月大，庚申爲三十日。”今注按：原本、宋本、殿本皆無“晦”字，中華本亦無“晦”字，以加“晦”爲妥。庚申，原本、宋本、殿本作“庚寅”，據中華本改。

[9]日加壬月加丙蝕：原本、宋本、殿本無“加”字，據中華本補。

[10]三年十一月：十一月，原本、宋本、殿本作“十月”，據中華本改。

[11]以上文字爲當時以《乾象》、《黄初》、消息三術各自推算

的結果，以當時實際發生的5次交食進行比較、驗算，考驗其算法的疏密，是十分難得的珍貴資料，後世《授時曆》在制訂時，也學習了這種方法。

翊於課難徐岳："《乾象》消息但可減，不可加。加之無可説，不可用。"岳云："本術自有消息，受師法，以消息爲奇，辭不能改，故列之正法消息。翊術自疏。"[1]

[1]以上徐岳對《乾象》、消息和韓翊的《黄初》三曆在二次日食、三次月食課比的基礎上，作出了分析，韓翊作了答復，徐岳批評了《黄初曆》"自疏"。

木以三年五月二十四日丁亥晨見。《黄初》五月十七日庚辰見，先七日；《乾象》五月十五日戊寅見，先九日。

土以二年十一月二十六日壬辰見。[1]《乾象》十一月二十一日丁亥見，[2]先五日；《黄初》十一月十八日甲申見，先八日。

土以三年十月十一日壬申伏。[3]《乾象》同，壬申伏；《黄初》已下十月七日戊辰伏，[4]先四日。

土以三年十一月二十二日壬子見。《乾象》十一月十五日乙巳見，先七日；《黄初》十一月十二日壬寅見，先十日。

金以三年閏六月十五日丁丑晨伏。《乾象》六月二十五日戊午伏，先十九日；《黄初》六月二十二日乙卯伏，[5]先二十三日。

金以三年九月十一日壬寅見。《乾象》以八月十八日庚辰見，先二十三日；《黄初》八月十五日丁丑見，先二十五日。

水以二年十一月十七日癸未晨見。《乾象》十一月十三日己卯見，先四日；《黄初》十一月十二日戊寅見，先五日。

水以二年十二月十三日己酉晨伏。《乾象》十二月十五日辛亥伏，後二日；《黄初》十二月十四日庚戌伏，後一日。

水以三年五月十八日辛巳夕見。[6]《乾象》亦以五月十八日見；《黄初》五月十七日庚辰見，先一日。

水以三年六月十三日丙午伏。《乾象》六月二十日癸丑伏，後七日；《黄初》六月十九日壬子伏，後六日。

水以三年閏六月二十五日丁亥晨見。《乾象》以閏月九日辛未見，先十六日；《黄初》閏月八日庚午見，先十七日。

水以三年七月七日己亥伏。《乾象》七月十一日癸卯伏，後四日；《黄初》以七月十日壬寅伏，後三日。

水以三年十一月日於晷度十四日甲辰伏。《乾象》以十一月九日己亥伏，先五日；《黄初》十一月八日戊戌伏，[7]先六日。

水以三年十二月二十八日戊子夕見。二曆同以十二月壬申見，[8]俱先十六日。

凡四星見伏十五。《乾象》七近二中；《黄初》五近一中。[9]

[1]二年十一月二十六日：二十六日，原本、宋本作"二十五日"，殿本作"二十六日"，據殿本、中華本校勘記改。

[2]十一月二十一日：二十一日，原本、宋本作"二十八日"，殿本作"二十一日"，據殿本、中華本校勘記改。

[3]十月十一日：十一日，殿本作"十二日"。

[4]十月七日戊辰伏：七日，原本、宋本、殿本作"八日"，據中華本改。

[5]六月二十二日：二十二日，殿本作"二十一日"。

[6]辛巳：殿本作"辛亥"。

[7]十一月八日：十一月，原本、宋本作"十月"，殿本作"十一月"，據殿本、中華本校勘記改。

[8]十二月壬申：月，殿本作"日"。

[9]以上是徐岳就《乾象》《黄初》在黄初二年至三年的兩年

中對木、土、金、水四行星方位課比的記録，計十四條，得《乾象》七近二中，《黄初》五近一中，其餘爲疏遠。其結果當然是《黄初》不如《乾象》精密。

郎中李恩議："以太史天度與相覆校，二年七月、三年十一月望與天度日皆差异，月蝕加時乃後天六時半，非從三度之謂，定爲後天過半日也。"[1]

[1]以上文字，朱文鑫《曆法通志》曰："《乾象》因《四分》之疏闊，始減斗分，而所得歲實，仍嫌其大，約二百五十年而多一日，《黄初》復少益斗分，則歲實更大，將二百年而多一日。故《晋志》許芝曰：'洪術行用以來，且四十余年，失一辰有奇。'李恩謂'月食後天六時半'，而徐岳、董巴皆謂《黄初》之疏於《乾象》也。惟《黄初》朔策極爲密近，明末引用西法以前，除宋《紀元》外，當以此爲第一。祖冲之《大明》，號稱名曆，尚不如也。徒以當時曆家如徐岳、董巴等，皆親炙《乾象》，成見甚深，不能取《黄初》之長耳。"（朱文鑫：《曆法通志》，第96頁）

董巴議曰："昔伏羲始造八卦，作三畫，以象二十四氣。黄帝因之，初作《調曆》。歷代十一，更年五千，凡有七曆。顓頊以今之孟春正月爲元，其時正月朔旦立春，五星會於天廟，營室也，[1]冰凍始泮，蟄蟲始發，鷄始三號，天曰作時，地曰作昌，人曰作樂，鳥獸萬物莫不應和，故顓頊聖人爲曆宗也。湯作《殷曆》，弗復以正月朔旦立春爲節也，更以十一月朔旦冬至爲元首，下至周魯及漢，皆從其節，據正四時。夏爲得天，以承堯舜，從顓頊故也。《禮記》大戴曰'虞夏之曆，建正於孟春’，此之謂也。”[2]

[1]五星會於天廟，營室也：原本、宋本、殿本作“五星會於天歷營室也”，據中華本改。

[2]這段議論，謂《顓頊》爲曆宗，以立春爲元，以後堯、舜、禹、夏繼之，商湯改制，以冬至爲元，以後周、魯、漢從之。此是董巴當時的認識。

楊偉請：[1]“六十日中疏密可知，不待十年。若不從法，是校方員棄規矩，考輕重背權衡，課長短廢尺寸，論是非違分理。若不先定校曆之本法，而懸聽棄法之末争，則孟軻所謂‘方寸之基，可使高於岑樓’者也。今韓翊據劉洪術者，知貴其術，珍其法。而棄其論，背其術，廢其言，違其事，是非必使洪奇妙之式不傳來世。[2]若知而違之，是挾故而背師也；[3]若不知而據之，[4]是爲挾不知而罔知也。”校議未定，會帝崩而寢。

[1]請：宋本作“謂”。

[2]是非必使：中華本校勘記：“周校：‘非’衍文。”今注按：是。

[3]是挾故而背師也：是，原本、宋本作“於”，殿本作“是”，據殿本、中華本校勘記改。

[4]若不知而據之：而，原本、宋本、殿本無此字，據中華本補。

至明帝景初元年，尚書郎楊偉造《景初曆》表上，帝遂改正朔，施行偉曆，以建丑之月爲正，改其年三月爲孟夏，其孟、仲、季月雖與夏正不同，[1]至於郊祀搜狩，班宣時令，皆以建寅爲正。三年正月帝崩，復用夏正。

[1]孟、仲、季：仲，宋本作“冬”。

其劉氏在蜀，仍漢《四分曆》，吴中書令闞澤，受劉洪《乾象法》於東萊徐岳，又加解注。中常侍王蕃以洪術精妙，用推渾天之理，以制儀象及論，故孫氏用《乾象曆》，至吴亡。

武帝踐祚，泰始元年，[1]因魏之《景初曆》，改名《泰始曆》。楊偉推五星尤疏闊，故元帝渡江左以後，更以《乾象》五星法代偉曆。自黄初已後，改作曆術，皆斟酌《乾象》所減斗分、朔餘、月行陰陽遲疾，以求折衷。洪術爲後代推步之師表，故先列之云。

[1]泰始元年：宋本無“年”字。

乾象曆[1]

上元己丑以來，[2]至建安十一年丙戌，歲積七千三百七十八年。[3]

乾法，千一百七十八。[4]

會通，七千一百七十一。[5]

紀法，五百八十九。[6]

周天，二十一萬五千一百三十。[7]

通法，四萬三千二十六。[8]

通數，三十一。[9]
日法，千四百五十七。[10]
歲中，十二。[11]
餘數，三千九十。[12]
章歲，十九。[13]
没法，百三。[14]
章閏，七。[15]
會數，四十七。[16]
會歲，八百九十三。[17]
章月，二百三十五。[18]
會率，千八百八十二。[19]
朔望合數，九百四十一。[20]
會月，萬一千四十五。[21]
紀月，七千二百八十五。[22]
元月，一萬四千五百七十。[23]
月周，七千八百七十四。[24]
小周，二百五十四。[25]

[1]以下直至本卷末，詳細記述了《乾象曆》本文。

[2]以來：以，宋本作“已”。

[3]《乾象曆》以東漢建安九年（204）以前7378年己丑爲上元，而以西漢太初元年丁丑（前104）爲近距内紀元年。

[4][6][7][8][9][10][13][15][18][22][23]：《乾象曆》沿用以往諸曆法所使用的19年7閏法，以19年爲1章，故《乾象曆》設章歲19，章閏7，章月235。《乾象曆》設31章，589年爲1紀，故通數31，紀法589，由於1章爲235個朔望月，31章爲7285

個朔望月，故紀月爲 7285，元月 14570 爲紀月的 2 倍。

《乾象曆》實測得 1 紀 589 年的總日數爲 215130，則以紀法除之，得回歸年日數爲 $365\frac{145}{589}$日，其中 145 稱爲斗分。這個 1 紀的總日數稱爲周天。以周天 215130 除以紀月 7285，各以 5 相約，得 43026/1457，則 43026 稱爲通法，1457 稱爲日法。

若《乾象曆》曆元之日爲甲子，第 2 紀之元日爲甲午，第 3 紀之元日又回到甲子。故逢單數紀稱爲内紀，雙數紀稱爲外紀，合内外兩紀爲乾法，589 年的 2 倍爲 1178 年，故有乾法 1178。

“乾法，千一百七十八”，原本、宋本、殿本無“八”字，據中華本補；“周天，二十一萬五千一百三十”，三十，原本、宋本、殿本作“四十”，據中華本改；“通數，三十一”，三十一，原本、宋本、殿本作“四十一”，據中華本改；“日法，千四百五十七”，原本、宋本、殿本無“千”字，據中華本補；“章月，二百三十五”，三十五，原本、宋本、殿本作“四十五”，據中華本改。

[5]會通：會通這個概念和數據，據王應偉研究，它含朔望之會和八交限數等因素在内，是用以推算判斷入交狀況的一個中間數據。

[11]歲中，十二：推算二十四節氣中的十二中氣。

[12]餘數，三千九十：周天 215130 除以紀法 589，得 $360\frac{3090}{589}$日，其分子 3090 即爲餘數，是用以推算干支的一種數據。

[14]没法，百三：周天 215130 除以餘數 3090，以 30 約，得 7171/103，其分母即爲没法。是用以推算没日的一種數據。分子 7171 即會通。

[16][17][19][21]：會數四十七，《乾象曆》以 47 章爲推算交食的周期，經這一周，前次冬至朔旦發生的日食，又將重復出現。47×19 = 893，稱之爲會歲。235×47 = 11045，故 11045 稱爲會月。《乾象曆》推定在一個交會周期内，有 1882 次交食，故 1882

稱爲會率。會月，原本、宋本、殿本作“會日”，據中華本改。

［20］朔望合數，九百四十一：《曆法通志》曰：“《乾象》復測定前後限，爲日月食限，又開後世推步交食之法。會率爲一會食數，兩食而日行交一周。則半會率爲一會日行交周數，亦即月行交周數。《乾象》名之曰朔望合數。……依《乾象》法，如月餘小於朔望合數，則交在望前。如月餘大於朔望合數，則交在望後。如月餘盡，則交正在朔。如月餘等於朔望合數，則交正在望。此即推日月食限之古法，實《乾象》創始也。”（朱文鑫：《曆法通志》，第94—95頁）

［24］［25］：《三統曆》以1章歲之内，月亮經天254周，爲1章月行之周數，《乾象曆》沿用之，但將其稱之爲小周254，又以31×254＝7874，則有1紀月亮行經周天之數7874曰月周。

推入紀

置上元盡所求年，以乾法除之，不滿乾法，以紀法除之，餘不滿紀法者，入内紀甲子年也。滿法去之，入外紀甲午年也。[1]

［1］此“推入紀”術爲《乾象曆》推入紀年的特殊方法，由於分内外紀，故需置所求年之積年，以乾法除之，餘再以紀法除之，不滿紀法者爲内紀，若超過紀法，則去紀法，餘入外紀。今推紀首歲名如下：内紀：1己丑3丁卯5乙巳7癸未9辛酉11己亥13丁丑（太初元年爲丁丑元）。外紀：2戊寅4丙辰6甲午8壬申10庚戌12戊子14丙寅。

推朔

置入紀年，外所求，以章月乘之，章歲而一，所得爲定積月，不盡爲閏餘。閏餘十二以上，歲有閏。[1]以通法乘定積月，爲假積日，滿日法爲定積日，不盡爲小餘。[2]以六旬去積日，爲大餘，命以所入紀，算外，所求年天正十一月朔日也。[3]

[1]根據術文，可用下式表示：入紀年數$\times\frac{\text{章月}}{\text{章歲}}=$積月+不盡數/19。其不盡數稱爲閏餘，閏餘如爲12及以上，則由本曆規定，每歲爲$12\frac{7}{19}$月，若閏餘>12，則閏餘+7>19，故術文曰“歲有閏”。

[2]所謂推朔，就是推天正十一月朔日的干支。其法先用每月的日數，去乘以上所求得的積月，即$\frac{\text{通數}}{\text{日法}}\times$積月=積日+不盡數/日法。故術文曰“滿日法爲定積日，不盡爲小餘”。

[3]積日減去60的若干倍，其減餘稱爲大餘，即得所求年天正十一月朔日干支。

求次月，加大餘二十九，小餘七百七十三，小餘滿日法從大餘。小餘六百八十四已上，其月大。[1]

[1]所謂求次月，就是求次月的朔日。由上條求得十一月朔日內，加入一個月的日數，即$29\frac{773}{1457}$，由以上求得的朔小餘與773相加，滿日法1457即得1日，即術文所言“小餘滿日法從大餘”。又因648+773=1457爲日法，故言“小餘六百八十四已上，其月大”。已上，殿本作“以上”。

推冬至

置入紀年，外所求，以餘數乘之，滿紀法爲大餘，[1]不盡爲小餘。以六旬去之，命以紀，算外，天正冬至日也。[2]

[1]滿紀法爲大餘：原本、宋本、殿本無“法”字，據中華本補。

[2]推某年冬至，（入紀年數−1）×回歸年日數＝（入紀年數−1）×（$360+\frac{餘數}{紀法}$）＝60的整數倍+（入紀年數−1）×$\frac{餘數}{紀法}$，前項棄去，故大餘減去60的若干倍以後，便是天正十一月冬至干支。

求二十四氣

置冬至小餘，[1]加大餘十五，小餘五百一十五，滿二千三百五十六從大餘，命如法。[2]

[1]置冬至小餘：中華本校勘記：“《考異》云，當云‘置冬至大餘，四其小餘’，今本脱‘大餘四其’四字。”今注按：是。

[2]求冬至後一個節氣，其相隔日數爲回歸年日數除以24，得術文所述大小餘數，與冬至相加即得。

推閏月

以閏餘減章歲，餘以歲中乘之，滿章閏爲一月。不盡，半法已上亦一，有進退，以無中月。[1]

[1]章閏爲7，一歲12個月後積閏分7，一個月應有閏分7/12。

歲中爲 12。按術文：$\frac{（章歲-閏餘）\times 歲中}{章閏}=月數+\frac{餘數}{章閏}$，其中“餘數”常稱之爲“不盡”。這個不盡數以章閏爲分母，月數從 11 月起算，推至最後一月，始爲閏月。按規定，不盡數大於章閏的 1/2，該月也應作閏月。情况若有出入，以無中氣之月作爲判斷標準。“不盡，半法已上亦一，有進退，以無中月”，中華本校勘記補“得”和“爲正”三字，爲“不盡，半法以上亦得一，有進退，以無中月爲正”。今注按：其實不改也通，若添字，當添“爲閏”以代“爲正”二字。

推弦望

加大餘七，小餘五百五十七半，小餘如日法從大餘，餘命如前，得上弦。又加得望，又加得下弦，又加得後月朔。其弦望定小餘四百一以下，以百刻乘之，滿日法得一刻，不盡什之，求分，以課所近節氣夜漏未盡，以算上爲日。[1]

[1]一個朔望月日數的四分之一，與本月朔日數相加，遞次可得上弦、望日、下弦。李鋭曰：“《乾象》術不見二十四氣晝夜漏刻黄道去極度，當仍用《四分》術數，置冬至夜漏五十五刻，以日法乘之，得八萬一百三十五，以二百除之，得四百，不盡一百三十五，亦得一，故以四百一爲率。”

推没

置入紀年，外所求，以餘數乘之，滿紀法爲積没，有餘加盡積爲一。以會通乘之，滿没法爲大餘，不盡爲小餘。大餘命以紀，算外，冬至後没日。

求次没，加大餘六十九，小餘六十四，[1]滿其法從大餘，[2]無分爲滅。[3]

[1]小餘六十四：原本、宋本、殿本無“四”字，據中華本補。

[2]滿其法從大餘：原本、宋本無“從”字，殿本有，據殿本補。

[3]按古代曆法的定義，一年12個月按360日計，它與回歸年日數相差5日多。以周天215130除以這個差數的分值3090，得69$\frac{64}{103}$，爲1没的長度。故曰：“求次没，加大餘六十九，小餘六十四。”李鋭曰：“有餘加積没一，故所得爲冬至後没。”

推日度

以紀法乘積日，滿周天去之，餘以紀法除之，所得爲度。命度以牛前五度起，宿次除之，不滿宿，即天正朔夜半日所在。[1]

[1]朔夜：原本、宋本、殿本無“朔”字，據中華本補。

求次日，加一度。經斗除分；分少，損一度爲紀法，加焉。[1]

[1]古曆以日行1度計，故積1日則行1度，每滿1周天則去之。由於冬至點在牛前5度，故以牛前5度爲起算點。由於牛前爲斗宿，若分少不足減，應退後1度減。《四分曆》斗宿26度，牛前5度即斗21度。若以所當度計，也可看作斗22度，故有冬至在斗

21或22度之别。

推月度

以月周乘積日，滿周天去之，餘滿紀法爲度，不盡爲分，命如上，則天正朔夜半月所在度。[1]

[1]月周 7874÷紀法 589 = 13.368 度，爲月亮的每日平均行度，故月周是一日行度的紀法分。故以月周乘積日減周天的若干倍，得小於一周天積度的紀法分，再除以紀法，得度數及餘分。這便是天正十一月朔日夜半時的月所在度分。

求次月，小月加度二十二，分二百五十八。大月又加一日，度十三，分二百一十七，滿法得一度。其冬下旬，[1]月在張、心署之。[2]

[1]其冬下旬：下，宋本作“不”。

[2]月在張、心署之：小月爲29天，月平行度 $13\frac{7}{19}\times29=387\frac{13}{19}$，減周天度 $365\frac{1}{4}$ 度，$387\frac{13}{19}-365\frac{1}{4}=22\frac{258}{589}$，故術文曰：“加度二十二，分二百五十八。”若遇大月，爲30日，故再加1日，得次月朔日夜半月所在度分。《隋書·刑法志》曰：“陳制，晦朔八節，月在張、心日，并不得刑。”即月在張、心二宿時應該注明。月，原本、宋本、殿本作“夕”，據中華本校勘記改。

推合朔度

以章歲乘朔小餘，滿會數爲大分；不盡，小分。以大分從朔夜半日分，滿紀法從度，命如前，天正合朔日月所共會也。[1]

[1]合朔時，日月同度。朔小餘是夜半後至合朔加時的日餘分，它是以日法爲分母的，要改以紀法爲分母，由：朔小餘/日法 = $x$ /紀法，則 $x$ =紀法×朔小餘/日法 = 章歲×朔小餘/通法 = 大分+小分/通法，將其加朔日夜半日度分，所得便爲天正十一月合朔時的日月共度。

求次月，加度二十九，大分三百一十二，小分滿會數從大分，[1]大分滿紀法後度，[2]經斗除大分。[3]

[1]大分三百一十二，小分滿會數從大分：中華本於此二句中補“小分二十五”五字，作“大分三百一十二，小分二十五，小分滿會數從大分”，並出校勘記：“此五字，各本所無，惟局本有。疑局本係據李鋭《乾象術注》補。而李原文‘二十五’作‘二十三’。”今注按：因《乾象曆》朔望月值爲：$29\dfrac{773}{1457} = 29\dfrac{\dfrac{773}{47\times31}\times589}{589} = 29\dfrac{312\dfrac{23}{47}}{589}$，故當是“大分三百一十二，小分二十三”。從大分，宋本無“從”字。

[2]大分滿紀法後度：中華本校勘記：“據李《注》，‘後度’當作‘從度’。”今注按，是。

[3]經斗除大分：也即《景初曆》之“經斗除其分”，即得次月合朔日月共度。

求弦望日所在度，加合朔度七，分二百二十五，小分十七半，大小分及度命如前，則上弦日所在度。又加得望、下弦、後月合。[1]

[1]將一個月日數四等分，再將分數的分母改用紀法表示，將其加入朔日日月共度，即得上弦日度。遞次加入，得望、下弦、下月朔日所在度。

求弦望月行所在度，加合朔度九十八，大分四百八，小分四十一，大小分及度命如前合朔，則上弦月所在。又加得望、下弦、後月合。[1]

[1]將四分之一月日數，乘以月每日平行度 $13\frac{7}{19}$，加入朔日日月合朔所在度，遞次加入，得望、下弦及下月朔日度。

求日月昏明度，日以紀法，月以月周，乘所近節氣夜漏，二百而一爲明分。日以減紀法，月以減月周，餘爲昏分。各以加夜半，如法爲度。[1]

[1]以夜半爲起點，順推明分，遞推昏分，昏、明相等。由公式$\frac{1}{2}\times$夜漏/100 刻 = 18 月分/紀法，故明分 = 紀法×夜漏/200 刻，由紀法減去明、昏分，各和朔日夜半 18 月所在度分相加，即爲所求。

推月蝕

置上元年，外所求，以會歲去之，其餘年以會率乘之，如會歲爲積蝕，有餘加積一。會月乘之，如會率爲积月，不盡爲月餘。以章閏乘餘年，滿章歲爲積閏，[1]以減積月，餘以歲中去之，不盡，數起天正。

[1]章歲：歲，原本、宋本、殿本作“月”，今按錢大昕意見及中華本改。

求次蝕，加五月，月餘千六百三十五，滿會率得一月，[1]月以望。

[1]滿會率得一月：殿本“滿”上有“五”字。

推卦用事日

因冬至大餘，倍其小餘，坎用事日也。加小餘千七十五，滿乾法從大餘，中孚用事日也。[1]

[1]李鋭注曰：“錢詹事曰：‘六十四卦用事值日之法，本之京房。其法，以坎離震兑，用事在分至之首，得八十分日之七十三，餘卦皆六日八十分日之七，惟頤晋井大畜，皆五日八十分日之十四。較它卦少七十三分，所少之數，即坎離震兑用事數也。《乾象》術推卦用事，以滿乾法千一百七十八爲日，千一百七十八分之千七十五，即八十分之七十三强也。千一百七十八分之百三，即八十分之七弱也。’鋭案：六日七分，《四分》術之率也。《四分》術一氣，大餘十五，小餘七，此小餘，以三十二爲母，三十二分之七，即八十分之十七半也。倍之，得兩氣大餘三十，小餘十四，即八十分之三十五，以五除之，得六日七分。以七分轉減八十，餘七十三分。於《乾象》術，一氣大餘十五，小餘五百一十五。此小餘，以二千三百五十六爲母，二千三百五十六分之五百一十五，即千一百

七十八分之二百五十七半。倍之，得兩氣大餘三十，小餘一千三十。即千一百七十八分之五百一十五。以五除之，得大餘六，小餘百三。以百三轉減千一百七十八，餘小餘千七十五。緣《乾象》斗分少，故千一百七十八分之百三，較八十分之七爲弱。”



求次卦，各加大餘六，小餘百三。其四正各因其中日，而倍其小餘。

推五行用事

置冬至大小餘，[1]加大餘二十七，小餘九百二十七，滿二千三百五十六從大餘，[2]得土用事日也。[3]加大餘十八，小餘六百一十八，得立春木用事日。加大餘七十三，小餘百一十六，復得土。又加土如得其火。[4]金、水放此。[5]

[1]置冬至大小餘：中華本校勘記：“據李《注》‘大’下當補‘餘四其’三字，作‘置冬至大餘，四其小餘’。”今注按：是。

[2]三百五十：五，宋本作“三”。

[3]以周天 215130×4 = 860520，860520÷5 = 172104，爲五行用事積日分，又以 172104÷2356 得大餘 73，小餘 116，爲五行用事日數。又以五行用事積日分 172104÷4 = 43026，爲四時土王積日分，又以 2356 除之，得大餘 18，小餘 618，爲土王日數。又以一氣大餘 15，小餘 515，各以 3 乘之，得大餘 45，小餘 1545，爲冬至到立春日數，以土王日數減之，得大餘 27，小餘 927。便是以上各數的來歷。

[4]又加土如得其火：此處“如”應讀爲“而”。

[5]金、水放此：宋本“此”下有“一”字。

推加時

以十二乘小餘，滿其法得一辰，[1]數從子起，算外，朔、弦、望以定小餘。

[1]得一辰：原本、宋本、殿本“一”下衍一“度”字，據中華本删。

推漏刻

以百乘小餘，滿其法得一刻，不盡什之，求分，課所近節氣，起夜分盡；夜上水未盡，以所近言之。

推有進退，進加退減所得也。進退有差，起二分度後，[1]率四度轉增少，少每半者，三而轉之，差滿三止，歷五度而減如初。[2]

[1]起二分度後：原本、宋本、殿本作“起分度後二”，誤，據中華本改。

[2]這段文字，是講述赤道度變黄道度的方法。“率四度轉增少”，“少”爲四分之一。在二分（春秋分）前後，黄道度多，赤道度少，現赤道四度，當爲黄道四度又四分之一。“少每半者，三而轉之”，是説前既增加了四分之一，現又增得半，從少而增至半，又增加，則三度而增之爲太，故曰“三而轉之”。故張衡《渾儀》曰：“每一氣者，黄道進退一度焉。”今別一氣十五度爲四度者三，三度者一，凡增少者四，則一氣正得增一度也。“差滿三止”，是説黄赤道差最大止於三度也。“歷五度而減如初”，是説二至前後，黄道度少，赤道度多，故須減之。前率四度增少，今亦率四度減少，故曰如初也。所謂“歷五度”，是指分至相去各九十一度奇，後歷四十五度而增三度，今先歷五度而減少，以後依率減之，則至前亦

四十五度而減三度也。



## 月行三道術

月行遲疾，[1]周進有恒。[2]會數從天地凡數，乘餘率自乘，如會數而一，爲過周分。[3]以從周天，月周除之，曆日數也。[4]遲疾有衰，其變者勢也。[5]以衰減加月行率，爲日轉度分。[6]衰左右相加，爲損益率。[7]益轉相益，損轉相損，盈縮積也。[8]半小周乘通法，如通數而一，以曆周減焉，爲朔行分也。[9]

[1]月亮每天平均行 $13\frac{7}{19}$度，不足此數爲遲，超過此數爲疾。

[2]月行遲疾一周，自起點到起點，又過 3 度多，稱爲一周，之間有所進，所進有常數，故曰周進有恒。

[3]“會數從天地凡數”至“爲過周分”：所謂“天地凡數”，《易》曰：“凡天地之數五十有五。”以會數 47 加 55，得 102。“餘率”，即 29，以 29 自乘，得 841。以 $102\times841=85782$，將其除以 47，得 $1825\frac{7}{47}$，稱爲過周分。即遲疾一周過於周天之數。又以紀法 589 除之，得 $3\frac{58\frac{7}{47}}{589}$。爲過周度，此過周分即西法之最高行。

[4]這一句是説，周天 215130+過周分 $1825\frac{7}{47}=216955\frac{7}{47}$，將其除以月周 7874，得 $27\frac{4357\frac{7}{47}}{7874}$，爲曆日之數。又將周天加過周分之 $216955\frac{7}{47}$，以會數通分納子，得 10196892，以倍通數 62 除之，

得164466，爲曆周數。又置月周，亦以會數乘之，得370078，以倍通數除之，得5969，爲周日法，將其除以曆周，得$27\frac{3303}{5969}$，也爲曆日之數。

［5］遲疾有衰，其變者勢也：衰差即遲疾之差。意爲遲疾有衰，由遲變疾，由疾變遲，均爲自然之勢。在一周之間，入曆第一日極疾，自一日以後，其疾漸減，至八日而平，八日以後漸遲，至十五日極遲，自十五日以後其遲漸減，至二十二日而復平，二十二日以後復漸疾，至周日入次曆，復極疾而一周。

［6］以衰減加月行率，爲日轉度分：每天月亮的平均行度爲13度7分。其運行遲疾一周，僅8日和22日，月行不快不慢。那麼，這兩天的日轉度分就等於月平行率。8日之前，22日以後，可以列衰累加之。8日以後，22日以前，以列衰累減之，便得每日的日轉度分。日轉度分與列衰的關係，也可以這樣來理解：其退和進，均是相對於當日的日轉度分而言的，例如，第一列的日轉度分爲14度10分，而列衰爲退減，那麼，退去1分之後，便得到第2日的日轉度分爲14度9分，以下類推。日轉度分的變化，依賴於列衰的進退而加減。

［7］衰左右相加，爲損益率：8日和22日，其損益率爲零，其前後之數均爲列衰加減之和而得，減爲益，加爲損。

［8］盈縮積：盈宿積爲損益率累積加減之數，故1日爲盈初，16日爲縮初。

［9］“半小周乘通法”至“爲朔行分也”：“半小周二百五十四，得一百二十七”。錢大昕曰：“半小周乘通法，得五百四十六萬四千三百二，如通數而一，得十七萬六千二百六十七又三十一分之二十五，以曆周減之，餘一萬一千八百一，是爲朔行大分。又餘二十五，爲小分也。”李銳案：“曆周爲遲疾一周之積月分，滿周日法成一日。通法爲一周之積日分，滿日法成一日。兩數分母不同，欲令相減，法須變之。先驗周日法，爲會數乘月周，倍通數除之之

數，凡數先乘後除，先除後乘，所得不异。今先以倍通數除月周，得小周之半以乘會數，亦得周日法。是周日法又爲半小周乘會數之數。又驗日法爲通數乘會數之數，則以半小周乘日法，以通數除之，即得周日法，故此術以半小周乘通法，以通數除之，即變一月之積日法分，爲一月之積周日法分，與曆周分粗相等。故即以曆周減之，所減之餘，乃遲疾一周少於一月之積分也。”

| 日轉度分[1] | 列衰[2] | 損益率[3] | 盈縮積[4] | 月行分[5] |
|---|---|---|---|---|
| 一日十四度十分 | 一退減 | 益二十二 | 盈初 | 二百七十六[6] |
| 二日十四度九分 | 二退減 | 益二十一[7] | 盈二十二 | 二百七十五 |
| 三日十四度七分 | 三退減 | 益十九 | 盈四十三 | 二百七十三 |
| 四日十四度四分 | 四退減 | 益十六 | 盈六十二[8] | 二百七十 |
| 五日十四度八分[9] | 四退減 | 益十二 | 盈七十八 | 二百六十六 |
| 六日十三度十五分 | 四退減 | 益八 | 盈九十 | 二百六十二 |
| 七日十三度十一分 | 四退減 | 益四 | 盈九十八 | 二百五十八 |
| 八日十三度七分 | 四退減[10] | 損[11] | 盈百二 | 二百五十四 |
| 九日十三度三分 | 四退加[12] | 損四 | 盈百二 | 二百五十 |
| 十日十二度十八分 | 三退加[13] | 損八 | 盈九十八 | 二百四十六 |
| 十一日十二度十五分 | 四退加 | 損十一 | 盈九十 | 二百四十三 |
| 十二日十二度十一分[14] | 三退加 | 損十五 | 盈七十九 | 二百三十九[15] |
| 十三日十二度八分 | 二退加 | 損十八 | 盈六十四 | 二百三十六[16] |

| | | | | |
|---|---|---|---|---|
| 十四日十二度六分 | 一退加 | 損二十 | 盈四十六[17] | 二百三十四 |
| 十五日十二度五分 | 一進減[18] | 損二十一 | 盈二十六 | 二百三十三[19] |
| 十六日十二度六分 | 二進減[20] | 損二十損不足，反減五爲益，盈有五謂益，而損縮初二十，故不足。[21] | 盈五縮初 | 二百三十四[22] |
| 十七日十二度八分 | 三退減 | 益十八 | 縮十五 | 二百三十六 |
| 十八日十二度十一分 | 四進減 | 益十五[23] | 縮二十三[24] | 二百三十九 |
| 十九日十二度十五分 | 三進減 | 益十一 | 縮四十八 | 二百四十三[25] |
| 二十日十二度十八分[26] | 四進減 | 益八 | 縮五十九 | 二百四十六 |
| 二十一日十三度三分 | 四進減 | 益四 | 縮六十七 | 二百五十 |
| 二十二日十三度七分 | 四進加 | 損[27] | 縮七十一 | 二百五十四 |
| 二十三日十三度十一分 | 四進加 | 損四 | 縮七十一 | 二百五十八 |
| 二十四日十三度十五分 | 四進加 | 損八 | 縮六十七 | 二百六十二 |
| 二十五日十四度 | 四進加 | 損十二[28] | 縮五十九 | 二百六十六 |
| 二十六日十四度四分 | 三進加 | 損十六 | 縮四十七[29] | 二百七十 |
| 二十七日十四度七分[30] | 三曆初進加，三大周日[31] | 損十九 | 縮三十一 | 二百七十三 |

周日十四度九分　　少進加　損二十一　縮十二　　二百七十五

[1]日轉度分：爲月行遲疾中每天月亮運行的定度分。

[2]列衰：爲該日與次日月亮行分之差。列差有進退加減，將其加減日轉度分，稱爲進退；將其加減損益率，稱爲加減。故名稱不同，用處也不同。

[3]損益率：爲小周與其日月行分之差。小周少於月行分，其盈爲益，其縮爲損。多於月行分，在盈爲損，在縮爲益。

[4]盈縮積：爲至其日月行盈縮之盈縮累積分也。積疾爲盈，積遲爲縮。8 日以後，月行漸遲，而盈積分尚存，所以 1 日至 16 日均爲盈。22 日以後，月行漸疾，而縮積分尚存，故 16 日至周日都爲縮。

[5]月行分：爲每日月行之定分。以章歲通日轉度分，便是月行分之數。李鋭指出："《景初》《元嘉》《正光》術，周日下並有小分之數，《乾象》術無之，當是省文或傳寫脱漏。"

[6]二百七十六：原本、宋本、殿本作"三百七十六"，據中華本改。

[7]二十一：原本、宋本、殿本作"二十二"，據中華本改。

[8]六十二：原本、宋本、殿本作"六十三"，據中華本改。

[9]五日十四度：原本、宋本、殿本"度"下有小字"八分"二字，據中華本刪。

[10]四退減：中華本校勘記："李《注》謂當作'四退加'。"今注按：是。

[11]損：原本、宋本、殿本損下衍"四"字，中華本亦作"損四"。錢大昕説："月行一轉，惟八日、二十二日無所損益，然由益而損，正在此日，故不云損若干但云損也。損下不當有四字。"

[12]四退加：加，殿本作"減"。

[13]三退加：加，殿本作"減"。

[14]十一分：殿本作“七分”。

[15]二百三十九：原本、宋本、殿本作“二百四十九”，據中華本改。

[16]二百三十六：原本、宋本、殿本作“二百四十六”，據中華本改。

[17]四十六：原本、宋本、殿本作“三十六”，據中華本改。

[18]一進減：原本作“一進加”，宋本作“一退加”，殿本作“二退加”，此據中華本改。

[19]二百三十三：二百，殿本作“三百”。

[20]二進減：宋本作“二退減”。

[21]“損不足”至“故不足”：原本、宋本、殿本“反”作“及”，據中華本改。中華本校勘記：“李《注》謂文有舛誤，以意求之，當云‘損不足反減五爲益，謂盈有五而損二十，故不足’。”今注按：是。

[22]二百三十四：原本、宋本、殿本作“二百四十四”，據中華本改。

[23]十五：原本、宋本作“十三”，殿本作“十五”，據殿本改。

[24]二十三：原本、宋本、殿本作“三十三”，據中華本改。

[25]二百四十三：殿本作“三百四十三”。

[26]十二度：原本、宋本、殿本作“十三度”，據中華本改。

[27]損：宋本、殿本“損”下有“四”字。

[28]十二：原本、宋本、殿本作“十三”，據中華本改。

[29]四十七：原本、宋本、殿本作“三十七”，據中華本改。

[30]七分：宋本作“十分”。

[31]三曆初進加，三大周日：中華本校勘記：“李《注》謂此文傳寫錯誤，依算數推之，當云‘二進加，曆初大，周日’。”今注按：27日的列衰，正文當爲“三進加”，小注當爲“曆初，大周日”。

周日分，三千三百三。

周虛，[1]二千六百六十六。

周日法，五千九百六十九。

通周，[2]十八萬五千三十九。

曆周，十六萬四千四百六十六。

少大法，一千一百一。

朔行大分，萬一千八百一。[3]

小分，二十五。[4]

周半，一百二十七。

[1]周虛：周日分與周日法之差，稱爲周虛。

[2]通周：以通數乘周日法，或以周半乘日法，得通周。

[3]萬一千八百一：原本、宋本、殿本無“萬”字，據中華本及錢大昕説增補。

[4]小分，二十五：原本、宋本、殿本無此五字，據中華本及錢大昕説增補。

推合朔入曆

以上元積月乘朔行大小分，[1]小分滿通數三十一從大分，[2]大分滿曆周去之，[3]餘滿周法得一日，[4]不盡爲日餘。日餘命算外，所求合朔入曆也。

[1]以上元積月乘朔行大小分：應以一月之積周日法分，乘積月，但滿周法需去之，故直以朔行分乘即可。

[2]小分滿通數三十一從大分：原本、宋本、殿本無“小分”二字，“三十一”作“四十一”，據中華本補、改。

[3]大分滿曆周去之：原本、宋本無“大分”二字，殿本有，

據殿本補。

［4］周法：當作“周日法”，此處省去一字，下文“周分”同。

求次月，加一日，日餘五千八百三十二，[1]小分二十五。[2]

［1］五千八百三十二：原本、宋本、殿本作“五千二百三十三”，據中華本改。

［2］小分二十五：因朔行大小分，以周日法除之，得一日日餘五千八百三十二小分二十五，故有此算法。原本、宋本、殿本無“小”字，據中華本補。

求弦望，各加七日，日餘二千二百八十三，[1]小分二十九半，[2]分各如法成日，日滿二十七日去之。餘如周分。不足除，減一日，加周虛。

［1］二千二百：原本、宋本、殿本作“二千八百”，據中華本改。

［2］小分二十九半：因一弦小餘爲557.5，以周半127乘之，得70820.5，再以道數31除之，得日餘$2283\frac{29.5}{31}$。

求弦望定大小餘

置所入曆盈縮積，[1]以通周乘之爲實。令通數乘日餘分，以乘損益率，以損益實，爲加時盈縮也。章歲減月行分，乘周半爲差法，[2]以除之，所得盈減縮加大小餘，[3]如日法盈不足，朔加時在前後日。[4]弦望進退大餘，爲定小餘。[5]



[1]盈縮積：積，原本、宋本、殿本作"稱"，據中華本改。

[2]以上文字，李鋭曰："求加時盈縮者，於今有術。當以周法爲所有率，損益率爲所求率，置所有日餘分，以通數、通餘内分，以乘損益率爲實，亦以通數乘周法，得通周爲法，法除實，得所求日餘分相當之損益數，以損減益加盈縮積，爲加時盈縮。今不除，即以通數乘日餘分，以乘損益率之數，爲日餘分相當之損益數，轉以通周乘盈縮積，則兩分粗細相等，可以相加減，故損益之，即爲加時盈縮也。又求盈縮日分者，於今有術，當以章歲減用行分，餘爲其日月行去日分，爲所有率日法，爲一日積分所求率。置所有盈縮積，以日法乘之爲實，以章歲減月行分之餘爲法，今此盈縮積，以通周乘之，此通周爲周半乘日法之數，即以日法乘盈縮積，又以周半乘之爲實，故亦以周半乘章歲減月行分之餘爲法，法除實，得所有盈縮積相當之日法分，又以章歲爲一日日行分，與其日月行分相減，餘爲其日日行、月行之差，故曰差法也。"

[3]所得盈減縮加大小餘：月行疾，則加時差而早，故減月行；遲則加時差而晚，故加。原本、宋本"大小餘"後衍"小餘"二字，殿本無，據殿本删。

[4]朔加時在前後日：盈則加時在後日，不足則加時在前日。

[5]弦望進退大餘，爲定小餘：李鋭曰："盈則進，不足則退。又《景初》等術，並有直周日法，今依率補之。直周日者，以通周乘縮積，又以少大法乘之爲實，以少大法乘損率加少大分七百五十五，又以通數乘日餘分以乘之以損實爲加時，縮積以章歲減月行分，餘以少大法乘之，加少大分七百五十五，以乘周半爲差法，以除之所得，加小餘如上法。"

求朔弦望加時定度

以章歲乘加時盈縮，差法除之，所得滿會數爲盈縮大小分，[1]以盈減縮加本日月所在，[2]盈不足，以紀法進退度，爲日月所在定度分。

[1]所得滿會數爲盈縮大小分：李鋭曰："'盈縮大小'，當云爲：'盈縮大分，不盡爲小分。'以差法除加時盈縮，所得爲日法分。今以章歲乘加時盈縮，差法除之，即如先除得日法分，又以章歲乘之也。又日法爲通數乘會數之數，則以章歲乘日法，即如以章歲乘通數，又乘會數也。又紀法爲章歲乘通數之數，則以章歲乘通數，又乘會數，即如似紀法乘會數也。是章歲乘日法，即如以紀法乘會數。章歲乘日法分，即如以紀法分乘會數。故以會數除之，所得爲大分，不盡爲小分。"原本、宋本、殿本無"分"字，據中華本補。

[2]以盈減縮加本日月所在：月行疾，則未及合朔之度便以及日，故用減；月行遲，則過合朔之度乃及日，故用加。弦望之時相同。

推月行夜半入曆

以周半乘朔小餘，如通數而一，以減入曆日餘。餘不足，加周法而減焉，[1]却一日。却得周日加其分，即得夜半入曆。

[1]周法：加的星周分，而不是周法。

求次日，轉一日，因日餘到二十七日，日餘滿周日分去之，不直周日也。其不滿直之，加周虚於餘，餘皆次日入曆日餘也。

求月夜半定度

以夜半入曆日餘，乘損益率，如周法得一，不盡爲餘，[1]以損益盈縮積，餘無所損，破全爲法損之，爲夜半盈縮也。滿章歲爲度，不盡爲分。通數乘分及餘，餘如周法從分，[2]分滿紀法從度，以盈加縮減本夜半度及餘，爲定度。

[1]“以夜半入曆日餘”至“不盡爲餘”：所得者，所有日餘，相當之益損數也。

[2]通數乘分及餘，餘如周法從分：以通數乘章歲分，得紀法分，以通數乘章歲分之餘，滿周法，亦得紀法分。

求變衰法

以入曆日餘乘列衰，如周法得一，不盡爲餘，即各知其日變衰也。

求次曆[1]

以周虚乘列衰，如周法爲常數，曆竟，輒以加變衰，[2]滿列衰去之，[3]轉爲次曆變衰也。

[1]求次曆：次曆日餘，皆周虚之積，故以周虚乘。

[2]輒以加變衰：變，原本、宋本、殿本作“率”，據中華本改。本段下文之“變”同。

[3]滿列衰去之：變衰同周虚，滿周法成日，故變衰滿列衰

去之。

求次日夜半定度

以變衰進加退減曆日轉分，分盈不足，章歲出入度也。通數乘分及餘，而日轉加夜定度，爲次日也。竟曆不直周日，減餘千三十八，[1]乃以通數乘之；直周日者加餘八百三十七，又以少大分八百九十九，加次曆變衰，轉求如前。[2]

［1］以上文字，李鋭認爲：如甲日夜半月行13度7分，入曆26日，日餘5332，乙日夜半月行26度14分，入曆日空，日餘2219，是爲不直周日。

推月亮的夜半定度，以甲日日餘，乘27日損率19，得101308，如周法5969而得1，得16餘5804，以減27日縮積31，得甲日縮積14餘165，以減甲日夜半月行度，得甲日夜半定行12度11分，餘5804。

又以乙日日餘，乘1日益率22，得44638，周法而一，得7，餘2855，即爲乙日盈積。以加乙日夜半月行度，得乙日夜半定行27度2分，餘2855。以變衰推之，以甲日日餘，乘27日列衰3，得15996，周法而一，得甲日變衰2，餘4058，以加27日日轉度分14度7分，得14度9分，餘4058，減餘1038，得14度9分，餘3020，而以轉加甲日夜半定行，亦得乙日夜半定行27度2分，餘2855。

［2］以上文字，李鋭認爲：如丙日夜半月行13度7分，入曆26日日餘2666。丁日夜半月行26度14分，入曆27日日餘2666。戊日夜半月行40度2分，入曆日空，日餘5332，是爲直周日者，以求月亮之夜半定度。

法推其定度，以丙日日餘，乘27損率19，得50654，如周法而一，得 8 餘 2902，以減 27 日縮積 31，得丙日縮積 22 餘 3067，以減丙日夜半月行度，得丙日夜半定行 12 度 3 分，餘 2902。又以戊日日餘，乘 1 日益率 22，得 117304，如周法而一，得 19 餘 3893，即爲戊日盈積，以加戊日夜半月行度，得戊日夜半定度 41 度 2 分餘 3893。

以變衰法推之，以丙日日餘，乘 27 日列衰 3，得 7998，如周法而一，得丙日變衰 1 餘 2029，以加 27 日日轉度分 14 度 7 分，得 14 度 8 分餘 2029。而以轉加丙日夜半定行，得丁日夜半定行 26 度 11 分餘 4931。又置周日轉度分 14 度 9 分餘 4093，少大分 202，加餘 837 少大分 899，得 14 度 9 分餘 4931，而以轉丁日夜半定行，亦得戊日夜半定行 41 度 2 分餘 3893。

求次日夜半盈縮

以變衰減加損益率，爲變損益率，[1] 而以轉損益夜半盈縮。曆竟損不足，反減爲入次曆，減加餘如上數。[2]

[1] 損益率：原本、宋本、殿本作“損日益”，據中華本改。

[2] 本段文字，李鋭認爲：不直周日亦減餘 1038，如甲日、乙日入曆，如上，求得甲日縮積 14 餘 165，乙日盈積 7 餘 2855。又求得甲日變衰 2 餘 4058，減餘 1038，得 2 餘 3020，以加 27 日損率，得甲日變損率 21 餘 3020，以甲日縮積反減之，亦得乙日盈積 7 餘 2855。

直周日者，亦加餘 837，少大分 899，如丙日、丁日、戊日入曆，如上，求得丙日縮積 22 餘 3067，戊日盈積 19 餘 3893。

又求得丙日變衰 1 餘 2029，以加 27 日損率 19，得丙日變損率 20 餘 2029，而轉減丙日縮積，得丁日縮積 2 餘 1038。又置周日損率 21 餘 4093，少大分 202，加餘 837，少大分 899，得 21 餘 4931，而以丁日縮積反減之，亦得戊日盈積 19 餘 3893。

求昏明月度

以曆月行分乘所近節氣夜漏，二百而一爲明分。[1]以減月行分爲昏分。分如章歲爲度，以通數乘分，以加夜半定度，爲昏明定度。[2]餘分半法以上成，不滿廢之。

[1]二百而一爲明分：原本、宋本、殿本無“明”字，據中華本補。

[2]以加夜半定度，爲昏明定度：原本、宋本、殿本作“以昏後以明加夜半定度”，文句不通。李鋭認爲應作“以加夜半定度，爲昏明定度”，中華本亦作“以加夜半定度，爲昏明定度”。據改。

求月行遲疾

月經四表，出入三道，[1]交錯分天，以月率除之，爲曆之日。[2]周天乘朔望合，如會月而一，朔合分也。[3]通數乘合數，餘如會數而一，退分也。以從月周，爲日進分。會數而一，爲差率也。[4]

[1]出入三道：月亮出入三道，是指月亮在黄道南北方向運行，三道即内外中道也。中道即黄道。外道爲陽道，在黄道南；内道爲陰道，在黄道北。古以南爲陽北爲陰，故有此稱呼。

[2]以月率除之，爲曆之日：月率爲月周之誤。月周之數爲 7874，周天 215130，月道分天之半，成陰曆和陽曆，陰陽曆各一終，一終之日數爲 13 日 $\frac{5203}{7874}$。以月率除之，中華本校勘記：“李《注》，‘月率’當是‘月周’之誤。”今注按：是。《乾象曆》中

無月率這個名詞和法數。

［3］“周天乘朔望合”至“朔合分也”：錢大昕認爲，以周天乘朔望合數，得 202427330，如會月而一，得 18328，即朔合分也，又餘$\frac{4570}{11045}$，以 5 約之，爲$\frac{914}{2209}$，故以 2209 爲微分法，914 爲微分。

李鋭曰：“會率，爲一會食數。日行，自此交至彼交爲一食，是一食爲日行交半周。並二食，得日行交一周。半會率得朔望合數，爲一會日行交周數。以加會月，得差率，爲一會月行交周數。則此朔望合數，又爲一會月行交周數，除去一月一周天外，過周及日之積周。以周天乘之，則爲一會月行交周數，除去一月一周天外，過周及日之積度分。以會月爲所有率，過周及日之積度分爲所求率，一月爲所有數，而今有之，得一月月行交一周天外，過周及日之積度分也。”

［4］“通數乘合數”至“爲差率也”：會數而一，中華本校勘記：“李《注》，當作‘當數乘之，通數而一。’”今注按：是。李鋭認爲：會歲，爲一會日行周數。朔望合數，爲一會日行交周數。相減，餘 48，爲一會交退行周數。通數乘之，會數而一者，變會從紀也。會數爲一會章數，爲所有率，48 爲一會交退行周數，爲所求率，通數爲一紀章數，爲所有數，以所求率乘之，得 1488，以所有率除之，得 31，爲所求一紀交退行周數。約而言之，即爲一日交退行分數，故曰退分也。

月周，爲一紀月行周數，以一紀交退行周數並之，得 $7905\frac{31}{47}$，爲一紀月行交周數，即爲一日月行交之積度分。在交爲退，在月則爲進。故又爲日進分。以紀法除之，得 $13\frac{248\frac{31}{47}}{589}$，爲一日月行交度數。

“會數乘之，通數而一者”，又變紀從會也。置 $7905\frac{31}{47}$，以會數通分納子，得 371566，以通數除之，得 11986 爲差率，此差率，即爲一會月行交周數，又爲一日月行交之積度分。以會歲除之，得 $13\frac{379}{893}$，亦爲一日月行交度數。

| 陰陽曆 | 衰 | 損益率[1] | 兼數[2] |
|---|---|---|---|
| 一日 | 一減 | 益十七 | 初 |
| 二日限餘千二百九十，微分四百五十七。此爲前限[3] | 一減[4] | 益十六 | 十七 |
| 三日 | 三減 | 益十五 | 三十三[5] |
| 四日 | 四減 | 益十二 | 四十八[6] |
| 五日 | 四減 | 益八 | 六十 |
| 六日 | 三減 | 益四 | 六十八 |
| 七日 | 三減減不足，反損爲加，謂益有一，當減三，爲不足。[7] | 益一 | 七十二 |
| 八日 | 四加 | 損二過極損之，謂月行半周，度已過極，則當損之。[8] | 七十三 |
| 九日 | 四加 | 損六 | 七十一 |
| 十日 | 三加 | 損十 | 六十五 |
| 十一日 | 二加 | 損十三 | 五十五 |
| 十二日 | 一加[9] | 損十五 | 四十二[10] |
| 十三日限餘三千九百一十二，微分千七百五十二。[11]此爲後限[12] | 一加曆初大，分日。 | 損十六 | 二十七[13] |
| 分日五千二百而三[14] | 少加少者[15] | 損十六大[16] | 十一 |

[1]損益率：損益者，損益兼數也。

[2]兼數者，月去黄道之度分也。此度分滿 12 成 1 度。1 日分日去交近，故兼數少，一日以後，分日已前去交漸遠，故兼數漸多，8 日時去交最遠，故兼數最大。以 8 日兼數 73，以 12 除之，得 6 度 1 分，爲月去黄道極遠之數。又日分損益下，當有小分，依率推之，置月周，以分日減之，餘 2671，則爲虚分，將其乘分日兼數 11，得 29381，以分日除之，得 $5\frac{2366}{5203}$，以 11 約之，母得 473，爲少大法，子得 306，爲少大分。以兼數 11 加，得 $16\frac{306}{473}$，爲分日損率。

[3]限餘千二百九十，微分四百五十七。此爲前限：原本、宋本、殿本無此段小字、大字文，據中華本補。具體參見注[12]。

[4]一減：殿本作“二減”。

[5]三十三：原本、宋本、殿本作“三十七”，據中華本改。

[6]四十八：原本、宋本、殿本作“三十八”，據中華本改。

[7]減不足，反損爲加，謂益有一，當減三，爲不足：弱衰者，前後二日損益率之差也。以之加減其日損益率，得次日，故曰加減也。當減三，原本、宋本、殿本作“當加減三”，“加”字當是衍文，中華本亦作“當減三”。據改。

[8]過極損之，謂月行半周，度已過極，則當損之：過極損之者，爲月去黄道極遠，已過此數，即須損之。半周，半曆周也。這段小字損益率注文，原本、宋本、殿本誤置 7 日下。中華本置 8 日下，據之更正。

[9]一加：原本、宋本無“加”字，殿本有，據殿本補。

[10]四十二：原本、宋本、殿本作“四十三”，據中華本改。

[11]限餘三千九百一十二：二，原本、宋本、殿本作“三”，據中華本改。　微分：微，原本、宋本、殿本作“徵”。誤，此指微分，中華本亦作“微”，據改。本卷下文微分誤作徵分者，均徑

改，不再出注。

[12]此爲後限：前後限者，日月食限也。求其數者，置朔合分183228，微分914，半之，得9164，微分457，爲限分。以月周除之，得1日日餘1290，微分457，則前限也。置一周13日日餘5203，以前限日餘分減之，餘12日日餘3912，微分1752，則後限也。各取算外，故在二日、十三日之下。舊本脱前限一條，依算補正。

[13]二十七：原本、宋本、殿本“二”前衍“大”字，據中華本删。

[14]五千二百而三：原本、宋本作大字，據殿本、中華本改爲注文小字。而，爲語助詞也，猶云二强進少。

[15]少加少者：原本、宋本、殿本作“少加小者”，據中華本改。

[16]損十六大：原本、宋本、殿本“大”字置於下文“十一”前，據中華本改正。

少大法，四百七十三。

曆周，十萬七千五百六十五。

差率，萬一千九百八十六。

朔合分，萬八千三百二十八。[1]

微分，九百一十四。

微分法，二千二百九。

[1]朔合分，萬八千三百二十八：朔合分，爲1月月行交過周及日之積度分，即爲1月日行交之積度分。半之，爲自朔至望，或自望至朔，日行交之積度分。以紀法除限分，得15餘329，微分457，爲自朔至望，或自望至朔，日行交之度數。據以爲限者，古推日月食，交在望前，則朔日食，後望月食；交在望後，則望月

食，後朔日食；交正在朔，則日食既，前後望不食；交正在望，則月食既，前後朔不食。是以朔望相去之數爲限，故此術以朔望相去日行交之度數爲限。三，原本作“二”，宋本、殿本作“三”，據宋本、殿本改。

推朔入陰陽曆

以會月去上元積月，餘以朔合分及微分各乘之，[1]微分滿其法從合分，合分滿周天去之，其餘不滿曆周者，爲入陽曆；[2]滿去之，[3]餘爲入陰曆。餘皆如月周得一日，算外，所求月合朔入曆，不盡爲日餘。

[1]及微分：及，殿本作“定”。

[2]以上文字，意爲上元之時，月行起陽曆。

[3]滿去之：滿，原本、宋本、殿本作“餘”，錢大昕認爲應爲“滿”，中華本亦作“滿”。據改。

求次月

加二日，日餘二千五百八十，微分九百一十四，[1]如法成日，滿十三去之，除餘如分日。陰陽曆竟互入端，入曆在前限餘前，後限餘後者，[2]月行中道也。[3]

[1]以上一句，以朔合分定微分，以月周除之，得 2 日日餘 2580，微分 914。

[2]後限餘後者：原本、宋本、殿本無“餘”字，據中華本補。

[3]月行中道，則有食發生。求望者，因合朔入曆，日餘分加 1 日日餘 1290，微分 457。朔入陽曆，則望入陰曆。則望入陽曆日

滿 13 餘滿分日去之。朔入陽曆，望亦入陽曆。朔入陰曆，望亦入陰曆。

### 求朔望定數

各置入遲疾曆盈縮大小分，會數乘小分爲微分，[1]盈減縮加陰陽日餘，[2]日餘盈不足，進退日而定。[3]以定日餘乘損益率，如月周得一，以損益兼數，[4]爲加時定數。

[1]會數乘小分爲微分：微分法，爲合數自乘之數，小分本以合數爲母，故以合數乘之爲微分。

[2]盈減縮加陰陽日餘：此處之加減，與遲疾術同。求朔望，則盈減縮加，求夜半，則盈加縮減。

[3]進退日：指以月周進退日。

[4]以損益兼數：原本、宋本、殿本無“兼”字，據中華本補。

### 推夜半入曆

以差率乘朔小餘，如微分法得一，[1]以減入曆日餘，不足，加月周而減之，却一日。[2]却得分日加其分，以會數約微分爲小分，即朔日夜半入曆。[3]

[1]微分法：爲 5 約會月之數。差率，爲 1 日月行交之會歲分日法，爲 5 紀月之數。月周與日進分相加，爲 1 日月行交之紀法分。今此朔小餘，爲不滿日法之分。以微分法爲所有率，差率爲所求率，朔小餘爲所有數，而今有之所得，爲朔小餘所變之月行交紀法分。

[2]却一日：原本、宋本、殿本無此三字，據中華本補。

[3]夜半入曆：原本、宋本、殿本“曆”下有“日”字，據中華本删。

求次日，加一日，[1]日餘三十一，小分三十一，小分如會數從餘，[2]餘滿月周去之，又加一日，曆竟下，日餘滿分日去之，爲入曆初也。不滿分日者直之，加餘二千七百二，小分三十一，爲入次曆。[3]

[1]求次日，加一日：原本、宋本、殿本無此六字，據中華本補。

[2]日餘三十一，小分三十一，小分如會數從餘：日餘 31，小分 31，即日進分也。小分三十一，原本、宋本、殿本無此五字，據中華本補。會數從餘，原本、宋本、殿本“餘”上衍“會”字，據中華本删。

[3]“餘滿月周去之”至“爲之次曆”：置月周，加日進分，得 7905，小分 31，以分日 5203 減之，餘 2702，小分 31。

求夜半定日

以通數乘入遲疾曆夜半盈縮及餘，餘滿周半爲小分，[1]以盈加縮減入陰陽日餘，日餘盈不足，以月周進退日而定也。以定日餘乘損益率，如月周得一，以損益兼數，[2]爲夜半定數也。

[1]餘滿周半爲小分：盈縮餘，本以周法爲母，周法爲周半乘會數之數，故以周半除餘，所得以會數爲母。原本、宋本、殿本無“周”字，據中華本補。

［2］“以盈加縮減入陰陽日餘”至“如月周得一，以損益兼數”：此段原本、宋本、殿本作“以盈加縮減入陰陽日餘，日盈不足，以月周進退日而定也。以定日餘乘損益兼數”，據李鋭説及中華本改。

求昏明數

以損益率乘所近節氣夜漏，二百而一爲明，以減損益率爲昏，而以損益夜半數爲昏明定數。

求月去極度

置加時若昏明定數，以十二除之爲度，其餘三而一爲少，[1]不盡一爲强，二少弱也，所得爲月去黄道度也。其陽曆以加日所在黄道曆去極度，陰曆以減之，[2]則月去極度。强正弱負，强弱相并，同名相從，异名相消。其相減也，同名相消，异名相從，無對互之，二强進少而弱。

［1］其餘三而一爲少：原本、宋本、殿本“三”下有“日”字，據中華本删。

［2］“其陽曆”至“陰曆以減之”：陽曆在黄道外，去極遠，故加。陰曆在黄道内，去極近，故減。

上元己丑以來，至建安十一年丙戌，歲積七千三百七十八。

己丑　戊寅　丁卯　丙辰　乙巳　甲午
癸未

壬申　辛酉　庚戌　己亥　戊子　丁丑　丙寅[1]

[1]此爲上元以來，每紀紀首歲名。以紀法589，以60去之，餘49，從元首己丑算外起算得戊寅。又置49，命起戊寅算外，得丁卯，順此類推。己丑、丁卯等爲内紀，戊寅、丙辰等爲外紀。建安八年丙戌，入丁丑紀。涉及丙寅者，丁丑爲内紀，丙寅外紀。

推五星

五行：木，歲星；火，熒惑；土，填星；金，太白；水，辰星。各以終日與天度相約，爲周率、日率。[1]章歲乘周，爲月法。章月乘日，爲月分。分如法，爲月數。通數乘月法，日度法也。[2]斗分乘周率，[3]爲斗分。日度法用紀法乘周率，[4]故此同以分乘之。

[1]爲周率、日率：原本、宋本、殿本無"周率"二字，據李鋭説及中華本補。

[2]以上文字，原本應以紀法乘周率爲日度法。今此月法爲章歲乘周率之數，紀法爲通數乘章歲之數，則以通數乘月法，等於紀法乘周率。

[3]斗分：原本、宋本、殿本作"升分"。錢大昕曰："此篇云升分者，皆斗分之訛，隸書斗作什，傳寫易混"，中華本亦作"斗分"，據改。本卷下文及卷一八"斗分"訛爲"升分"者，均徑改正，不再出注。

[4]周率：周，原本、宋本、殿本作"同"。日度法用紀法乘周率，故此處同以分乘之，中華本亦作"周"。據改

**五星朔大餘、小餘。**以通法各乘月數，日法各除之，爲大餘，不盡爲小餘。以六十去大餘。

**五星入月日、日餘。**各以通法乘月餘，以合月法乘朔小餘，并之，會數約之，所得各以日度法除之，則皆是。[1]

**五星度數、度餘。**減多爲度餘分，以周天乘之，以日度法約之，所得爲度，不盡爲度餘，過周天去之及斗分。[2]

［1］“各以通法乘月餘”至“則皆是”：原本、宋本“月法”下脱“乘”字，殿本有，據殿本補。“朔小餘”爲通數乘會數之分，又以乘月法，會數約之，所得爲通數乘月法之分，所以滿日度法得一。

［2］“五星度數”至“過周天去之及斗分”：五星，原本、宋本、殿本作“生”，錢大昕認爲：蓋星字爛脱，上存下半，又脱去五字“去之及什分”。原本、宋本、殿本“去”作“法”，“斗”作“十”，錢氏認爲，木火土以周率減日率，餘爲度餘分。金水周率多於日率，即以日率爲度餘分。“法”當作“去”，“十”當作“斗”。火一終之行度大於周天，故須去之。中華本亦同於錢氏説。據改。

紀月，七千二百八十五。

章閏，七。

章月，[1]二百三十五。

歲中，十二。

通法，四萬三千二十六。

日法，千四百五十七。

會數，四十七。

周天，二十一萬五千一百三十。

斗分，一百四十五。

木：

周率，六千七百二十二。

日率，七千三百四十一。

合月數，十三。[2]

月餘，六萬四千八百一。

合月法，十二萬七千七百一十八。

日度法，[3]三百九十五萬九千二百五十八。

朔大餘，二十三。[4]

朔小餘，一千三百七。

入月日，十五。[5]

日餘，三百四十八萬四千六百四十六。[6]

朔虛分，一百五十。

斗分，九十七萬四千六百九十。

度數，三十三。[7]

度餘，二百五十萬九千九百五十六。

火：

周率，三千四百七。[8]

日率，七千二百七十一。

合月數，二十六。[9]

月餘，二萬五千六百二十七。

合月法，六萬四千七百三十三。

日度法，二百萬六千七百二十三。

朔大餘，四十七。[10]

朔小餘，一千一百五十七。

入月日，十二。[11]

日餘，九十七萬三千一十三。
朔虚分，三百。
斗分，四十九萬四千一十五。[12]
度數，四十八。[13]
度餘，一百九十九萬一千七百六。
土：
周率，三千五百二十九。
日率，三千六百五十三。
合月數，十二。[14]
月餘，五萬三千八百四十三。
合月法，六萬七千五十一。
日度法，二百七萬八千五百八十一。[15]
朔大餘，五十四。[16]
朔小餘，五百三十四。
入月日，二十四。[17]
日餘，十六萬六千二百七十二。
朔虚分，九百二十三。
斗分，五十一萬一千七百五。
度數，十二。[18]
度餘，一百七十三萬三千一百四十八。
金：
周率，九千二十二。
日率，七千二百一十三。
合月數，九。[19]
月餘，十五萬二千二百九十三。

合月法，十七萬一千四百一十八。[20]
日度法，五百三十一萬三千九百五十八。
朔大餘，二十五。[21]
朔小餘，一千一百二十九。
入月日，二十七。[22]
日餘，五萬六千九百五十四。
朔虛分，三百二十八。
斗分，一百三十萬八千一百九十。
度數，二百九十二。[23]
度餘，五萬六千九百五十四。
水：
周率，一萬一千五百六十一。
日率，一千八百三十四。
合月數，一。[24]
月餘，二十一萬一千三百三十一。
合月法，二十一萬九千六百五十九。
日度法，六百八十萬九千四百二十九。
朔大餘，二十九。
朔小餘，七百七十三。
入月日，二十八。[25]
日餘，六百四十一萬九百六十七。[26]
朔虛分，六百八十四。
斗分，一百六十七萬六千三百四十五。
度數，五十七。[27]
度餘，六百四十一萬九百六十七。

［1］章月：宋本無“月”字。

［2］合月數，十三：以章月乘日率，得1725135，爲月分，以合月法除之，得合月數，不盡爲月餘。十三，殿本作“十二”。

［3］日度法：宋本作“二日度法”。

［4］朔大餘，二十三：以通法乘合月數，得559338，爲積日分，以日法除之，得383，爲積日，不盡爲朔小餘。以60去積日，餘爲大餘。以朔小餘轉減日法，餘爲朔虚分。

［5］入月日，十五：以通法乘月餘，得2788127826，以合月法乘朔小餘，得166927426，併之，得2955055252，以合數約之，得62873516，爲日分，以日度法除之，得入月日，不盡爲日餘。

［6］日餘，三百四十八萬四千六百四十六：原本、宋本、殿本作“日餘，三百三十八萬四千四十六”，據中華本改。

［7］度數，三十三：以周率減日率，餘619爲度餘分，以周天乘之，得133165470，爲積度分，以日法除之，爲度數，不盡，爲度餘。

［8］三千四百七：三，殿本作“二”。

［9］合月數，二十六：月分爲1708685。

［10］此處積日分118676，積日爲767。

［11］入月日，十二：原本、宋本、殿本“十二”下有小字夾文“景初十三”，據中華本删。　此處通法乘月餘，得1102627302，合月法乘朔小餘，得74896081，併之，得1177523383，以合數約之，得日分25053689。

［12］一十五：原本、宋本、殿本作“二十五”，據中華本改。

［13］度數，四十八：度餘分爲3864，積度分爲431262320，積度414度餘478998，以周天365度斗分494015減之，餘爲度數及度餘。原本、宋本、殿本“四十八”下有小字夾文“景初五十”四字，據中華本删。

［14］此處月分858455。

［15］八十一：原本、宋本、殿本無“一”字，據中華本補。

[16]此處積日分516312，積日354。

[17]入月日，二十四：通法乘月餘，得2316648918，合月法乘朔小餘，得35805234，併之，得2352454152，合數約之得日分50052216。原本、宋本、殿本無“日”字，據中華本補。

[18]此處度餘分爲124，積度分爲26676120。

[19]此處月分16095055。

[20]十七萬一千四百一十八：八，原本、宋本、殿本作“六”，據中華本改。

[21]此處積日分爲387234，積日爲265。

[22]通數乘月餘，得6552558618，合月法乘小餘，193530922，併之，得6746089540，合數約之，得日分143533820。

[23]以周天乘日率，得積度分1551732690。

[24]月分430990。

[25]通法乘月餘，得9092727606，合月法乘朔小餘，得169796407，併之，得9262524013，合數約之，得日分197074979。

[26]六百四十一萬：四，原本作“三”，宋本、殿本作“四”，據宋本、殿本改。

[27]積度分爲394548420。

推五星

置上元盡所求年，以周率乘之，滿日率得一，名積合，不盡爲合餘。以周率除之，得一，星合往年。二，合前往年。無所得，合其年。合餘減周率爲度分。金、水積合，奇爲晨，耦爲夕。[1]

[1]李鋭認爲，上元金水起夕合也。《晉書》志載徐岳議曰：“水以黄初二年十一月十七日癸未晨見，《乾象》以十一月十三日己卯見，先四日。”今依術推之，上元己丑以來，盡黄初二年辛丑，

積7393年，積合46603，合餘571，積月91439，日餘27669，入甲子紀，月4019，閏月119，閏餘168，入歲空月，積日118683，朔大餘3，小餘363，入月日3日餘6597726，水晨合，伏九日，見東方，得11月丁卯朔，4日庚午水晨合，13日卯晨見，與徐岳議合。是奇爲晨也。

推星合月

以月數、月餘各乘積合，滿合月法從月，不盡爲月餘。以紀月去積月，[1]餘爲入紀月。副以章閏乘之，滿章月得一閏，以減入紀月，餘以歲中去之，命以天正算外，合月也。其在閏交際，以朔御之。

[1]以紀月去積月：以紀月除去積月，所得，偶入甲子紀，奇入甲午紀。

推星合月朔日以通法乘入紀月，滿日法得一，爲積日，不盡爲小餘，以六十去積日，余爲大余，命以所入紀算外，星合朔日也。[1]

[1]本段爲推“合月朔日術”，原本、宋本、殿本無此段術文，中華本亦無。今據李鋭説，依《景初曆》補。

推入月日

以通法乘月餘，合月法乘朔小餘，并以會數約之，所得滿日度法得一，則星合入月日也。不滿爲日餘，命以朔算外。[1]

[1]命以朔算外：宋本無“朔”字。

推星合度

以周天乘度分，滿日度法得一度，不盡爲餘，命度以牛前五起。

右求星合。[1]

[1]合：原本、宋本作“法”，殿本作“合”，據殿本改。

求後合月

以月數加月數，以月餘加月餘，滿合月法得一月，不滿歲中，[1]即合其年；滿去之，有閏計焉，[2]餘爲後年；再滿，在後二年。金、水加晨得夕，加夕得晨。

[1]不滿歲中：原本、宋本、殿本“不”下衍“減”字，據中華本删。

[2]有閏計焉：閏，原本、宋本作“餘”，殿本作“閏”，據殿本改。

求後合朔日[1]

以朔大小餘，加合月大小餘，上成月者，又加大餘二十九，小餘七百七十三，小餘滿日法從大餘，命如前。

[1]求後合朔日：原本、宋本、殿本無“後”字，據中華本補。

求後入月日術[1]

以入月日、日餘，加合入月日及餘，餘滿日度法得一日，其前合朔小餘滿其虚分者，減一日。後小餘滿七百七十三以上者，去二十九日，不滿，[2]去三十日，其餘則後合，入月日也。

[1]求後入月日術：原本、宋本、殿本無“後”字，據中華本補。

[2]去二十九日，不滿：原本、宋本、殿本無此七字，據中華本補。

求後度

以度加度，[1]度餘加度餘，滿日度法得一度。

[1]以度加度：原本、宋本作“以度數加”，殿本作“以度度加”，據中華本改。

木：

伏三十二日

三百四十八萬四千六百四十六分。

見三百六十六日。

伏行五度

二百五十萬九千九百五十六分。

見行四十度。除逆退十二度，定行二十八度。

火：

伏百四十三日

九十七萬三千一十三分。
見六百三十六日。
伏行一百一十度
四十七萬八千九百九十八分。
見行三百二十度。除逆十七度，定行三百三度。
土：
伏三十三日
十六萬六千二百七十二分。
見三百四十五日。[1]
伏行三度
百七十三萬三千一百四十八分。
見行十五度。除逆六度，定行九度。
金：
晨伏東方八十二日
十一萬三千九百八分。
見西方。二百四十六日。除逆六度，定行二百四十六度。[2]
晨伏行百度
十一萬三千九百八分。
見東方。日度如西。[3]伏十日，退八度。
水：晨伏三十三日
六百一萬二千五百五分。
見西方。三十二日。除逆一度，定行三十二度。
伏行六十五度[4]
六百一萬二千五百五分。
見東方。日度如西。伏十八日，退十四度。[5]

[1]三百四十五日：四，原本、宋本、殿本作“三”，據中華本改。

[2]二百四十六度：百，宋本作“日”。

[3]日度如西：如，原本、宋本、殿本作“加”，據中華本改。

[4]伏行六十五度：原本、宋本無“度”字，殿本有，據殿本補。

[5]日度如西。伏十八日，退十四度：原本、宋本、殿本無此段小字注文，據中華本補。

五星曆步術[1]

以法伏日度及餘，[2]加星合日度餘，餘滿日度法得一，從全命之如前，[3]得星見日及度也。以星行分母乘見度，餘如日度法得一，分不盡半法以上亦得一；而日加所行分，分滿其母得一度，逆順母不同，以當行之母乘故分，如故母而一，[4]當行分也。留者承前，逆則減之，伏不盡度，經斗除分，以行母爲率，分有損益，前後相遇。[5]凡言如盈約滿，皆求實之除也；去及除之，取盡之除也。[6]

[1]五星曆步術：原本、宋本、殿本無“術”字，據李鋭説及中華本補。

[2]以法伏日度及餘：原本、宋本、殿本“以”下衍“術”字，據李鋭説及中華本删。

[3]從全：全，原本、宋本、殿本作“今”，據中華本改。

[4]如故母而一：原本、宋本、殿本無“故”字，據中華本補。

[5]相遇：遇，殿本作“御”。

[6]“凡言如盈約滿”至“取盡之除也”：李鋭認爲此四語不類正文，疑此爲注文衍入。



木：晨與日合，伏，順，[1]十六日百七十四萬二千三百二十三分，行星二度三百二十三萬四千六百七分，而晨見東方，在日後，[2]順，疾，日行五十八分之十一，五十八日行十一度。更順，遲，[3]日行九分，五十八日行九度。留，不行二十五日而旋。逆，日行七分之一，八十四日退十二度。復留，二十五日而順，日行五十八分之九，五十八日行九度。順，疾，日行十一分，五十八日行十一度，在日前，夕伏西方。十六日百七十四萬二千三百二十三分，行星二度三百二十三萬四千六百七分，而與日合。凡一終，三百九十八日三百四十八萬四千六百四十六分，行星四十三度二百五十萬九千九百五十六分。

[1]伏，順：原本、宋本、殿本作“順伏”，據中華本改。

[2]在日後：原本、宋本、殿本“日”下衍“没”字，據中華本删。

[3]遲：原本、宋本作“逆”，殿本作“遲”，據殿本改。

火：晨與日合，伏，順，七十一日百四十八萬九千八百六十八分，行星五十五度百二十四萬二千八百六十分半，[1]而晨見東方，在日後。順，日行二十三分之十四，百八十四日行一百一十二度。更順，遲，日行二十三分之十二，九十二日行四十八度。留，不行十一日。

旋，逆，日行六十二分之十七，六十二日退十七度。[2]復留，十一日而順，[3]日行十二分，九十二日行四十八度。復順，疾，日行十四分，百八十四日行百一十二度，在日前，夕伏西方。七十一日百四十八萬九千八百六十八分，行星五十五度百二十四萬二千八百六十分半，而與日合。凡一終，七百七十九日九十七萬三千一十三分，行星四百一十四度四十七萬八千九百九十八分。[4]

[1]行星五十五度：五十五，原本、宋本作“五十”，殿本作“五十五”，據殿本補“五”字。

[2]六十二日退十七度：六十二，殿本作“六十三”。

[3]復留，十一日而順：原本、宋本、殿本無此七字，據中華本補。

[4]九百九十八分：原本、宋本、殿本無“九百”二字，據中華本補。

土：晨與日合，伏，順，十六日百一十二萬二千四百二十六分半，行星一度百九十九萬五千八百六十四分半，而晨見東方，在日後。順，日行三十五分之三，八十七日半行七度半。[1]留，不行三十四日。旋，逆，日行十七分之一，百二日退六度。復三十四日而順，[2]日行三分，八十七日行七度半，[3]在日前，夕伏西方。十六日百一十二萬二千四百二十六分半，行星一度百九十萬五千八百六十四分半，[4]而與日合也。凡一終，三百七十八日十六萬六千二百七十二分，行星十二度百七十三萬三千一百四十八分。[5]

[1]八十七日半：原本、宋本、殿本“八”前衍“百”字，據中華本删。

[2]復三十四日而順：中華本校勘記：“李《注》謂‘復’下當補‘留’字。”今注按：是。

[3]八十七日行七度半：原本、宋本、殿本“日”下衍“逆”字，據中華本删。另中華本校勘記：“李《注》謂‘日’下當有‘半’字。”今注按：是。

[4]百九十萬：殿本作“百九十九萬”。

[5]四十八分：四，原本、宋本、殿本作“三”，據中華本改。

金：晨與日合，伏，逆，五日退四度，而晨見東方，在日後。逆，日行五分度之三，十日退六度。留，不行八日。旋，順，遲，日行四十六分之三十三，四十六日行三十三度而順。疾，日行一度九十一分之十五，九十一日行一百六度。更順，益疾，日行一度九十一分之二十二，九十一日行百一十三度，在日後，晨伏東方。順，四十一日五萬六千九百五十四分行星五十度五萬六千九百五十四分，[1]而與日合。一合，二百九十二日五萬六千九百五十四分，[2]行星亦如之。

[1]四十一日五萬六千九百五十四分：五十四，原本、宋本作“五十三”，殿本作“五十四”，據殿本改。分，殿本作“度”。行星五十度五萬六千：六千，殿本作“九千”。

[2]一合，二百九十二日五萬六千九百五十四分：原本、宋本、殿本無“一合二百九十”六字，據中華本補。

金：夕與日合，伏，順，四十一日五萬六千九百五十四分行星五十度五萬九千九百五十四分，[1]而夕見西方，在日前。順，疾，日行一度九十一分之二十二，九十一日行百一十三度。更順，減疾，日行一度十五分，九十一日行百六度而順。遲，日行四十六分之三十三，四十六日行三十三度。留，不行八日。旋，逆，日行五分之三，十日退六度，在日前，夕伏西方，逆，疾，五日退四度，[2]而與日合。凡再合一終，五百八十四日十一萬三千九百八分，行星亦如之。

[1]五萬九千九百：九千，原本、宋本作“六千”，殿本作“九千”，據殿本改。

[2]在日前，夕伏西方，逆，疾，五日退四度：原本、宋本、殿本無此十四字，據中華本補。

水：晨與日合，伏，逆，九日退七度，而晨見東方，在日後。更逆，疾，一日退一度。留，不行二日。旋，順，遲，日行九分之八，九日行八度而順。疾，日行一度四分之一，二十日行二十五度，在日後。晨伏東方，順，十六日六百四十一萬九百六十七分行星三十二度六百四十一萬九百六十七分，[1]而與日合。一合，五十七日六百四十一萬九百六十七分，行星亦如之。

[1]行星三十二度六百四十一萬九百六十七分：原本、宋本、殿本此十八字置於本段末尾“行星亦如之”前，據中華本改。

水：夕與日合，伏，順，十六日六百四十一萬九百六十七分行星三十二度六百四十一萬九百六十七分，[1]而夕見西方，在日前。順，疾，日行一度四分之一，二十日行二十五度而順。遲，日行九分之八，九日行八度。留，不行二日。旋，逆，一日退一度，在日前，夕伏西方。逆，遲，九日退七度，與日合。凡再合一終，一百一十五日六百一萬二千五百五分，行星亦如之。



[1]行星三十二度六百四十一萬九百六十七分：原本、宋本、殿本無此十八字，據中華本補。